OTAGES

1 967 jours dans la jungle colombienne

MARC GONSALVES, KEITH STANSELL
ET TOM HOWES

Avec la collaboration de Gary Brozek

OTAGES

1 967 jours dans la jungle colombienne

Traduit de l'anglais (États-Unis)
par Pascal Loubet

Titre original :
Out of Captivity – Surviving 1967 Days in the Colombian Jungle

© Marc Gonsalves, Keith Stansell, Tom Howes, 2009.
© Éditions Michel Lafon, 2009, pour la traduction française.
7-13, boulevard Paul-Émile-Victor – Île de la Jatte
92521 Neuilly-sur-Seine Cedex

www.michel-lafon.com

À Tommy Janis, qui fit le sacrifice ultime : votre habileté et votre courage sous le feu ennemi nous a sauvés. Vos actes vous honorent, et rejaillissent sur votre famille et votre pays.

Au sergent Luis Alcedes Cruz, qui n'a pas survécu.

À nos familles, qui nous attendaient à notre retour de la jungle.

Aux milliers de personnes retenues en captivité, en Colombie et ailleurs. Nous ne vous oublions pas.

NOTE DES AUTEURS

Cette histoire n'est pas terminée. En cet instant, un autre monde perdure, enfoui dans les vastes jungles de Colombie. Des centaines d'otages y dépérissent, et vingt-huit d'entre eux furent nos compagnons d'infortune. Ils sont enchaînés, affamés, et ne rêvent que d'en sortir. Ne les oublions pas :

Civils
Alan Jara (capturé le 15 juillet 2001)
Sigifredo López (11 avril 2001)

Personnel militaire et policier
Pablo Emilio Moncayo Cabrera (20 décembre 1997)
Libio José Martínez Estrada (20 décembre 1997)
Luis Arturo García (3 mars 1998)
Luis Alfonso Beltrán (3 mars 1998)
William Donato Gómez (8 mars 1998)
Robinson Salcedo Guarín (3 mars 1998)
Luis Alfredo Moreno (3 mars 1998)
Arbey Delgado Argote (3 mars 1998)
Luis Herlindo Mendieta (11 janvier 1998)

OTAGES

Enrique Murillo Sánchez (11 janvier 1998)
César Augusto Lasso Monsalve (11 janvier 1998)
Jorge Humberto Romero (10 juin 1999)
José Libardo Forero (10 juin 1999)
Jorge Trujillo Solarte (10 juin 1999)
Carlos José Duarte (10 juin 1999)
Wilson Rojas Medina (10 juin 1999)
Álvaro Moreno (9 décembre 1999)
Elkin Hernández Rivas (14 octobre 1998)
Edgar Yezid Duarte Valero (14 octobre 1998)
Guillermo Javier Solózano (4 juin 2007)
William Yovani Domínguez Castro (20 janvier 2007)
Salin Antonio San Miguel Valderrama (23 mai 2008)
Juan Fernando Galicio Uribe (9 juin 2007)
José Walter Lozano (9 juin 2007)
Alexis Torres Zapata (9 juin 2007)
Luis Alberto Erazo Maya (9 décembre 1999)

ARRIVÉE EN CATASTROPHE

KEITH

– *Ça*, monsieur, c'est une panne moteur.

D'après le ton de Tommy Janis, notre pilote, on ne se douterait pas qu'il est arrivé quelque chose de grave. Personnage haut en couleur, Tommy a piloté toutes sortes d'engins un peu partout dans le monde et regorge d'anecdotes. Mais cette fois, il est à mille lieues de faire de l'ironie.

Ce fameux *ça*, c'est le brusque silence qui suit l'arrêt du moteur de notre Cessna : pas besoin d'être comme moi un spécialiste de l'aéronautique pour en déduire que ça ne sent pas bon.

Je repose la bio de Che Guevara que je suis en train de lire et j'interroge du regard mon collègue Marc Gonsalves, absorbé dans la vérification de son matériel photo-vidéo et de son ordinateur. Le pauvre n'a effectué que quelques missions avec nous et voilà que nous avons une fichue panne de moteur. Je sais que Tommy Janis et notre copilote Tom Howes vont tenter de passer par-dessus les montagnes et d'atteindre l'aéroport de Larandia, où nous sommes censés refaire le plein.

Durant mes vingt et quelques années de vol, j'ai été formé sur toutes sortes d'appareils civils et militaires. Comme ce n'est pas la première fois que j'ai un pépin, je garde mon sang-froid.

— Lance un SOS, dis-je à Marc.

— Je suis trop nouveau pour passer un appel aussi important, mieux vaut que ce soit toi.

Je ne peux pas lui en vouloir et j'appelle la base pour donner notre position – c'est crucial – comme nous le faisons toutes les demi-heures.

— Magic Worker, ici Mutt 01, vous me recevez ?

Pas de réponse. Je tente à nouveau. Silence radio.

Problème. Magic Worker, ce sont les responsables de la mission. Normalement, ils répondent immédiatement. Il est hors de question d'effectuer un atterrissage forcé sans que personne sache que nous sommes en difficulté. J'appelle le JIATF East, le groupe du ministère de la Défense basé en Floride.

— Mutt 01. Ici JIATF East. Combien d'hommes à bord ?

— JIATF East, nous sommes cinq. Tom Janis, Tom Howes, Marc Gonsalves, le sergent Luis Alcedes Cruz et moi, Keith Stansell.

Je leur donne notre position alors que nous descendons de 3 600 mètres au-dessus de la façade est de la cordillère des Andes, au sud de Bogotá. Quelques minutes plus tard, nous joignons Ed Trinidad, membre de l'équipe d'analyse tactique de l'ambassade de Bogotá. Il essaie de garder son calme, mais sa voix est tendue. Je ne m'embarrasse pas des protocoles de transmission :

— Ed, mon vieux, on cherche un endroit où atterrir en catastrophe. N'oublie pas de dire à nos familles qu'on les aime.

En prononçant ces mots, j'ai du mal à regarder Marc ; je préfère me tourner vers le cockpit où les deux Tommy essaient de trouver une solution pour que nous ne finissions pas éparpillés aux quatre coins de cette jungle du bout du monde.

Par le hublot avant, je vois le sol approcher à toute vitesse. Tommy J reste imperturbable. Marc et moi vérifions encore une fois nos ceintures, puis nous nous accrochons l'un à l'autre. Durant les quatre minutes que dure la descente, je reste en communication avec Ed. Il est temps de conclure.

— Ed, je dois couper. On atterrit.

À cet instant, je me remémore une conversation avec l'un de mes supérieurs. Ancien militaire, j'ai suivi des stages de survie basiques, mais pour cette série d'opérations on m'avait prié de passer au niveau supérieur. J'avais refusé tout net. Pourquoi ?

— Avec le tas de boue dans lequel on nous demande de voler, ai-je répondu, je ne risque pas de survivre à un crash.

TOM

En entendant le moteur s'arrêter, je consulte les instruments et cherche aussitôt un endroit où atterrir en urgence. Rien en vue. Je scrute la carte, sans prêter attention au bruit dans la cabine. Je sais que Keith est à la radio, mais c'est le cadet de mes soucis. Je vérifie vitesse, altitude et allure de descente. Mes calculs confirment mon intuition : impossible de passer les montagnes et d'atteindre Larandia.

– Je vois une clairière, annonce Tommy J.

– Je la vois aussi.

Nous piquons vers une vallée encaissée entre deux crêtes. Juste au-dessus de la paroi nord se trouve une clairière de la taille d'un terrain de football. Je ne suis pas du genre religieux, mais trouver un espace sans arbre dans ce coin tient du miracle. Je contacte les tours des deux aéroports voisins, Florencia et Larandia. Je repense à Keith et à Marc qui plaisantaient avant de partir parce que nous étions la veille de la Saint-Valentin, et que Marc aurait tout le temps au retour d'acheter des fleurs pour sa femme, Shane. Je songe à la mienne, Mariana, qui m'attend en Floride, et je préfère éviter d'imaginer comment notre fils de cinq ans, Tommy, réagirait si nous y laissions notre peau.

D'un commun accord, Tommy J et moi tentons un redémarrage du moteur. Sans résultat. Il manœuvre sans faute, frôle les cimes des arbres. Alors que nous approchons de la clairière, je m'aperçois que notre terrain d'atterrissage de fortune se termine au bout d'une falaise et je lui crie :

– Pique !

Un instant plus tard, c'est le noir total.

MARC

Ce qui me terrifie le plus, c'est le sifflement suraigu du vent sur la carlingue. Keith m'a demandé d'arrimer tout ce qui peut traîner dans la cabine, le moindre objet devenant un projectile mortel en cas de crash. Je cale bouteilles d'eau et appareils derrière le filet de sécurité, puis je retourne à mon poste consulter le GPS et transmettre notre position pendant que Keith vérifie que le sergent Cruz et moi sommes correctement attachés. C'est mon premier atterrissage de fortune et j'échange un regard avec Cruz, faute de mieux, car il ne parle pas anglais et je baragouine l'espagnol.

L'appareil pique sur l'aile gauche et je retiens mon souffle. Quelques secondes plus tard, retentit l'alarme de décrochage, et, tandis que nous virons sur la droite, je ferme les yeux et murmure une prière. J'entends une voix crier : « On y est ! » et je me prépare au pire. Au premier choc, je rouvre les yeux. Par les hublots défilent des arbres entrecoupés d'éclats de soleil. J'entends un fracas de métal suivi d'un impact violent. Le train a dû être arraché et c'est le fuselage qui racle le sol rocheux. Tout tressaute, puis soudain, la cabine s'ouvre en deux comme une boîte de conserve.

Nous glissons pendant un temps indéfinissable avant de nous immobiliser. Silence total. La lumière envahit la cabine remplie de poussière. Je m'empare de notre sac d'armes pendant que Keith et Cruz tentent d'ouvrir la porte à coups de pied. Nous n'avons qu'une idée en tête : le feu. J'ai terminé de rassembler nos documents importants et mes affaires quand j'entends la porte céder. Keith saute dehors et Cruz inspecte les alentours avec inquiétude. Je lui fais signe de prendre le sac d'armes avant qu'il sorte à son tour, puis je le suis en emportant mes affaires et mes notes de frais que je ne veux surtout pas perdre. Dehors, je remonte vers le cockpit et je tombe nez à nez avec une vache. Pas de sac d'armes. Peut-être que Cruz n'a pas compris et l'a laissé dans la cabine. Par le pare-brise, je vois Tom affalé sur son siège, nuque apparemment brisée. Tout le cockpit est couvert de sang. Je cogne vainement contre le plexi. Il doit être mort. Au même instant, j'entends Cruz crier, puis des coups de feu. Soudain, je comprends : les FARC !

Du coin de l'œil, je vois Tommy J redresser la tête et la laisser retomber. Keith fait le tour pour le sortir et parvient à extirper Tom Howes.

Une fois les deux pilotes déposés loin de l'avion, alors que des balles sifflent à nos oreilles, nous comprenons que nous n'avons survécu à ce crash que pour nous retrouver en plein guêpier au milieu des guérilleros. Je demande à Keith :

– Tu en penses quoi ?

Je le regarde droit dans les yeux. Il n'hésite pas et assène :

– *Ça*, monsieur, ça veut dire qu'on est foutus.

1

CHOIX ET DÉFIS
13 FÉVRIER 2003

MARC

À Bogotá, ville chaotique le reste du temps, les heures qui précèdent l'aube offrent un rare moment de calme. Peu de voitures ou de passants dans les rues où seuls se promènent des chats et des chiens errants.

Avec aussi peu de circulation, nous avions l'habitude de faire la course pour arriver au bureau sans nous arrêter aux feux rouges. Une bonne manière de commencer la journée et de nous préparer à ce qui nous attendait.

En roulant dans les rues désertes le matin de notre départ, je pense à ce que j'ai manqué en ne me joignant pas à Keith Stansell, Tommy Janis et sa femme Judith pour le dîner. Pourtant, vivant seul, j'ai rarement l'occasion de faire un bon repas. Là, l'estomac gargouillant, j'ai des regrets : mon frugal petit déjeuner ne va pas me profiter longtemps. Je réfléchis à ce que j'ai empaqueté : une polaire, mes notes de frais à poster et mes cours d'espagnol. Plus une boîte de thon et une barre chocolatée, au cas où Keith aurait oublié de m'apporter l'un de ses fameux sandwiches.

Mais surtout, je me dis que j'ai vraiment de la chance de faire un boulot agréable et bien payé avec des gens que j'apprécie et que je respecte, mais qui ne se prennent pas trop au sérieux. Cela ne fait pas longtemps qu'on m'a confié cet emploi, mais j'ai été aussi en partie motivé par l'alternance : deux semaines de repos pour quatre semaines de travail. Rien ne vaut le temps que je peux passer régulièrement avec ma femme Shane et nos enfants dans les Keys en Floride.

Je baisse la vitre pour profiter de l'air frais et sec, idéal pour vous réveiller. Depuis que je suis là, j'ai du mal à dormir. Selon Tom Howes, c'est classique quand on n'est pas habitué à vivre en altitude et qu'on passe du niveau de la mer aux 2 500 mètres d'altitude de Bogotá. Mais j'ai beau être fatigué, rouler me plaît et je me dis que, ce matin, je ne vais peut-être pas finir troisième comme d'habitude.

Plusieurs fois par semaine, durant nos vols au-dessus des plus beaux paysages qui soient, nous repérons les champs de coca et les laboratoires contrôlés par le principal groupe révolutionnaire colombien, les Fuerzas Armadas Revolucionarias de Colombia. Les FARC ont vu le jour il y a presque quarante ans en tant que bras armé du Parti communiste colombien. Au fil du temps, leur activité a connu des hauts et des bas selon leurs effectifs et leur influence, mais, bien que leurs rangs se soient clairsemés récemment, ils ont consolidé leurs tactiques. Le principal financement de leur « guerre » repose sur l'extorsion de fonds, les enlèvements et le trafic de drogue. Mon travail consiste à collecter des informations sur eux dans le cadre du plan américain d'éradication des champs de coca et de l'infrastructure du trafic en Colombie. En 2002, 650 tonnes de cocaïne ont été produites dans le pays et la plus grosse partie des 494 arrivées sur le territoire américain provient de Colombie. C'est 20 % de moins qu'en 2001, ce qui signifie que les efforts conjoints des Américains et des Colombiens ont porté leurs fruits.

Je ne suis à ce poste que depuis novembre 2002, soit quatre mois, et c'est encore l'état de grâce. J'habite un appartement dans la capitale, aussi animée que remplie d'histoire. Il y a pas mal d'Américains ici – employés de l'ambassade et autres expatriés – mais notre employeur nous loge dans des immeubles occupés par des Colombiens afin de minimiser le danger.

En effet, en tant qu'Américains, nous courons toujours le risque d'être enlevés et, si l'on nous soupçonnait de travailler pour le renseignement américain, notre valeur si nous étions pris en otages serait multipliée. Avec ses rapts à répétition, la Colombie mérite sa réputation : le nombre de personnalités militaires, politiques ou civiles détenues par divers groupes, principalement les FARC, est pour le moins inquiétant. En 2003, le nombre d'enlèvements annuels était descendu de 3 500 à 2 000, mais celui des otages encore en captivité était le plus élevé au monde.

J'avais pesé ce risque en acceptant mon travail, et, malgré la menace, je n'ai pas ressenti le danger une fois sur place. Je n'éprouve pas le besoin de jeter des regards circonspects quand je me promène. En fait, je n'ai pas tardé à apprécier cette ville et ses chaleureux habitants. Dès les premières semaines, j'ai acquis la conviction que j'avais eu raison de faire ce choix de carrière. Certes, personne n'irait choisir de subir un crash et de finir otage des FARC, mais je crois que rien n'arrive par hasard.

Le chemin qui m'a mené dans la jungle colombienne ce 13 février 2003 a commencé quand je me suis engagé dans l'armée de l'air juste après le lycée. Huit ans plus tard, j'ai quitté le service actif et commencé à travailler pour une entreprise privée de renseignement sur les trafiquants de drogue.

Cela me plaisait, même si parfois rester des heures le nez devant un écran à examiner des vidéos de surveillance est un peu monotone. Mais les compensations financières et personnelles l'emportaient. J'accomplissais un travail que je jugeais important, je pouvais offrir à ma femme Shane, ma fille Destiney et mes fils Cody et Joey une existence confortable, et Key West est beaucoup plus agréable que les rigueurs hivernales du Connecticut.

N'étant pas amateur de sensations fortes, j'ai vraiment dû y réfléchir à deux fois quand on m'a proposé un poste de renseignement sur le terrain, en Colombie. L'employeur était California Microwave, filiale de Northrop Grumman, un sous-traitant du gouvernement. J'y gagnerais, question salaire, mais il y avait des inconvénients : je serais séparé de ma famille plusieurs semaines d'affilée et je courais des risques physiques. California Microwave avait reçu du ministère de la Défense mission d'effectuer une surveillance aérienne du trafic de stupéfiants colombien. Dans un métier où le pire est toujours à craindre, j'étais rassuré d'avoir affaire à Northrop : s'il m'arrivait quelque chose, l'entreprise veillerait au bien-être des miens.

Finalement, après avoir mesuré les risques, et consulté mon père et mon épouse, j'ai signé et, en novembre 2002, je suis parti en Colombie me former sur le matériel de thermographie infrarouge.

En arrivant à l'aéroport le matin du 13, je passe une série de contrôles de sécurité avant de rejoindre notre quartier général. Le dernier checkpoint est un ensemble de conteneurs de marchandises convertis en bureaux et occupé par Fast Eddie. Américain d'origine colombienne et vétéran de l'armée de l'air, Eddie est ce que l'on appelle un fixeur, il fait le lien entre le Département d'État américain et le gouvernement colombien, capable de tout organiser d'un simple coup de fil. Rassurant, toujours sur son trente et un, Eddie est au service des États-Unis vingt-quatre heures sur vingt-quatre et sept jours sur sept.

Je traverse les bureaux et la salle de repos, et je sors sur le tarmac, longeant une rangée d'appareils civils utilisés par des entreprises et agences américaines. Ma première tâche consiste à vérifier que la radio de notre avion est opérationnelle, puis de le confirmer à nos correspondants de JIATF. Après quoi je retourne dans les bureaux, où je retrouve Keith, Tom et Tommy Janis dans la salle de détente.

Keith a en partie motivé ma décision de me rendre en Colombie. Nous nous sommes connus à Key West, où il pilotait un autre appareil de California Microwave chargé de l'interception des trafiquants de drogue. C'est lui qui a supervisé la conversion de notre Cessna en appareil de surveillance. C'est aussi son équipe qui me fournissait toutes les données que je traitais dans mon précédent poste. Un mètre quatre-vingt-huit, une tête de plus que moi, coupe militaire et voix à l'avenant, capable d'être à la fois sérieux et décontracté, Keith était rompu à ce genre de travail, mais il n'en parlait que si on lui posait des questions.

Dès le début, je l'ai apprécié et respecté. À mon arrivée en Colombie, il m'a déclaré qu'il espérait que l'agence recruterait quelqu'un dans mon genre, qui sache à quoi servent les renseignements glanés sur le terrain.

À bien des égards, nous sommes aux antipodes l'un de l'autre. Originaire du Nord, immigré de deuxième génération, je préfère ma tranquillité à l'expression de mes opinions et de mes désirs. Keith n'a aucun complexe à faire étalage des siens, d'autant plus qu'il a l'expérience qui les justifie. Il est en Colombie depuis quatre ans, où il a commencé chez Dyn-Corp, qui a également employé Tom. Il a aussi occupé divers postes dans l'aéronautique et la mécanique, dans le privé comme dans le public. Dans ce milieu assez clos, il jouit d'une bonne réputation, capable de passer des tâches de maintenance aux opérations de terrain, et il est chez California Microwave depuis deux ans.

Tom Howes est tout aussi différent de Keith que moi. Bien que n'ayant pas été militaire, il me rappelle un peu certains de mes anciens collègues. Il est plus réservé et plus âgé que Keith, et, avec son sourire et ses lunettes, on oublie de se méfier de son redoutable sens de l'humour. À quoi il faut ajouter un savoir-faire et des connaissances impressionnantes de la région et de l'aviation, et une passion pour la cuisine dont il fait bénéficier tout le monde.

J'ai retrouvé ici l'esprit de camaraderie que j'avais connu à l'armée : dès mon arrivée en Colombie, Keith m'a accueilli dans ce petit groupe où personne ne se la joue trop, uni par une expérience commune et un dévouement à son métier.

Jusqu'à ce jour, je n'ai volé que plusieurs fois avec Keith et Tom, mais j'ai pu voir, malgré mon expérience limitée, que ce sont de vrais pros du renseignement et de la destruction des plantations de coca. Notre tâche consiste à fournir aux unités aériennes chargées de l'épandage d'herbicide l'emplacement des champs de coca. Partout où nous allons, quoi que nous filmions ou photographiions, le gouvernement américain contrôle nos activités. C'est le ministère de la Défense qui nous donne nos ordres et à qui nous communiquons notre position à intervalles réguliers durant nos missions.

Il n'y a pas de bon moment pour subir un crash et être pris en otage, mais ce jour-là est particulièrement mal choisi pour Keith et Tom. Keith n'en est qu'au troisième jour de sa période de service et c'est la seule mission à laquelle il doit participer, car il est censé rentrer juste après aux États-Unis afin de s'occuper de la maintenance d'appareils de California Microwave.

Quant à Tom, il a appris juste avant le décollage qu'il va pouvoir rentrer chez lui avec une semaine d'avance. Il est enchanté de la nouvelle : fin 2002, après avoir passé des années à piloter un peu partout dans le monde, il a emménagé dans la maison de ses rêves à Merritt Island, en Floride, mais il n'y a encore passé que douze jours.

Si Keith, Tom et Tommy sont dans la salle, c'est que nous n'allons pas tarder à décoller. Keith et moi serons à l'arrière durant cette mission, mais, étant donné son expérience, c'est lui qui en prendra le commandement. Pour moi, en un sens, c'est une opération d'entraînement, car je vais pouvoir vraiment manœuvrer notre équipement vidéo. Keith est passé ce matin à 5 heures à l'ambassade, pour rencontrer l'équipe d'analyse tactique (EAT) et prendre notre plan de vol à la dernière minute juste avant d'aller à l'aéroport, pour des raisons de sécurité et de confidentialité. C'est une tâche dont nous nous chargeons en alternance, Keith et moi.

Nous sommes en train de nous moquer de la musique qu'il a apportée quand deux Colombiens nous rejoignent. Certains nous tiennent pour des cow-boys qui n'en font qu'à leur tête, mais ce n'est pas le cas : à chaque vol, nous sommes accompagnés par un représentant du gouvernement colombien, civil ou militaire. Cette fois, ils sont tous les deux en civil, mais l'un se présente : c'est le sergent Luis Alcedes Cruz. Il n'y a pas assez de place dans l'avion et Keith leur annonce qu'un seul va pouvoir nous accompagner. Ayant beaucoup travaillé en Amérique du Sud, Tom parle espagnol et traduit. Cruz se dévoue pour cette fois et laisse son collègue prendre sa journée. Une fois l'ordre de mission exposé, nous embarquons.

Comme d'habitude, durant le décollage, nous nous affairons en silence et c'est seulement en l'air, en route vers le point de ravitaillement, que nous commençons à bavarder. Tom a du mal à attendre la première demi-heure avant de commencer à grignoter. Sa femme, Mariana, péruvienne, est connue pour ses talents de cuisinière. Nous pourrions tous perdre quelques kilos, et Tom a un traitement contre l'hypertension dont il souffre et qu'il attribue plus aux petits plats de Mariana qu'au stress de son métier.

Pendant que je vérifie le matériel, j'entends dans mon casque les communications des autres. Tommy J ne tarit pas d'éloges sur le dîner où je ne suis pas allé et sur sa femme adorée qu'il vient de déposer à l'aéroport et va bientôt retrouver. À cinquante-six ans, il a le physique d'un gaillard de vingt-cinq et je l'envie tout en étant curieux de son secret.

Le parfum d'ail et de fromage du déjeuner de Tom commence à envahir la cabine et nous fait saliver, Keith et moi. Keith me montre le sandwich poulet-parmesan qu'il a apporté. Ma modeste boîte de thon ne sera qu'une maigre consolation, mais il me déclare qu'il n'a pas oublié de m'apporter son légendaire sandwich au thon mayo.

KEITH

Tout se passe bien jusqu'au moment de la panne de moteur. Mais, dès cet instant, je sais que nous sommes dans le pétrin. En sortant des débris de la carlingue, j'ai la certitude que nous sommes tombés au milieu des FARC, même si nous n'avons pas eu le temps de détecter la moindre signature humaine avec nos caméras infrarouges. Je suis tout de même content d'avoir appelé chez moi vingt minutes plus tôt pour prendre des nouvelles de mes enfants, Lauren et Kyle, et de ma fiancée Malia. Ayant longtemps élevé mes enfants seul, je voulais m'assurer que tout le monde était prêt pour aller en cours. Avant de raccrocher, je leur ai dit que je les aimais. Quand on se retrouve en pleine jungle devant l'épave de son avion, on n'a pas beaucoup d'occasions de se réjouir, mais le fait d'avoir passé ce coup de fil me rassérène.

C'est la deuxième fois que je m'extirpe indemne d'un appareil après un crash – la première fois, c'était avec un hélico, aux États-Unis. Soit je n'ai vraiment pas de veine, soit j'en ai carrément beaucoup, mais peu importe, car pour le moment mon unique préoccupation est de survivre : nous sommes cernés par les tirs. J'ai vu des guérilleros escalader la colline dans notre direction et il ne va leur falloir que quelques minutes pour nous rejoindre.

Cruz me tend nos armes et munitions, et je les jette dans un creux non loin de l'épave. Ce n'est pas le moment de se prendre pour Rambo. Là, ce qu'il faut, c'est évaluer rapidement la situation avec un seul objectif : arriver en vie à la fin de la journée. Avec nos pistolets et notre fusil, nous ne faisons pas le poids. C'est tellement la pagaille que je ne me rends pas compte que Marc ne m'a pas vu jeter les armes. Il croit qu'elles sont toujours à bord et les cherche partout.

Pendant ce temps, Cruz et moi sommes devant l'avion, dos au précipice. Cruz est dans tous ses états : il est dans de sales draps si les FARC comprennent que c'est un militaire colombien.

— Dis que je suis américain, s'il te plaît !

25

J'acquiesce. Il est grièvement blessé. Nous sommes tous secoués, mais lui boite, apparemment sans éprouver de douleur, sûrement à cause de l'adrénaline. Par le cockpit, j'aperçois Tom Howes qui a été salement blessé à la tête. Par la suite, Marc m'apprend qu'il est blessé à la main. Moi, je suis touché au flanc ou au dos. Du coup, je décide qu'il vaut mieux se contenter de voir comment évolue la situation et ne rien faire pour l'aggraver.

— On ne peut aller nulle part sans les pilotes, me dit Marc en me rejoignant. Et notre plan de vol, il faut que je m'en occupe, sinon ils risquent de le trouver.

Le plan de vol contient nos objectifs, des labos contrôlés par les FARC, notamment un dirigé par Mono JoJoy, l'un des chefs de la guérilla.

Pendant que Marc récupère ce document compromettant, j'aide Tommy Janis et Tom Howes à sortir de l'épave. Tommy est complètement sonné, mais je le félicite d'avoir réussi à atterrir.

Marc revient ; je vois qu'il a mis le plan de vol dans son sac. Cruz a eu le temps de détruire ses papiers et nous restons tous les cinq à attendre. Les guérilleros vont arriver sous peu.

Quand je les vois apparaître à une centaine de mètres, je lève les mains et j'avance en criant : *No armas !* Tout le monde m'imite. Je n'ai pas envie d'être le porte-parole, mais si Cruz parle, son accent va le faire repérer, si ce n'est déjà fait avec son teint mat et ses cheveux noirs. C'est Tom Howes qui parle le mieux espagnol, mais avec le sang qui s'échappe de sa blessure à la tête, il est clairement hors jeu.

Les guérilleros sont une soixantaine. Habillement hétéroclite allant du treillis au tee-shirt et bandana, mais ce sont leurs armes qui m'intéressent. Pas du dernier cri mais tout de même assez pour nous abattre tous. AK-47 et vieux M14 ; ils ont même un lance-grenades.

Arrivés devant nous, quatre d'entre eux se détachent et s'avancent, le visage sans expression. Ce petit monde n'a pas plus de vingt ans, et les plus jeunes, quatorze. Pointant leurs armes sur nous, ils nous entraînent à l'écart, Tom et moi. Je n'aime pas trop cela et je me demande s'ils ont l'intention de nous exécuter, mais l'un d'eux enlève son foulard et le tend à Tom.

Camouflage d'un côté et aux couleurs du drapeau colombien rouge, bleu et jaune de l'autre, c'est d'évidence une prise de guerre sur un militaire et je suis surpris que le type s'en sépare. Beaucoup de FARC en arborent : c'est une manière de montrer qu'ils ont tué ou capturé un soldat. Du coup, le geste peut être de bon comme de mauvais augure : soit le gamin estime qu'il va le récupérer juste après nous avoir abattus, soit il veut traiter un prisonnier avec un peu d'humanité. Tom s'en sert pour se panser la tête ; il titube un peu.

Nous nous asseyons à une cinquantaine de mètres de l'avion ; nous voyons l'un des chefs – une femme dont nous saurons plus tard qu'elle s'appelle Sonia – fouiller l'avion et balancer dehors tout ce qu'elle trouve. J'aperçois aussi Marc, que l'on sépare de Tommy J et de Cruz pour le pousser vers nous au bout d'un fusil. À mi-chemin, Marc se retourne et lève les yeux vers le haut de la pente. Je suis son regard, et je vois Tommy J boitiller vers Cruz et s'appuyer sur son épaule.

Nous ne les reverrons plus jamais.

Les FARC nous emmènent quatre cents mètres plus bas dans une petite cabane en bois à toit de tôle. Puis une jeune femme qui n'a pas dix-huit ans nous apporte une gamelle en alu remplie d'eau où flottent des pépins de citron, et nous tend à chacun une tasse. Je suis surpris. La citronnade des

FARC est terriblement sucrée. Par-dessus le rebord de ma tasse, je ne vois que des yeux noirs, des cheveux noirs, des moustaches et toutes sortes de couvre-chefs portés n'importe comment. Mais qu'est-ce que c'est que ces terroristes ?

Nous descendons encore un peu plus bas, puis les FARC me fouillent et nous ordonnent d'un signe de nous déshabiller. Ils étendent un drap par terre et nous nous retrouvons en sous-vêtements. J'ai du mal à contenir ma colère devant l'hypocrisie des FARC quand l'un de ces communistes « idéalistes » empoche l'argent qu'il prend dans mon portefeuille. On se dit marxiste, mais à peine on tombe sur quelqu'un qu'on le détrousse. On me refuse même de garder sur moi une minuscule photo de mon fils. Tom et Marc subissent le même sort et il ne nous reste plus que nos vêtements.

— Mieux vaut ça qu'être mort, fait Tom.

— Mais c'est quoi ? s'indigne Marc. On dirait des gosses déguisés pour Halloween. Et la vache qui meuglait quand on est sortis de l'avion ? C'est surréaliste.

J'avais oublié la vache dans cette pagaille et ils ont peut-être l'air déguisé, mais ils nous ont tiré dessus vingt minutes plus tôt. Et nous n'avons encore rien vu.

Un guérillero entreprend à nouveau de nous fouiller — les cheveux, sous les bras, entre les orteils. L'un d'eux s'avance et braille quelque chose en espagnol ; je ne saisis que deux mots : *chip* et *mato*. Tom traduit :

— Il dit que, s'il trouve une puce informatique sur nous, il nous abattra.

Ça ne me dit rien qui vaille, mais je suis rassuré que Tom reprenne ses esprits. Nous avons besoin de lui, et le savoir opérationnel me soulage.

Quelques heures plus tard, quand nous avons enfin la possibilité de nous parler, nous convenons que cette histoire de puce est vraiment étrange. Ces types croient carrément que les Américains ont ce genre d'appareil dans le corps afin qu'on puisse repérer leur position, et bien qu'ils n'en aient évidemment pas trouvé, ils continuent de nous menacer de mort pour le cas où nous en serions pourvus. Ils sont tellement jeunes qu'ils seraient bien capables de prendre un grain de beauté pour une puce informatique et de nous descendre. Se retrouver entre les mains de gamins armés et totalement ignares est pour le moins inquiétant.

Pour la même raison, ils nous interdisent de parler trop fort, convaincus que les satellites américains peuvent capter nos voix. Durant les jours qui suivent, nous apprendrons qu'ils croient que nous avons des superpouvoirs, que tous les Américains sont des espèces de Rambo invincibles. (L'un de nos geôliers ira même jusqu'à nous demander à propos du film *Matrix* comment nous autres Américains faisons. Pas pour créer de tels effets spéciaux, mais pour savoir comment voler et esquiver les balles.)

Une fois rhabillés, nous montons sur la crête de l'autre côté de l'épave. Sonia, vêtue d'un blouson rouge – soit pour faire une cible facile ou faire croire à des avions de surveillance qu'elle est secouriste –, continue de fouiller la carcasse de l'avion. Marc secoue la tête en murmurant « objectifs », mais je n'ai pas le temps de réagir à ses inquiétudes.

– Des hélicos. Au loin, dis-je.

Tom et moi travaillons dans l'aéronautique depuis si longtemps que nous savons les reconnaître au son. Là, il s'agit clairement d'appareils colombiens militaires envoyés à notre recherche. Pas de doute, la situation va se corser. Nous nous levons, conscients qu'il va falloir nous signaler et filer d'ici.

TOM

Je ne suis pas à 100 % opérationnel, mais je sais que nous sommes dans une situation critique. Je suis surtout soulagé d'avoir survécu au crash et j'essaie de me cramponner à cette idée. Mais quand Keith m'annonce avoir entendu des hélicos au loin, c'est comme si le brouillard se dissipait. Ils arrivent peut-être, mais vu la rapidité de réaction des FARC, je me rends compte que nous avons beau l'avoir échappé belle, nous sommes loin d'être tirés d'affaire.

Nous sommes sur une éminence face au site du crash, dans un espace minuscule entouré d'une végétation dense. Au-dessous se trouve la petite cabane où on nous a fouillés. À gauche, au fond d'un ravin, s'étend une clairière avec une sorte de ranch qui paraît avoir été creusé dans la paroi montagneuse. Cette clairière est reliée par un sentier à une autre, plus petite. Les hélicos passent juste au-dessus de nous alors que nous nous dirigeons vers le ranch, Marc et Keith ouvrant la marche, escortés comme moi par quelques FARC. Comme je ne peux pas avancer aussi vite, je me laisse distancer ; cela m'inquiète, mais je me dis que nous serons plus repérables si nous sommes plus espacés. L'hélico vire de bord et repasse, cette fois en tirant sur les FARC restés en périphérie. J'entends Keith dire à Marc que c'est une mitrailleuse rapide ; les balles sifflent dans les arbres au-dessus de nous. Je continue à courir comme je peux vers le sentier reliant les deux clairières. Les FARC qui m'escortent me poussent sur le côté à couvert.

— Merde, je me tire d'ici, c'est l'occasion ou jamais, crie Marc à Keith.

— Leur arme crache deux mille balles minute, il va falloir trouver autre chose, Marc.

Nous savons tous que c'est le meilleur moment pour fuir, avant que nos ravisseurs aient eu le temps de s'organiser. La pagaille qui règne fournit en quelque sorte une bonne occasion, mais avec les balles qui arrosent la clairière, mieux vaut ne pas bouger. Keith tend le bras et se plaque contre un tronc ; je remarque le soleil qui se reflète sur sa montre et je ne suis sûrement pas le seul :

— *Deme su reloj*, lui ordonne l'un des guérilleros.

Keith le regarde, incrédule, puis il défait sa Seiko de plongée et la lui donne.

— Prends-la et foutons le camp d'ici avant de nous faire descendre.

Ce larcin est une nouvelle absurdité. Pourquoi la lui a-t-on laissée, puis décidé de la prendre au beau milieu de la mitraille ? Nous allons bientôt comprendre que les FARC opèrent sans la moindre logique. Nous restons immobiles plusieurs minutes. De l'autre côté de la clairière, j'aperçois la petite ferme où les FARC veulent nous emmener. Clairière est un bien grand mot : c'est une friche typique de la Colombie qui s'est formée après abattage d'arbres et brûlis. Des souches et des taillis sont éparpillés sur un rayon de cent cinquante mètres autour de la bâtisse. Un vrai parcours du combattant. Les FARC nous font signe de traverser et nous mettent en joue : ils ne vont pas se risquer à découvert, mais ils nous abattront si nous faisons les malins. Finalement, contraints et forcés, Marc et moi nous mettons à courir comme nous pouvons entre les obstacles. Nous nous abritons un instant derrière une souche. Sur le seuil de la maison, j'aperçois un garde qui nous fait signe d'avancer. Je n'ai pas trop le temps de réfléchir et nous reprenons notre course avec l'impression d'être des personnages de jeu vidéo, canardés par des hélicos, nous abritant çà et là et repartant en zigzaguant. Au bout d'une vingtaine de minutes, nous arrivons à la maison. Je me retourne et je vois l'hélico revenir vers nous pendant que Keith est au milieu de la clairière et que les FARC lui crient de continuer. L'appareil doit être à peine à vingt mètres au-dessus de lui et nous distinguons le tireur par la portière ouverte. Le pilote est culotté, étant donné qu'il survole des FARC armés d'un lance-grenades. Keith et le tireur échangent un regard, puis l'homme hausse les épaules et l'appareil recommence à décrire des cercles au-dessus de Keith.

Un instant plus tard, celui-ci nous a rejoints et on nous pousse dans l'espace entre la maison et la paroi, le temps que les hélicos s'éloignent. Après quoi on nous ramène sur le devant de la ferme, où une femme est assise par terre en pleurs ; à côté d'elle, bras croisés, son mari nous toise tous les trois avec un mélange de dégoût et de crainte. Je remarque que c'est à nous qu'il réserve ce regard : les FARC ne lui inspirent que de la peur.

Des détonations résonnent dans les montagnes et, tout près, des cochons couinent. L'un des gardes, un gamin d'une quinzaine d'années, armé d'un Galil 30 mm et le visage barré d'une cicatrice oblique, tripote un pendentif à son cou avec un sourire extatique, comme s'il était en train de vivre un moment vraiment génial.

Peu après, les hélicos reviennent et l'un d'eux décrit des cercles au-dessus de nous. Nous sommes dans une impasse. D'un côté, les militaires ne veulent pas tirer pour ne pas risquer de nous tuer, et de l'autre les FARC n'osent pas ouvrir le feu de peur que le tireur ne les mitraille. Tout le monde s'observe.

Ce sont les FARC qui prennent l'initiative et nous poussent de l'autre côté de la maison. Nous sommes chacun flanqués d'un garde à qui nous servons de bouclier humain. Nous arrivons à une petite plantation de caféiers d'à peine un mètre de haut. Nos gardes nous font ramper à côté d'eux et c'est ainsi que nous atteignons la jungle. Au bout de quelques minutes, les hélicos s'éloignent. C'est la dernière fois que nous les voyons.

Alors que le calme revient et que nous affrontons la réalité, nous pensons immédiatement à nos familles. Comment vont-elles réagir en apprenant la nouvelle du crash ? Soudain, nous sommes désemparés. Moi qui ai volé plus de treize mille heures sur toutes sortes d'appareils, j'ai toujours eu besoin de maîtriser la situation ; c'est essentiel pour un pilote, il faut veiller à tout. Avec le temps, on relâche un peu la tension, mais cela ne vous empêche pas de rester en alerte, capable d'envisager en une seconde toutes les possibilités quand survient une situation difficile.

Poussés par les FARC, nous nous enfonçons dans la jungle. Quarante minutes à peine se sont écoulées depuis notre accident. J'ignore où on nous emmène, mais, tout comme un pilote jette du lest en cas d'urgence, je sais que je ne dois pas m'encombrer de bagages inutiles, émotionnellement parlant, et je ne conserve que l'essentiel, le plus précieux : le souvenir de ma femme et de mes enfants.

Je ne sais pas vraiment pourquoi je me suis pris de passion pour l'aéronautique. Je suis né à Cape Cod, j'adore la mer, où je pêchais constamment étant gosse. J'ai pris des leçons d'aviation. Étant donné ce qui arrive maintenant, peut-être qu'il aurait mieux valu que je sois marin. Après ma première visite dans les Caraïbes, j'ai su que c'était ma place. Je suis tombé amoureux du Pérou lors d'un voyage là-bas dans les années 1980 et, quand le ministère américain de la Défense m'a proposé d'y travailler, j'ai sauté sur l'occasion. S'est ensuivie une série de séjours : Guatemala, Colombie, Équateur, Venezuela, dans toutes sortes de fonctions, escorté d'une épouse, d'un beau-fils et finalement d'un second fils qui sont mes points d'ancrage.

Je suis attiré par tout ce qui a trait à l'Amérique du Sud. Mon espagnol est bon, quoique un peu guindé par rapport au parler campagnard des FARC, mais dès le crash il se révèle précieux pour notre survie. Je ne peux m'empêcher de me demander si mon amour pour ce continent ne nous a pas mis en danger, ma famille et moi. À mesure que nous pénétrons plus avant dans la jungle, je sens que nous allons nous retrouver à l'école d'endoctrinement des FARC, voir notre vie anéantie et reconstruite – et je ne suis pas très sûr d'être armé pour subir tout cela.

Les FARC se regroupent à un peu moins d'un kilomètre du ranch. Sonia est clairement la chef. Marc, Keith et moi sommes au milieu de leur colonne, séparés par des gardes. Tout le monde se tait ; seuls résonnent nos pas et les coups de machette. Au bout d'une vingtaine de minutes, je perçois les autres bruits de la forêt, tout un orchestre d'insectes bourdonnants et de froissements de feuilles.

Encore éprouvé par l'accident, je garde les yeux fixés au sol : chaque fois que je relève le nez, j'ai la tête qui tourne. D'ordinaire, j'aurais essayé de déterminer dans quelle direction nous allons, mais la forêt est si dense qu'elle laisse à peine passer le soleil et qu'il est quasi impossible de s'orienter ou d'avoir une idée de l'heure. Les FARC ne cessent de nous houspiller pour s'éloigner le plus vite et le plus loin possible.

Nous faisons enfin une pause au bout de cinq heures de marche forcée. Une question nous taraude : où sont Cruz et Tommy J ? Les FARC nous font taire. Sonia arrive et Keith le lui demande en anglais. Elle pose sur lui un regard vide.

Manifestement, elle ne comprend pas. J'interviens et lui repose la question en espagnol. Elle répond sans émotion :

– ¿ *El gringo ? Lo maté yo misma. Yo le mataré también.*

Je traduis : elle dit qu'elle a tué Tommy J de ses propres mains et qu'elle est prête à nous réserver le même sort. Nous nous demandons si elle n'est pas tout simplement en train de se vanter devant ses hommes et de la jouer encore plus macho qu'eux. Mais peu importe, le fait qu'elle nous le dise prête à réflexion. Nous n'avons pas le temps d'en débattre, car un FARC arrive avec le gilet de survie de Marc. Il en extrait un à un le contenu : jumelles, lunettes de vision nocturne, mini-caméra, et les jette par terre.

Sonia s'énerve et demande des explications. Quand ils finissent par trouver notre balise de détresse, nous échangeons un regard. Si le guérillero l'a tripotée et allumée, l'équipe à Bogotá doit savoir où nous sommes. Mais si les FARC sont convaincus que nous avons transmis notre position, ils risquent de nous exécuter sans autre forme de procès. Heureusement, l'un d'eux a enlevé les piles, tout comme celles de notre radio d'urgence.

Si les FARC pensaient que nous avions des puces informatiques implantées en nous pour nous faire repérer, ils viennent d'avoir ample confirmation de leurs soupçons. Dans le crépuscule qui descend, nous sommes envahis par des émotions contradictoires. Radio et balise sont tout ce qui nous relie au monde. Si nous essayons de les utiliser, on nous éliminera sur-le-champ. Sonia nous confirme qu'elle le fera si elle trouve autre chose.

Quelques minutes plus tard, la marche reprend. Nous traversons des cours d'eau, tarabustés par les FARC qui menacent de nous tuer si nous disons le moindre mot. Nous avons les pieds en compote. La lune se lève et la température chute radicalement tandis que nous trébuchons dans l'obscurité où ne perce aucune lueur. Nous sommes au bord de l'épuisement quand nous nous arrêtons au bord d'un torrent et nous baignons les pieds dans l'eau glacée. Plusieurs guérilleros se déshabillent et s'y jettent sans la moindre hésitation.

Ils nous font signe de les rejoindre. Aucun de nous n'arrive à entrer complètement dans l'eau. Je suis encore couvert de sang et l'un de nos gardes, à l'aide d'un gobelet, me rince le visage. Je suis tellement épuisé que je ne sens même pas le picotement de l'eau sur ma blessure au front. Après quoi nous quittons le torrent et gagnons non loin une sorte de cabane qu'ils appellent une *coleta* : c'est un toit de chaume soutenu par des piliers, sans murs. On nous allonge sur une couche improvisée et il fait si froid que nous nous blottissons les uns contre les autres.

Nous avons eu à peine le temps de nous endormir qu'on nous réveille en pleine nuit ; il faut partir, les avions sont là. Nous entendons au loin un ronronnement de moteurs. Nous retournons au bord du torrent. Des nuages cachent la lune et il fait encore plus noir. Nous avançons tant bien que mal en apprenant à nos dépens tout ce que la jungle recèle de menaces : elle grouille de trucs qui mordent, piquent ou coupent, et, chaque fois que nous nous rattrapons à quelque chose, un arbre, un buisson, une liane, il est inévitablement hérissé d'épines. Nous sommes au cœur d'un territoire hostile dans tous les sens du terme.

2

CHANGEMENT D'ALTITUDE
14-24 FÉVRIER 2003

KEITH

Croyez-moi ou non, je ne sursaute pas quand on me réveille en pleine nuit. Au contraire, durant ce bref répit, l'anesthésie de l'état de choc s'est dissipée. Du bas du dos au côté droit, je suis ankylosé comme jamais. Ma respiration est un supplice. La douleur est tolérable, mais je redoute la perspective de devoir monter et descendre des sentiers de montagne. C'est le cadet des soucis de nos geôliers, qui nous intiment l'ordre de nous lever et de reprendre la marche dans l'obscurité.

Malgré la douleur, je m'estime heureux d'avoir ma polaire, blouson que j'enfile toujours lorsque nous partons pour un vol en altitude. Il fait un froid épouvantable et je suis mieux loti que Marc et Tom, qui frissonnent dès que nous nous arrêtons.

Je profite d'un moment où nous faisons une pause, tandis que les avions tournent au-dessus de nous, pour me tâter les côtes entre deux frissons : je serre les dents en sentant la deuxième et la troisième bouger. C'est la cause de la douleur que j'éprouve à chaque souffle.

L'un des gardes, un petit râblé du nom d'Uriel, est assis à côté de moi avec sa copine sur les genoux. Ils me dévisagent comme si j'étais un animal exotique dans un zoo. Je me détourne, mal à l'aise. Tom et Marc frissonnent, blottis l'un contre l'autre. C'est une scène totalement irréelle : la lune éclatante troue la nuit en givrant tout le paysage alentour et nous sommes là comme une horde de macaques.

Uriel me donne une tape sur l'épaule et me désigne mes deux compagnons en mimant qu'ils ont froid. J'acquiesce en songeant que nous avons vraiment affaire à des gars futés... C'est alors qu'il a un geste inattendu : il sort de son sac à dos un drap dont il va les recouvrir délicatement. J'en reste baba. Je suis en plein enfer, persuadé d'être entouré de gens qui nous traitent comme des bêtes et nous abattraient sans le moindre scrupule...

Cette pause est la dernière de la nuit. Peu après, tout le monde s'endort, sauf une sentinelle. Et moi. Bien qu'épuisé, j'essaie de trouver une solution. En tant que sous-traitants civils, nous ne sommes pas soumis au strict code militaire qui exigerait que nous tentions de nous échapper. Du coup, notre priorité est plutôt la survie. Nous pourrions être tués en cherchant à fuir, alors que rester calme et coopérer semble pour le moment garantir que nous restions en vie. Je fais semblant de dormir, mais de temps en temps j'ouvre un œil et je vois le garde me dévisager, l'air de dire : « Imagine pas que je vais m'endormir. » Je sombre dans le sommeil.

Une heure plus tard, alors que l'aube apparaît, nous sommes de nouveau debout. Le sud de la Colombie est une région montagneuse de falaises abruptes et de vallées encaissées couvertes par la forêt pluviale. J'en connais relativement bien la topographie à force de l'avoir survolée et il me semble que nous sommes entre Neiva, sur le flanc ouest de la cordillère orientale, et Florencia, sur le flanc est. C'est une mauvaise nouvelle, mais cela pourrait être pire. Ces trois chaînes parallèles nord-sud (est, centrale et ouest) font partie des Andes. Nous pouvons nous estimer heureux que nos objectifs du 13 février aient été situés au sud. Si nous étions allés plus à l'est, dans la cordillère centrale, la plus élevée, notre équipée aurait été encore plus éprouvante.

Étant donné nos blessures – Marc souffre comme moi du dos et de la hanche, et Tom a un traumatisme crânien en plus de sa plaie au front et d'une dent cassée –, même en étant parfaitement habitués à l'altitude, ce serait très dur. Ajoutez à cela une faim dévorante, le manque de sommeil et un stress énorme, et vous aurez une idée de notre état. Nous ne sommes pas à la fête ; à chaque descente, nos genoux, nos chevilles et nos pieds nous font souffrir.

Comme si ce n'était pas assez pénible, nous sommes de toute façon sous-équipés. Nous portons tous les trois un pantalon de toile, un tee-shirt ou un polo. Dans la journée, ce n'est pas bien grave, mais, la nuit, les manches courtes sont loin d'être l'idéal. Mais le plus grave, ce sont les chaussures. Si Tom porte des tennis et moi des Timberland, Marc a des chaussures en cuir mieux adaptées au shopping qu'à la jungle. Il est gardé par Farid, un jeunot qui n'a de la moustache des autres FARC qu'un vague duvet, mais du genre costaud. C'est même une brute. Chaque fois que Marc glisse ou trébuche, Farid le relève sans ménagement.

Avec la transpiration, les ampoules qui éclatent et saignent, nos pieds glissent dans nos chaussures et nous avons l'impression de les plonger dans de la lave en fusion à chaque pas. Pendant ce temps, les FARC sont chaussés de bottes en caoutchouc que nous leur envions : non seulement elles sont étanches, mais leurs semelles tiennent bon sans glisser, même dans la boue. Résultat : ils nous regardent nous étaler et nous relever péniblement, et c'est encore plus épuisant.

Pour ne rien arranger, nous empruntons de nombreux torrents glacés dont les rochers couverts d'algues sont particulièrement glissants. Quand bien même nous aurions voulu en profiter pour nous enfuir en nous laissant dériver, nous sommes tellement à bout de forces que nous n'irions pas bien loin entre les rapides et les cascades. Et si nous parvenions à échapper à la vigilance des FARC, de toute façon nous ne saurions quelle direction prendre. Mettre simplement un pied devant l'autre est déjà une performance en soi.

J'ignore si connaître notre destination ou le temps qu'il reste pour l'atteindre sert à quelque chose, mais nous le demandons constamment aux FARC, qui répondent invariablement que nous allons dans un endroit où nous pourrons nous reposer et que ce n'est plus très loin. Ces réponses vagues nous agacent, mais nous apprendrons très vite que nos gardes ne sont rien de plus que du bétail et des esclaves pour la hiérarchie des FARC. S'ils ne nous en disent pas plus, c'est qu'ils ne le savent pas, et, même après deux jours, nous commençons à douter que Sonia, chef de colonne, sache vraiment où elle nous emmène. D'une certaine manière, je devrais me sentir flatté : étant américains, nous sommes une grosse prise, à manipuler avec précaution, et les consignes ne peuvent venir que des grands pontes, pas de la piétaille.

Pendant tout le trajet, Sonia est en constante liaison avec les grands chefs, sans se rendre compte que, à chaque fois qu'elle allume sa radio, elle risque de divulguer notre position. Les FARC ont raison de craindre que le renseignement américain ne les écoute, mais ils ne sont pas assez malins pour comprendre les différentes ficelles de l'espionnage. Si les satellites des agences gouvernementales ne sont pas capables de capter des voix, ils peuvent intercepter des communications radio. Les FARC filent au plus vite, loin du site du crash pour éviter les militaires colombiens, mais l'armée peut nous suivre à la trace à chaque échange radio.

Cela dit, je dois reconnaître que, malgré les apparences, nos ravisseurs connaissent la jungle comme leur poche. Pour moi, rivières, sentiers, jungle, tout se ressemble, mais ils continuent d'avancer. Je ne suis pas un novice en la matière, mais au bout de vingt-quatre heures je ne sais déjà plus où nous sommes. Tout ce que je constate, c'est que nous montons.

Leur excellente connaissance de ce dédale réduit nos espoirs d'être secourus. Si des soldats sont sur nos traces, je n'ai plus qu'à croiser les doigts pour qu'ils soient experts en camouflage furtif, car, si les FARC les repèrent ou si nous tombons dans une embuscade, je ne donne pas cher de notre peau. Si des unités spéciales américaines sont de la partie, cela augmente nettement nos chances, mais elles n'auront pas une telle connaissance du terrain. Du coup, j'essaie de ne pas penser aux avantages qu'ont les FARC sur leur ennemi.

En route, nous entendons mentionner un nom qui nous glace l'échine : Mono JoJoy. C'est lui qui contrôle l'un de nos objectifs du jour, un labo où les FARC transforment les feuilles de coca brutes en une pâte qui devient au final de la cocaïne. De son vrai nom Victor Julio Suárez Rojas, alias Jorge Briceño Suárez, c'est le commandant du Bloc Est des FARC. Chaque membre de l'organisation a un pseudonyme, ainsi que des surnoms, sans compter les noms de code que nous leur attribuons de notre côté. Si nous n'étions pas du métier, nous ne connaîtrions pas la vraie identité de Mono JoJoy. Le Bloc Est est l'un des sept principaux districts des FARC. Le secrétariat est un groupe de sept membres directement au-dessous du commandant en chef, Manuel Marulanda. Membre de ce secrétariat, Mono JoJoy est le principal responsable des opérations militaires. Depuis 1999, il est recherché par les États-Unis pour une liste de crimes longue comme le bras, incluant le terrorisme, le trafic de stupéfiants et le meurtre de trois Américains. En gros, c'est un sale type qui a rejoint les FARC à douze ans et qui a la quarantaine au moment de notre capture. Autrement dit, il a eu tout le temps de se faire endoctriner plusieurs fois.

La perspective de lui être confrontés et le fait qu'il figure sur notre liste d'objectifs nous terrifie. Bien que Marc se soit efforcé de détruire les documents, rien ne garantit que les FARC n'aient rien trouvé. Nous risquons d'être interrogés et Dieu sait selon quelles méthodes de torture. D'ailleurs, que seraient trois meurtres de plus pour quelqu'un qui a passé presque toute sa vie dans une organisation terroriste ?

Et comme si cela ne suffisait pas, je suis également troublé que nos ravisseurs nous demandent constamment pourquoi nous travaillons contre eux. Nous répondons bien sûr qu'ils sont dans l'erreur, que nous luttons contre la drogue. Nous ne jouons pas sur les mots : nos missions ne sont pas directement dirigées contre les FARC. Nous cherchons à éradiquer le trafic. Quand je pose la question, certains me répondent qu'ils y participent effectivement. Du coup, je leur réponds que si c'est le cas, nous sommes bien là pour les combattre. C'est alors que l'un des plus futés – ou le mieux conditionné – déclare qu'ils n'ont rien à voir avec la drogue et qu'ils se contentent de taxer les trafiquants.

Je suis trop fatigué pour leur mettre le nez dans leurs contradictions. Quelques-uns portent des tee-shirts représentant Che Guevara et je repense à la biographie que je lisais dans l'avion. Pour eux, ce n'est qu'un visage plaqué sur un vêtement, une image révolutionnaire qui soutient leur cause.

Ils ne savent pas grand-chose de lui ni de ce qu'il représentait. Qu'ils puissent honnêtement croire qu'ils incarnent ses idéaux me laisse sans voix. Ce groupe a recours au trafic de stupéfiants, pose des mines, recrute des enfants, attaque et tue des civils, capture des otages et se finance à coups de rançons, et ses exactions ont causé des milliers de morts et le déplacement d'encore plus de civils.

Je suis révolté par la manière dont les FARC sont passés d'une organisation idéaliste, certes empreinte de violence, au terrorisme. Lorsque je demande à l'un d'eux pourquoi ils pensent pouvoir nous retenir prisonniers, il me répond que nous avons violé leur espace aérien. Ils sont tellement à côté de la plaque qu'ils sont convaincus d'avoir à l'intérieur du pays une souveraineté avec frontières et espace aérien.

Il est vrai qu'en 1998 l'ancien président colombien Andrés Pastrana a accordé aux FARC dans le sud, autour de San Vicente de Caguán, une zone démilitarisée d'environ 52 000 kilomètres carrés. Pendant des années, les FARC ont prétendu qu'il n'y aurait de paix qu'à cette condition et Pastrana a accepté, pensant les amener par son geste de bonne volonté à la table des négociations. Seulement, à peine cette zone entre leurs mains, les FARC s'en sont surtout servis pour importer des armes, exporter de la drogue, recruter des mineurs et se ravitailler.

Dès février 2002, il y a juste un an, Pastrana a mis fin aux pourparlers et à cette zone démilitarisée. En réalité, la zone où nous nous trouvons en ce moment, comme bien d'autres aux mains des FARC, est *hautement* militarisée et il est inutile d'essayer de les convaincre que cette histoire de nation indépendante est une vue de l'esprit. Il n'y a plus qu'à espérer que Mono JoJoy pourra expliquer pourquoi nous avons été capturés et ce qu'il entend faire de nous.

En attendant, la marche continue, toujours aussi pénible, d'autant que j'ai des nausées et une diarrhée persistantes, et que je ne peux rien avaler. Tom souffre autant à cause de ses blessures. Marc s'en sort mieux, étant plus jeune et apparemment moins amoché. Seulement, il est à l'avant de notre colonne et cela fait un moment que je ne l'ai pas vu.

Nous marchons longtemps après la tombée de la nuit et nous arrêtons au bord d'un torrent sur une rive de gros galets. Les FARC y étendent une bâche en plastique sur laquelle nous nous couchons. Malgré l'inconfort, je m'endors rapidement, mais je suis réveillé peu après par une averse. J'ai suffisamment campé dans ma vie pour savoir que la pluie fait partie des inconvénients habituels, mais là, c'est le pompon. Nous nous réfugions sous la bâche d'un guérillero. La pluie ne cesse pas et, entre diarrhée et vomissements, je suis en train de me déshydrater. Je m'en inquiète auprès de Tom. Il se rend compte que je ne suis pas loin de craquer, mais il n'y a rien à faire. Le lendemain matin, nous nous remettons en route. Nous remontons le torrent dans l'eau glacée et les pierres glissantes, et, au bout d'une demi-heure, nous arrivons à une route. Devant nous, j'aperçois une suite de pentes abruptes et je sais que je ne vais pas y arriver. Je m'effondre ; Tom se précipite vers moi, suivi de Sonia qui vient s'enquérir de la raison de notre retard. Je tends la main vers elle et j'articule péniblement :

– Dis à cette salope qu'elle peut me descendre, je m'en fous, je bouge plus, je suis à bout.

44

MARC

Cela ne me plaît pas d'être séparé de Keith et de Tom. J'ai peur qu'on m'emmène à leur insu dans un endroit isolé pour m'interroger ou m'abattre. Je n'arrête pas de penser à Cruz et à Tommy J qui ont été mis à l'écart, et que Sonia prétend avoir tués. Est-ce leur manière de procéder : séparer leurs otages en petits groupes et les abattre sans que les autres le voient ?

Farid me pousse si brutalement que je n'ai d'autre choix que d'avancer, mais le pire, c'est qu'il n'arrête pas de me parler. Je ne comprends pas très bien l'espagnol, mais il me tire le bras à me disloquer l'épaule en braillant ¡ *Vamos !* et persiste à me déclarer que nous sommes *mejores amigos.* J'acquiesce à chaque fois, mais je ne peux pas m'empêcher de penser que je suis en train de vivre un cauchemar et que ce mec y tient la vedette.

Je me retrouve avec une horde de gens dont je ne comprends pas la langue, je me fais houspiller par des gamins violents et butés. Pour beaucoup, je suis un objet de curiosité et, à chaque étape, ils s'agglutinent autour de moi comme si j'étais un phénomène de foire. J'ai toujours été ouvert d'esprit, mais là, acculé, je sens se réveiller le pire en moi. J'éprouve une haine viscérale pour les FARC, moins pour ce qu'ils sont que pour la manière dont ils nous traitent. Surtout, je me demande si Farid est idiot ou cruel. Chaque fois que je trahis un signe d'épuisement, il vient se coller sous mon nez en disant en espagnol que je ne suis qu'une mauviette, qu'il est fort et que l'Amérique est faible. Je me contente de le regarder en faisant mine de ne rien comprendre. Il a l'air de prendre de plus en plus de plaisir devant ma souffrance et ma faiblesse, et passe son temps à se remonter le paquet en me disant que je n'ai rien dans le slip. On dirait une caricature de racaille dans un mauvais film.

Une fois que nous sommes un peu à l'écart du reste de la troupe, il semble se détendre un peu et abandonne son cinéma. À présent, son côté ado reprend le dessus. Et puis il se met à chanter. Au début, je ne saisis qu'un ou deux mots, mais au bout de quelques heures à l'entendre seriner la même chose, je me rends compte que les paroles disent quelque chose comme : « J'aime la paix, je suis un guérillero parce que j'aime la paix. »

Quand Farid ne me relève pas de force ou ne me bassine pas avec ses imprécations, j'observe la végétation autour de nous. Tout grouille de bestioles. J'ai toujours aimé les documentaires sur la nature, mais là, je suis en plein dedans. Dans d'autres circonstances, cela me plairait. Il y a des quantités de singes de toutes sortes qui ont l'air aussi curieux de nous que nos ravisseurs.

Le soleil va se coucher quand deux autres guérilleros ou sympathisants viennent nous rejoindre. L'un est un jeune homme en jogging et tee-shirt, coiffé d'un chapeau de paille de paysan. L'autre est une jeune femme pareillement habillée qui ouvre de grands yeux en me voyant. Ils apportent un petit sac en plastique rempli de riz et de morceaux de poulet. L'homme coupe des feuilles de bananier en guise d'assiettes, y dépose un tas de riz et nous les apporte. Farid s'assoit et engloutit la nourriture en se protégeant comme si on allait la lui voler. Il a les ongles tellement longs qu'ils ont commencé à se recourber.

Même si je n'avais pas vu ce spectacle, j'aurais l'appétit coupé. Cela fait presque quarante-huit heures que je n'ai rien mangé, mais rien que l'idée de me nourrir me donne la nausée. La jeune fille assise à côté de moi me dévisage avec inquiétude. Elle me fait signe de manger, je réponds par une grimace de dégoût. Cela a l'air comestible, mais j'ai mal au ventre. Elle finit par reverser ma part dans le sac. Ils repartent, probablement pour aller nourrir les autres, et Farid me fait lever pour reprendre le chemin.

Ragaillardi par le premier repas que je le vois prendre depuis deux jours, il accélère l'allure. Je change de tactique : au lieu de traîner et d'affronter sa colère, je décide de le suivre autant que possible. Quand je n'en peux plus, je m'arrête pour reprendre mon souffle, et je redémarre juste avant que Farid s'en aperçoive et vienne me chercher. Cela dure une heure. La nuit est encore loin, mais les bruits de la jungle ont changé. Par-dessus les crissements d'insectes, j'entends une sorte de pulsation régulière et intermittente. Farid l'entend aussi et porte un doigt à ses lèvres. À mesure que nous avançons, le bruit enfle ; Farid décroche son AK-47, me fait signe de me taire et de ne pas bouger, et reprend la marche en balayant le sentier avec son arme. Que se passe-t-il ?

Il finit par baisser son arme et me fait signe d'avancer. À travers les taillis, j'aperçois un guérillero qui dégage un chemin à coups de machette. Devant nous attendent deux mules. Je suis censé en monter une, mais elle se cabre à mon approche. Farid lui enfile un sac de toile sur la tête et elle se calme. Je la monte, elle renâcle un peu, mais Farid tient la bride et lui murmure quelques mots à l'oreille avant de grimper sur la sienne. Nous suivons le guérillero qui continue de défricher devant nous. Quand je me retourne, c'est comme si la jungle s'était refermée.

Je suis content de ne plus marcher, mais le moindre cahot m'envoie une douleur lancinante dans les pieds. La pente est raide, les bêtes vont bon train et nous arrivons sur un sentier à peu près plat. De part et d'autre, c'est la pénombre, mais au loin, entre les branches et les lianes, j'aperçois une faible clarté.

Peu après, nous débouchons dans une vaste clairière où nous accueille un splendide panorama de montagnes se découpant sur un ciel violet. À faible distance se dresse une petite ferme sur un promontoire auquel mène un raidillon.

Quand nous y arrivons, nous trouvons six autres guérilleros assis autour d'un feu de camp où bouillonne une marmite. Il s'en échappe un fumet de poulet. Bien que tenaillé par la faim, je décline. Je me sens si étranger à cette situation et tellement en colère que je ne peux me résoudre à m'asseoir et à partager leur repas.

La maison est divisée en deux : une grande pièce et une sorte de petite remise avec une entrée indépendante, d'à peine deux mètres sur trois. Farid me la désigne. Cela pourrait aller si elle n'était pas remplie de cartons, caisses et sacs de riz et de je ne sais quoi. Quand il referme la porte, je suis suffoqué par une odeur de rance. Habituellement, je ne pourrais pas dormir dans un endroit pareil, mais j'ai à peine le temps de m'en rendre compte que je sombre dans le sommeil et ne suis réveillé que par la lumière qui filtre entre les planches.

La porte n'étant pas fermée, je sors et je vais m'asseoir sur l'un des troncs qui servent de bancs, adossé à la paroi. C'est la première fois que je suis seul, éveillé, et que je n'ai pas à marcher. Je me surprends à repenser au jour où je suis arrivé en Colombie prendre mon tour de service. À ma fille qui est venue me dire au revoir dans la chambre avant de partir pour l'école. Je regrette de ne pas avoir passé plus de temps avec elle, ce matin-là. À mes deux fils Cody et Joey en train de jouer aux petites voitures sur la moquette de leur chambre. L'anniversaire de Joey est le 28 février et je suis angoissé de ne pas y assister. Tout me revient avec une telle vivacité que j'en suis accablé. Non que ce soit désagréable : au contraire, c'est la seule source de joie que j'arrive à trouver dans cette situation.

J'ai l'impression qu'on m'a amené dans cette ferme pour me tuer. Je ne vais plus revoir ma famille. Sachant que les FARC sont juste à côté, je tente de me retenir de pleurer, mais je finis par céder. Je scrute l'autre bout de la clairière, espérant voir apparaître les autres, mais, alors que le soleil commence à illuminer la crête en face de moi, je n'ai toujours aucun signe de Keith ou de Tom.

C'est quand on pense avoir touché le fond qu'on remonte brusquement. Une fois que j'ai fini de pleurer, je retourne vers le feu et je trouve des FARC accroupis tout autour, en train de s'enfourner des poignées de biscuits salés dans la bouche, dans un nuage de miettes et d'emballages de Cellophane. C'est un spectacle tellement grotesque que j'en oublie mes idées noires et que j'accepte la soupe qu'ils me proposent.

On me tend un gobelet en aluminium et une cuiller. Je m'assois sur un tronc face au sentier que j'ai emprunté la veille, en plein soleil. La soupe claire et graillonneuse a vaguement un goût de poulet, mais enfin c'est de la nourriture et c'est chaud. À ce moment-là font irruption les silhouettes familières de Tom et Keith qui arrivent, juchés sur des mules. Apparemment, ils sont indemnes et j'ai l'impression d'être un matin de Noël et de déballer le cadeau de mes rêves.

TOM

En montant vers la ferme, je suis soulagé d'apercevoir Marc en vie et d'avoir atteint le lieu de repos dont les FARC nous ont parlé. Si paradoxal que ce soit, je suis à la fois épuisé et ragaillardi. Bien que nous ayons été portés, moi par une mule et Keith par un poney, le trajet a été extrêmement pénible. Au moins, je n'ai plus mal à la hanche. La veille, je souffrais tellement que je traînais la jambe, jusqu'à ce qu'une jeune FARC vienne finalement me faire une piqûre d'analgésique. La douleur était telle que je n'ai pas hésité une seconde à baisser mon pantalon sans demander ce qu'elle m'injectait ni si l'aiguille était neuve. C'était ça ou je demandais qu'on m'abatte sur place.

Keith arrive le premier et est accueilli par Marc, qui lui tend un gobelet en alu. Je descends de ma mule et je les rejoins. Marc me tend le gobelet que Keith a refusé et je comprends pourquoi : à sa surface flotte une patte de poulet. Ce spectacle n'a pas dû redonner de l'appétit à Keith, qui souffre de maux de ventre et n'arrive pas à manger. En portant le gobelet à mes lèvres, je songe aux merveilleux petits plats de Mariana et à mon dernier repas avant le crash. Le bouillon n'a rien d'extraordinaire, mais cela fait du bien de boire quelque chose de chaud. Nous nous joignons au groupe de FARC et Keith grignote quelques biscuits ; j'en fais autant. Dans ma vie, je suis allé partout et même dans des endroits impossibles, mais cette scène défie l'entendement. Un groupe d'adultes assis autour d'une marmite en train de se goinfrer de biscuits, entourés de miettes. Nous sommes rappelés à la réalité quand l'un des gardes se lève d'un bond en braillant quelque chose d'incompréhensible tellement il a la bouche pleine ; il gesticule en désignant tour à tour la maison et notre groupe. Nous finissons par comprendre qu'il nous demande de nous taire. Les FARC se lèvent et s'approchent d'un transistor accroché à l'un des piliers du toit.

Ce sont les infos de la radio colombienne, où l'on annonce notre accident et notre capture. C'est assez vague : on n'indique pas l'emplacement exact du crash, ni quelles recherches mène l'armée. Je ne suis pas vraiment réconforté de savoir que nous sommes des célébrités dans le coin, mais, quand les guérilleros entendent mentionner le nom des FARC et les nôtres, je suis perplexe de les voir pousser des cris de joie comme une équipe qui vient de marquer un but.

La situation continue dans l'étrangeté. À quelques mètres, quelques-uns sont en train de laver leurs vêtements à un point d'eau. Hommes et femmes sont en slip et petite culotte. C'est d'autant plus bizarre de voir une jeune fille de dix-huit ans, image même de l'innocence, dans des circonstances qui sont tout sauf innocentes. D'ailleurs, quand elle s'approche pour manger, les autres guérilleros nous font des clins d'œil entendus et nous donnent des coups de coude éloquents.

Peu après, en voyant une petite fille jouer dans une voiture à pédales Barbie rose, je comprends que la maison n'appartient pas aux FARC, mais à une famille. Je me demande comment ces paysans ont réussi à apporter jusqu'ici un tel jouet, surtout aussi coûteux. C'est aussi touchant que troublant. Tout est incongru, ici.

— Cet endroit et ces gamins déguisés pour la guérilla, ça me fout les jetons, dit Marc en s'étirant.

C'est vrai. S'il n'y avait pas eu la radio, j'aurais l'impression d'être revenu à l'Âge de Pierre.

Sonia ne se montre pas depuis un moment, et, l'ayant vue se vanter d'avoir tué Tommy J, sa présence ne me manque pas vraiment. Un instant plus tard, la voilà qui arrive d'un pas vif et fonce sur Keith. Cela ne me dit rien qui vaille. À en juger par son expression, soit elle va lui demander des explications pour je ne sais quoi, soit elle va l'emmener ailleurs.

À la dernière minute, elle passe par le point d'eau et rebrousse chemin avec une grande bassine pleine qu'elle vient déposer devant Keith avant de s'agenouiller et de lui enlever ses chaussures. Sonia se met en devoir de laver et de masser ses pieds gonflés et endoloris. Keith, Marc et moi restons interdits.

Comme nous tenons à ce que la frontière reste bien nette entre « eux » et « nous », nous déclinons leur offre de dormir dans la *finca* – la maison – la nuit venue. Sans compter que l'endroit où Marc a dormi la veille est trop petit pour nous trois. Et si nous ne voulons pas être séparés, ce n'est pas pour bénéficier d'un traitement identique, mais juste pour rester unis. Je ne suis pas jaloux que Keith ait eu droit à un massage : moi, j'ai eu le privilège de recevoir des bottes.

Nous dormons sur une petite meule de foin et, toute la nuit, nous entendons les chevaux du paysan dans l'enclos juste au-dessous de nous. Leur agitation nous inquiète, car ils pourraient très bien en sortir et venir nous piétiner. Finalement, nous sommes vaincus par le sommeil.

C'est l'un d'eux qui nous réveille en mâchonnant le foin sur lequel nous dormons, mais ce n'est pas bien important. Ce matin, nous reprenons notre chemin, montés sur ces mêmes chevaux. Nous nous apercevons dans la journée que les efforts des FARC sont plus coordonnés que nous ne le pensions. Régulièrement, au bout de quelques heures, nous nous arrêtons et descendons de nos montures. Le guide du moment repart de l'endroit où il nous a rejoints, puis en arrive un autre, tantôt un civil, tantôt un guérillero, et le trajet reprend. Nous avons l'impression d'être un bâton de relais que des coureurs se passent. Cela dure des jours. À chaque fois, nous espérons qu'un membre des FARC un peu gradé va arriver et nous donner quelques explications sur notre sort. En vain.

Finalement, au bout de plusieurs jours, nous nous arrêtons au début d'un sentier encore plus raide que les précédents et on nous allonge sur une bâche en plastique. Comme c'est inhabituel, je me demande si ce n'est pas pour nous y envelopper une fois qu'on nous aura abattus. Arrive alors un guérillero qui a l'air d'en savoir un peu plus.

— *Hola, me llamo Johnny. Yo soy un médico.*

Son espagnol est plus clair et nettement moins paysan que celui des autres. Je me dis qu'en tant que médecin il a forcément fait des études. Il nous demande si nous prenons un traitement quelconque. Je réponds que j'en ai un contre l'hypertension. Il le note dans son calepin et m'affirme qu'il va s'assurer que j'aurai tout ce dont j'ai besoin. Il est souriant, ni ironique ni cruel. Puis il me demande de le laisser examiner ma blessure au front.

— Ce n'est pas infecté, vous avez eu de la chance.

Il tamponne délicatement l'entaille avec un coton imbibé d'eau oxygénée. Puis il me demande de suivre des yeux son index dressé.

— C'est plus grave que prévu ?

— Comme votre choc date de plusieurs jours, c'est difficile de dire si vous avez subi un traumatisme, mais c'est très probable. Votre vision est normale ?

— Parfois floue, mais je n'ai pas mes lunettes.

Il me pose d'autres questions, puis il va chercher quelques médicaments pour moi et des pansements pour nos ampoules aux pieds. Je lui demande depuis combien de temps il est médecin. Il me répond que cela fait un moment, qu'on lui a donné cette tâche depuis qu'il a été blessé dans un combat. Il n'a pas l'air très satisfait de son sort.

— C'est important, un médecin, lui dis-je.

— Pas autant qu'un combattant.

— Mais vous avez dû faire de longues études, remarque Keith.

— Je voulais devenir médecin quand j'étais jeune, mais, comme ma famille n'avait pas d'argent, je n'ai pas pu.

Il hausse les épaules et ce geste nous révèle toute une vie gâchée. Nous comprenons que c'est à ce moment-là qu'il a décidé de rejoindre les FARC. Je lui demande alors comment il a été formé à sa tâche.

— Je n'ai pas eu de formation. J'ai appris sur le tas.

Ayant pansé nos pieds, il nous laisse. Un autre guérillero arrive avec des bottes, des treillis et des tee-shirts. Keith étant nettement plus massif que la plupart des Colombiens, aucun tee-shirt ne lui va et les bottes sont trop petites pour lui. Pour ne rien arranger, il n'arrive toujours pas à manger et s'affaiblit de jour en jour.

J'ai de plus en plus de mal à garder la notion du temps. Non seulement tous les jours se ressemblent, mais nous sommes épuisés et affamés.

Au bout d'un moment, je commence à récupérer, alors que l'état de Keith empire. Bien que nous voyagions à cheval, comme il ne peut toujours pas s'alimenter suffisamment, il est à bout de forces. Marc et moi redoutons que les FARC ne l'abattent si cela continue, car il risque de devenir un handicap pour eux en ralentissant leur fuite loin de l'armée.

Comme les jours précédents, Marc est en début de colonne, ce qui lui permet de se reposer plus fréquemment, et nous passons les nuits ensemble. Keith s'en veut d'avoir du mal à tenir le rythme quotidien. Je le rassure : nous arriverons au bout. Et puis, comme je suis avec lui, je n'ai pas trop à me presser.

Au bout d'une semaine, nous percevons un changement parmi nos gardes. Nous sommes avec le même groupe depuis quelques jours et nous sommes habitués à leur caractère. Johnny, le médecin, se trouve parmi eux. La première fois que je les entends parler d'un avion, je suis surpris, puisque nous n'en avons pas vu un seul patrouiller depuis des jours. On m'explique alors qu'on nous emmène vers un avion.

On nous le répète pendant les trois jours suivants. La nuit venue, nous en discutons tous les trois et reprenons espoir. S'il y a un avion, c'est sans doute pour nous y embarquer et nous emmener quelque part. Nous espérons qu'un accord a été conclu et qu'on va nous relâcher. Pourquoi nous ferait-on monter dans un appareil si ce n'est pour nous déposer quelque part en vue d'un échange de prisonniers ?

Cet espoir nous donne la force de continuer durant les deux jours suivants. Bien que le sentier soit de plus en plus raide, nous restons convaincus que les FARC ont une piste d'atterrissage quelque part. Nous discutons même du genre d'appareil dont il pourrait s'agir. Nous avons vu suffisamment de clairières assez vastes pour qu'un Cessna 206 puisse atterrir et décoller.

Notre marche forcée est de plus en plus dure. La moitié du temps, nous suivons un sentier qui traverse la montagne et, le reste du temps, nous sommes littéralement à quatre pattes ; cela s'apparente plus à de l'escalade qu'à de la randonnée. Comme d'habitude, Marc est devant, Keith et moi avons du mal à suivre. Finalement, les FARC décrètent que Keith n'est pas en état de continuer. Et au lieu d'attendre qu'il reprenne des forces, ils coupent une longue branche à laquelle ils suspendent un hamac, le mettent dedans et le transportent sur leurs épaules comme un gibier. Chacun veut faire étalage de sa force, au point qu'ils se battent carrément pour avoir le droit de porter, chacun à son tour, les quatre-vingt-quinze kilos que pèse Keith sur cette pente incroyablement raide jusqu'à l'endroit où on nous dit qu'attend cet avion. Quand ils arrivent au sommet, ils sont tous épuisés et le laissent pratiquement tomber pour reprendre leur souffle. Keith et moi n'y prêtons pas attention. Nous avons les yeux rivés sur l'avion. Ou du moins ce qu'il en reste.

Devant nous gît la carcasse d'un Cessna monomoteur qui est là depuis bien longtemps. Marc, arrivé le premier, vient nous rejoindre. Lui non plus n'en revient pas.

Immédiatement, tout espoir d'être emmenés pour un échange de prisonniers s'évapore. En regardant cet avion au flanc criblé de balles, nous repensons à notre accident et au sort qu'ont dû connaître les occupants de cet appareil. Les FARC sont occupés à enfourner dans leurs sacs des boîtes de Nescafé encore intactes. Je fais le tour de l'engin et je sens brusquement une odeur de pourriture. Je regarde dans la cabine : elle est vide.

Sur cette crête exposée à probablement plus de 1 500 mètres, l'air est glacé. J'évalue la situation. L'épave. Keith recroquevillé par terre pour se réchauffer. Marc, secoué et blême qui doit songer que nous allons connaître le même sort que le pilote et les occupants de ce Cessna. Je m'en veux de penser en cet instant que j'ai de la chance, mais c'est le cas : nous sommes encore en vie grâce au savoir-faire de Tommy Janis – qui a disparu comme le pilote de cette épave. Un peu plus loin, je vois une paire de mocassins noirs qui devaient appartenir à l'un des passagers. Je songe au peu de prix que ces guérilleros accordent à la vie, comparé à la valeur que nous lui attribuons. Pendant presque toute mon existence, c'est l'argent qui m'a motivé, mais je suis en train d'apprendre qu'il existe des choses bien plus précieuses.

3

MARC

D'une certaine manière, se retrouver sur le lieu de cet accident en plein vent est une bonne chose. L'ascension nous a épuisés mentalement et physiquement. Les FARC avaient laissé entendre que cet avion était la clé de notre liberté, et là, nous prenons une grande claque. Qu'ils aient fait cela par méchanceté ou par sottise importe peu. Nous venons de l'apprendre à nos dépens : il est dangereux de se fier à ce qu'ils racontent.

Malgré cette énorme déception, il reste un bon côté : Keith est enfin un peu mieux soigné. N'ayant mangé que quelques biscuits en dix jours, il était à bout et en a parlé à Johnny. Celui-ci, compatissant, inquiet, ou les deux, prend l'affaire au sérieux. Bien que nous soyons dans un endroit à découvert et facilement repérable, les FARC nous montent une tente. Nous avons tellement froid qu'ils font même du feu, mais nous sommes trop épuisés pour ressortir de notre abri et aller nous y réchauffer.

Si nous nous réveillons le lendemain matin, c'est parce que Johnny est revenu avec une perfusion pour Keith. Je suis un peu inquiet de voir ce médecin de brousse lui planter une aiguille dans la veine, mais il a l'air de savoir ce qu'il fait, bien qu'il lui faille deux jours de plus pour se décider à recoudre la plaie au front de Tom. Au bout d'une heure, la perfusion est terminée et nous repartons, Keith toujours pendouillant dans son hamac entre deux guérilleros.

D'après Tom, cela fait onze jours que nous marchons depuis l'accident. Nous ne savons toujours pas où nous allons ou si cela sert à quelque chose de nous éloigner à ce point des militaires. Nous sommes tellement à bout de forces que nous avons des étourdissements, notre vision se brouille ; et si nous nous arrêtons, ne serait-ce que quelques minutes, nous sombrons immédiatement dans le sommeil.

Les FARC continuent de perfuser Keith, mais en dehors de cela ils n'ont pas l'air de se soucier beaucoup de notre état mental ou physique. Ils nous trimballent sans répit pendant les deux semaines qui suivent et nous passons régulièrement de l'espoir au désespoir quand nous les interrogeons. Leurs réponses ne varient pas : « encore un peu », « bientôt » ou « ¿ *Quién sabe ?* » : Qui sait ?

Cette dernière phrase se fait de plus en plus fréquente et frustrante à mesure que passe le temps. Durant les vingt-quatre jours que durera cette marche forcée, les FARC utiliseront leur « ¿ *Quién sabe ?* » autant que leurs machettes. Capables tantôt de trancher avec une impressionnante férocité lianes et branches, ou de fendre délicatement des pousses de bambou pour en extraire de l'eau, ils nous prouvent qu'ils sont rodés depuis longtemps à la vie dans la jungle.

Si évasives que soient leurs réponses, nous commençons à cerner un peu mieux nos ravisseurs. La plupart de la piétaille qui nous accompagne sont des paysans et paysannes. Leur comportement est aussi fruste que répugnant (ils crachent, se grattent l'entrejambe, hommes comme femmes, et se curent le nez), mais nous éprouvons une certaine compassion pour eux. Nous sommes incapables d'imaginer ce qu'a pu être leur existence et quelles horreurs ils ont vécues pour arriver à penser que rejoindre les FARC améliore leurs conditions de vie. Quand nous les interrogeons sur leurs motivations, quelques-uns répondent : « *La violencia* ». Ils ne nous expliquent pas quelles violences ils ont subies et nous nous demandons s'ils ne veulent pas plutôt parler de la violence qu'ils infligent aux gens.

Les FARC ne sont pas vraiment subtils dans les surnoms qu'ils se donnent. Lapo est tellement prognathe qu'il a l'air d'une caricature ambulante. Le surnom vient d'un animal de la jungle de la taille d'un daim avec un mufle d'élan. Nicuro (poisson-chat) a de grands yeux et une bouche en accent circonflexe. Anthrax empeste. Ben Laden a des traits moyen-orientaux. Et tous ces gamins ne sourcillent pas une seconde quand ils s'appellent ainsi entre eux.

Nos guérilleros consomment également quantité de sucre, chacun transportant un pain de cassonade, la *panela*, dont ils cassent un morceau qu'ils grignotent. Ils le mélangent également à des boissons locales vendues en petits paquets. Parfois, quand nous nous arrêtons au bord d'un cours d'eau, l'un d'eux remplit un grand récipient et prépare le mélange avec près de trois livres de sucre. Voilà qui explique en partie qu'ils soient aussi infatigables. Ils ne mangent pas plus que nous, mais leurs grignotages et boissons sont l'équivalent des barres de céréales et autres boissons énergétiques.

L'omniprésence du sucre et des bonbons renforce mon impression initiale d'avoir affaire à des gamins déguisés pour

Halloween. Les bonbons sont un bien précieux que les responsables distribuent comme des récompenses aux sous-fifres. Si les FARC répètent constamment « ¿ *Quién sabe ?* », notre refrain à nous est plutôt « bizarre » et « surréaliste ». Crapahuter dans la jungle en passant auprès des champs de coca que nous filmions depuis notre avion, en compagnie de terroristes endoctrinés qui se gavent de sucettes a épuisé notre vocabulaire et nous ne trouvons plus que cela à dire.

Bien que ce ne soient que des ados, ce groupe comme bien d'autres sème la pagaille en Colombie, forçant l'armée à recourir aux armes mortelles. Peu après le site de l'épave, un incident vient me rappeler la gravité du conflit. Nous sommes en train de faire une halte d'un petit quart d'heure à flanc de colline. Soudain, deux membres de l'arrière-garde se mettent à hurler : *Policía ! Policía !* en nous dépassant pour s'enfoncer dans la jungle. Les autres paniquent à leur tour dans un concert d'exclamations. Sonia arrive et leur beugle de se taire. Silence général. Un instant plus tard, un guérillero d'une autre unité arrive. Il s'agit d'un guide local qui est censé nous piloter dans cette partie de la région, et non pas d'un policier ou d'un soldat. Cela en dit long sur la bravoure de nos FARC. Cependant, leur réaction révèle qu'ils sont traqués et que certains ont déjà été blessés. Peut-être les trouvons-nous un peu ridicules, mais ils sont aussi extrêmement instables. Après tout, une organisation terroriste composée de jeunes n'est pas vraiment l'idéal comme force de combat. Ils sont indisciplinés et, du coup, totalement imprévisibles.

La première fois que je les vois en rangs, comme à l'armée, je me rends compte qu'ils se considèrent comme un groupe de combattants disciplinés et organisés. Ce matin-là, un commandant des FARC du nom d'Oscar est attendu. C'est un événement, car, pour une fois, tout le monde s'est coiffé de son couvre-chef. Quand Oscar arrive, nous comprenons que c'est le commandant du Front, c'est-à-dire, selon leur hiérarchie, de la troupe qui nous a capturés. C'est le chef de Sonia. Il est petit, même pour la moyenne colombienne, et bedonnant. Il lui manque l'auriculaire à la main droite.

Oscar rassemble ses troupes, qui forment leurs rangs un peu n'importe comment. Devant la complexité de la manœuvre, nous sommes au bord du fou rire. C'est la première journée de temps clair depuis longtemps et à peine se sont-ils rassemblés tant bien que mal qu'un avion passe. Oscar gesticule en poussant des cris pour que tout le monde aille se réfugier à couvert dans la jungle et sous un toit improvisé. Une fois l'avion passé, ils abandonnent l'idée de jouer aux soldats.

Pour les FARC il n'y a pas de différence entre les sexes et, physiquement, certaines femmes nous dament le pion. Leur capacité à crapahuter toute la journée est pour le moins impressionnante. Une fois, je demande à l'une d'elles de me laisser soupeser son sac à dos. Il est tellement chargé de matériel et de vivres que j'ai un mal de chien à le soulever. Keith et moi avons des filles et nous sommes atterrés de voir que certaines de ces gamines sont à peine plus âgées que sa Lauren. L'une d'elles nous fait particulièrement pitié. Elle doit avoir dix-sept ou dix-huit ans, elle a assez de prestance pour être mannequin à Paris et non pour marcher dans la jungle avec un sac à dos qui va lui laisser des marques comme j'en ai vu sur tous les autres.

On voit bien que sa jeunesse ne va pas durer, ni physiquement ni mentalement. La plupart des femmes des FARC font plus que leur âge et sont avec des hommes plus vieux qu'elles. Dès nos trois premières semaines, nous constatons qu'ils ont beau prêcher l'égalité, et d'une certaine manière, la mettre en pratique en chargeant les filles comme des mulets, en les faisant travailler et monter la garde, à bien des égards, ce sont les esclaves sexuelles des hommes.

Leur situation difficile nous apparaît clairement en chemin. Le lendemain de la visite d'Oscar, Sonia annonce à Keith qu'il doit prendre un bain. Sachant qu'avec ses côtes cassées et sa petite forme il va avoir du mal tout seul, elle lui déclare, sur un ton que nous ne lui connaissons pas, qu'elle lui réserve une surprise et qu'il va avoir un bain génial. Trois filles l'entraînent à une rivière. Keith s'allonge sur un rocher plat et elles l'aident à se déshabiller. Elles en font autant et entreprennent de le laver avec une éponge. Keith en est réduit à se laisser faire, l'air perplexe devant cette scène étrange. Lorsque la cérémonie du bain est terminée, Uriel vient nous trouver.

— Alors, ça t'a plu ? Ça n'est pas si mal, ici, hein ?

— Laquelle tu veux ? demande un autre garde en poussant deux autres filles vers lui. Tu peux choisir, c'est mon cadeau.

— Manquait plus que ça, me dit Keith dans un sourire, sans relever. Je suis en plein milieu de la jungle à me faire laver par trois filles. Avec un peu de chance, un avion de reconnaissance aura pris une photo qui va s'étaler en une des journaux et, pour Malia, ce sera la goutte d'eau.

C'est facile de rire du grotesque de cette situation, mais je décèle un peu d'inquiétude dans sa voix. Autant nous apprenons à connaître les FARC, autant nous apprenons aussi à mieux nous connaître. Je sais que Keith et Malia ont eu des petits problèmes parce que Keith a eu une aventure avec une hôtesse de l'air, Patricia. Il a tout avoué à sa fiancée, mais il a appris que Patricia est enceinte de jumeaux. Malia a décidé de lui donner une chance mais il est angoissé à l'idée d'être peut-être le père de deux futurs enfants. Il se sent responsable, même s'il n'est pas sûr que Patrica ne l'ait pas fait exprès pour le piéger.

Bien que nos gardes ne sachent rien de notre vie privée, ils jouent cruellement sur notre désir de retrouver les nôtres. Chaque fois que nous faiblissons, ils prétendent que si nous marchons plus vite, nous retrouverons nos familles dans deux jours.

Nous ne savons pas s'ils nous disent la vérité, mais cela fonctionne. Nous pressons le pas comme nous pouvons. Quand nous sommes ensemble, nous spéculons sur la véracité de leurs paroles. Nous tombons d'accord : il est très peu probable que nous retrouvions nos familles dans deux jours, mais peut-être que cela signifie que nous allons être relâchés quelque part. Dans notre état lamentable à tous égards, nous sommes des cibles faciles. Quand le délai est passé, nous ne protestons même pas. Nous nous disons simplement que c'est une leçon de plus que nous venons d'apprendre à nos dépens.

TOM

Trois jours après avoir quitté l'épave, nous arrivons à une autre *finca*, où l'hospitalité n'est pas meilleure que dans la précédente. Cette fois, au lieu de dormir sur un tas de foin, nous sommes conduits dans une petite chambre où sont étalés des matelas crasseux entourés de déchets divers. Nous échangeons à peine un mot avant de nous écrouler et de nous endormir.

À plusieurs reprises, je suis réveillé par des voix. Chaque fois, je lève la tête et je distingue par la porte ouverte des silhouettes différentes. Je ne sais pas combien de temps nous avons dormi, mais nous nous levons dès l'aube. Durant la

marche, nous avons été escortés par une vingtaine de guérilleros, mais là il y en a une bonne soixantaine. Nous sentons
aussitôt que nous sommes au pire un objet de curiosité, au
mieux des célébrités. Tout le monde nous regarde comme au
premier jour.

La cuisine est un simple auvent tendu sur quatre perches
pour abriter le réchaud de la pluie. À côté se trouve une
baignoire que l'un des FARC traîne un peu plus loin. Nous
pensons qu'on nous prépare un bain, mais, un instant plus
tard, ils amènent une vache et lui attachent les pattes.

L'animal est maigre et a l'air aussi épuisé que nous. Brusquement, un guérillero lui tient la tête pendant qu'un autre
l'égorge d'un coup de machette. La vache s'effondre et ils
recueillent le sang dans un récipient. Marc et moi restons
cois. Nous pensons tous les deux que nous aurions pu nous
trouver à la place de l'animal.

Nous restons trois nuits à la *finca* et le repos me fait du
bien. Je suis fasciné par cette construction. Nous sommes au
milieu de nulle part et je me demande comment on a pu
apporter du bois ici pour bâtir quoi que ce soit. Au cours de
notre marche, quand nous faisions une halte prolongée, j'ai
vu les FARC couper des arbustes pour tailler des poteaux
entre lesquels ils tendent des bâches. Certes, ce ne sont pas
des cabanes de vacances, mais de simples abris.

De la même façon, la ferme semble bâtie avec du bois
coupé sur place. Les planches à peine dégrossies proviennent
des arbres voisins coupés à la tronçonneuse, comme je le
verrai plus tard. Les FARC utilisent ces planches pour
façonner tout et n'importe quoi, sommiers improvisés, tables,
chaises, bancs. Certains profitent de cette longue halte pour
se fabriquer des cannes à pêche. Je réalise qu'il suffit de
donner à un FARC une machette et une tronçonneuse pour

qu'il vous construise une maison bien solide n'importe où dans cette jungle.

Leur capacité à exploiter cette région difficile est impressionnante. C'est regrettable qu'ils utilisent ce savoir-faire à des fins aussi nuisibles que la construction de la plupart de leurs labos de cocaïne. Du haut des airs, nous ne pouvions nous douter de la manière dont ces endroits étaient fabriqués, mais ce que nous voyons à terre sera utile aux services de renseignement.

Parfois, je me sens glisser dans la peau d'un observateur de terrain ou d'un anthropologue. Pour moi, c'est une manière d'échapper à la réalité et d'atténuer le stress. Nous commentons la situation, mais pas trop longtemps, pour ne pas finir sur les nerfs. Une chose est sûre, si nous considérons notre condition physique, nous ne nous en sortons pas trop mal. Éviter la confrontation porte ses fruits. Pour nous, survivre est la priorité. Ensuite, il importe de ne rien faire qui soit contraire à nos valeurs. Nous sommes captifs, mais cela ne veut pas dire que nous devions nous conduire comme des criminels. Nous sommes sur la corde raide et ce n'est pas facile. Nous ne sommes coupables de rien et il est hors de question de laisser les FARC penser que nous ayons fait ou eu l'intention de faire quoi que ce soit de mal.

Ce matin-là, Sonia et quelques autres nous parlent de l'impérialisme américain, mais nous ne réagissons pas : c'est la propagande habituelle des FARC. Nous ne relevons jamais quand nous entendons exprimer des sentiments hostiles. La meilleure manière de les contrecarrer est de nous conduire le plus honorablement possible. Même si aucun de nous n'est en service militaire actif, nous travaillons pour le ministère de la Défense et d'autres agences gouvernementales. Nous prenons très au sérieux le combat auquel nous participons contre le trafic de stupéfiants et notre rôle de représentants d'un pays que nous aimons. Rien de cela ne va changer sous prétexte que nous sommes otages. Et surtout, nous avons un sens aigu de la justice et nous demandons à être traités équitablement. Nous ne songeons pas à la torture ou à l'interrogatoire : pour nous, il y a des limites qu'il ne faut tout simplement pas franchir.

Nous avons pris conscience de ces limites quelques jours plus tôt en redescendant de la crête où se trouvait l'autre avion. La pente était raide et nous avons remarqué que l'une des FARC, une jeune fille frêle de seize ou dix-sept ans, était très pâle et titubait. Brusquement, elle s'est évanouie. Ses compagnons se sont simplement rassemblés autour d'elle à la contempler et nous nous sommes approchés. Elle ne transpirait pas, ce qui indiquait qu'elle était déshydratée. Jugeant qu'il fallait rapidement abaisser sa température, nous lui avons donné de l'eau et soulevé les pieds. Elle a eu l'air d'aller mieux. Les FARC se sont mis à l'éventer selon nos conseils, mais elle s'est mise à frissonner. C'est alors que Keith l'a recouverte de son blouson en polaire.

D'une certaine manière, nous avons franchi une limite. Nous avons aidé un membre des FARC. Mais ce faisant, nous avons appris qu'il y avait une autre ligne que nous ne passerions pas. Ce n'est pas parce qu'on nous traitait sans humanité que nous devions renoncer à la nôtre. Nous avons tous des enfants et cette fille nous rappelait les nôtres. Comment aurions-nous pu rester sans réagir ? Pour nous, il importe de bien distinguer le bien du mal, ce qui est facile et ce qui l'est moins. Autant que possible, nous devons relever constamment ce défi : faire ce qui est bien et difficile.

Après trois nuits de repos à la *finca*, le jour qui doit être, d'après mes estimations, le 2 mars, nous redescendons, traversons encore un torrent et marchons quelques heures avant de bivouaquer. Le lendemain, les FARC nous fournissent des chevaux et nous n'allons pas nous en plaindre. Nous remontons le torrent, parfois dans l'eau, parfois sur la rive, et je suis émerveillé de l'agilité des chevaux sur ce terrain rocailleux.

Nous ne mangeons pas grand-chose, mais les FARC nous abreuvent de leurs paroles pleines d'espoir, faisant miroiter que les négociations pour notre libération sont en cours et que nous allons être très bientôt délivrés. Ces mensonges sont destinés à faire passer les ordres et à nous obliger à presser le pas.

Nous nous laissons piéger par l'espoir, car nous voulons croire ce qu'on nous raconte. Nous analysons chaque infime détail : tiens, ils ont mis leurs chapeaux aujourd'hui. Les chefs doivent être dans le coin. Et les chefs sont en liaison avec leurs supérieurs. Lesquels doivent négocier. Peut-être qu'on va venir nous chercher... Tout devient un présage. J'ignore si nous croyons *vraiment* ce qu'on nous raconte, mais je sais qu'à un moment il va falloir arrêter de les laisser se servir de notre espoir à leur profit.

KEITH

Un matin, quelques jours après que nous avons soigné la jeune fille (qui ne me rendra pas mon blouson et ne me remerciera jamais), Johnny nous recommande de boire davantage, parce que nous devons passer un autre col où nous ne trouverons pas d'eau. Ce n'est pas tout à fait exact, étant donné le talent que les FARC possèdent pour en extraire de certaines plantes.

Être le plus gros de la troupe est un inconvénient question habillement. Rien de ce qu'on me donne ne me va, surtout les bottes, mais on exige que je les porte quand même. Comme ils savent que l'armée nous pourchasse, ils veulent que je laisse dans le sol boueux les empreintes de ces bottes que tout le monde porte dans la région. Toute autre empreinte trahirait la présence de gringos. Pour que je puisse les enfiler, Johnny a coupé le bout des miennes. C'est peut-être très bien pour eux que je ne sois plus une balise ambulante, mais pas pour moi. Si vous avez déjà fait de la randonnée, vous vous doutez qu'avoir le bout du pied à l'air est une invitation pour qu'il vous arrive un pépin. Et par pépin, je ne parle pas de se cogner un orteil, mais de trucs vraiment déplaisants.

À mesure que s'écoulent les jours, je commence à me faire une idée de ce qu'il peut arriver de désagréable. Une nuit, les FARC dégagent une petite clairière pour que nous nous allongions. À peine sommes-nous endormis qu'un cri nous réveille. Martin, l'un des gardes, se précipite avec sa machette, l'air paniqué. Nous l'entendons donner des coups, puis il revient avec une longue branche au bout de laquelle il a embroché un serpent tellement énorme que la perche plie sous son poids. Il fait le tour du camp pour l'exhiber. Nous apprenons qu'il s'agit d'un *riaca*. Nous pensons que c'est une sorte de boa, mais quand nous mimons un reptile qui étrangle, on secoue la tête et on nous mime une morsure. Je baisse les yeux vers mes orteils déjà bien amochés en me disant que c'est un appât à serpents et que je vais avoir besoin de bottes à ma taille.

Comme si les énormes serpents venimeux ne suffisaient pas, nous devons aussi lutter contre les saloperies invisibles qui s'infiltrent en nous. Nous avons de l'eau, mais c'est précisément ce qui ravage notre organisme. Quand on voyage à l'étranger et que l'on contracte la *turista*, les bactéries responsables sont évacuées en quelques jours. Mais là, elles s'installent pour de bon et nous rendent la vie difficile. Se réhydrater est un problème et nous nous affaiblissons de jour en jour.

Nous nous en rendons compte lorsque nous arrivons à proximité d'un pont. Comme pour l'avion, les guérilleros ne cessent de nous promettre que nous y arriverons bientôt et cette perspective me réconforte : cela signifie que nous allons retrouver la civilisation et que nous traverserons ce qu'il enjambe, rivière ou précipice, sans avoir à crapahuter pendant des heures.

Quand nous sortons enfin de l'épaisse jungle dans une petite clairière, deux gardes tendent le bras vers ce qu'ils appellent le *puente*. On se croirait dans un film. Oui, il y a bien un ravin devant nous, mais le pont n'est pas vraiment l'énorme ouvrage d'art du génie civil que j'espérais. On dirait plutôt le genre de passerelle branlante des *Aventuriers de l'Arche perdue*. Pas plus de cinquante centimètres de large, faite de planches et de cordes formant une mince rampe.

Le tout enjambe quinze mètres plus bas un lit de rivière asséché hérissé de rochers. Voyant notre inquiétude, les FARC nous expliquent qu'il suffit d'écarter la corde qui sert de rampe si la passerelle se met à osciller un peu trop. La tension provoquée permet de stabiliser l'ensemble. Dans de bonnes circonstances, ce serait une traversée délicate, mais, étant donné notre état de faiblesse, au bord de l'évanouissement, il y a de quoi perdre tous ses moyens. Et comme une seule personne à la fois peut l'emprunter, la traversée prend un moment.

Quand Tom, le dernier à passer, nous rejoint de l'autre côté, il est aussi furieux qu'atterré.

— Mais qui a eu l'idée de construire un pont dans un endroit pareil ! Ça n'a aucun sens. (Marc et moi nous apprêtons à répondre, mais il poursuit :) Non, non, j'ai compris, pas la peine : ¿ *Quién sabe* ?

J'ai de la peine pour Tom. Pilote, ayant passé sa vie à réfléchir selon une logique, résoudre des problèmes efficacement, il envisage le monde comme un endroit ordonné et explicable. Ici, il est totalement démuni.

Tom et Marc prennent les devants dans la file. Nous sommes séparés par une quarantaine de guérilleros. Nous arrivons bientôt devant une série d'abris de fortune, version à peine améliorée des bâches tendues que nos gardes dressent à chaque étape. On dirait un ancien camp que les FARC auraient dû abandonner précipitamment. Une dizaine de tentes sont déjà montées et un autre groupe de FARC est déjà là. Il y a une cuisine, mais ce qui nous fascine le plus, c'est qu'ils ont un générateur et que nous voyons une parabole satellite et une petite télé dans une *coleta*, avec des bancs dont le dossier est tellement incliné en arrière qu'on dirait des fauteuils de dentiste.

Je vais y rejoindre Tom et Marc qui regardent un vieux film en noir et blanc. Tom m'explique qu'en arrivant les FARC les ont amenés ici et leur ont demandé ce qu'ils voulaient regarder.

— CNN, évidemment. Mais il n'y avait rien sur nous. Et au bout d'un moment, ils ont mis ce truc.

Les FARC rassemblés devant l'écran sont pliés de rire. Tom m'explique que les deux personnages à l'écran sont dans un marché au Mexique et se disputent au sujet du prix des tomates. Apparemment, pour les terroristes, c'est tordant.

— Je n'en reviens pas qu'ils nous aient laissés commencer à regarder CNN, dit Marc. Et s'ils ont changé de chaîne, c'est juste que ça les ennuyait. Mais ils ne se doutent donc de rien ?

Marc a tout à fait raison. CNN aurait vraiment pu nous

permettre de savoir si les FARC mentaient ou si nous allions vraiment être libérés. Sonia ignore qu'on nous a autorisés à regarder la télé, mais, quand elle arrive, elle ordonne à des gardes de nous mettre dans une espèce d'appentis délabré où se trouvent quelques vieux magazines que Tom entreprend de feuilleter. Il n'y est question que des FARC, avec quelques photos des grands chefs.

Soudain, nous entendons le grondement très reconnaissable d'hélicos volant à basse altitude. Tout le monde se jette à terre et nous nous retrouvons dans une scène de *Full Metal Jacket*. Quand les appareils arrivent juste au-dessus de nous, on nous emmène au pas de charge dans l'obscurité de la jungle. C'en est fini du repos. Et comme si cela ne suffisait pas, un déluge s'abat sur la jungle. Vivant dans le sud de la Géorgie et ayant passé pas mal de temps sous les tropiques, j'ai l'habitude des orages, mais ce n'est rien comparé à celui-là.

Nous poursuivons notre route pendant trois jours et nous passons la dernière nuit sous l'épave d'un vieux camion-benne posée sur des parpaings. Nous sommes frigorifiés et blottis les uns contre les autres, et l'odeur d'essence et d'huile ne facilite pas le sommeil. Le lendemain matin, nous nous rendons compte que nous sommes devant un minuscule hameau. Le mur de la petite école est décoré d'une magnifique fresque représentant des poissons exotiques. Le reste des bâtiments est délabré et grisâtre, mais cette école est ce que je vois de plus réconfortant depuis trois semaines. Et, du coup, nous repensons à nos gosses. Nous parlons anniversaires, gâteaux et soirées pizza. Pendant un bref moment, nous sommes de retour chez nous.

On nous fait monter dans un autre camion, qui date des années 1950. Tout le monde s'entasse dans la benne et nous partons pour une folle équipée sur une étroite route de montagne vers un autre village. Celui-ci est un peu plus grand. On nous emmène dans l'une des maisons, qui appartient à l'un des chefs des FARC. Leurs idéaux d'égalité en prennent pour leur grade : c'est clairement la plus belle et la plus grande, et elle est entourée de barbelés. L'épouse du chef nous sert de la soupe. Je commence à manger, mais j'aperçois brusquement par terre un sac McDonald contenant un emballage de Happy Meal. C'en est trop. Je sors précipitamment et je m'effondre en pleurs.

Dans ce genre de situation, impossible de savoir ce qui peut vous faire craquer. Et là, ce malheureux sac vient de me rappeler Lauren et Kyle que j'emmenais régulièrement au McDo et que je ne reverrai peut-être jamais. Tom et Marc viennent me tenir compagnie.

– C'est tellement étrange de voir des routes, des voitures et des signes de civilisation, de se dire qu'on pourrait retrouver tout cela mais que c'est hors de notre portée ! dit Marc.

Nous restons un moment silencieux, puis nous rentrons finir le repas. Après cela, nous traversons le village. Les maisons sont peintes de couleurs vives, les fenêtres sont fleuries, mais tout a l'air désert. Même sur la place, il n'y a personne. J'aperçois au bout d'une impasse un homme qui nous observe discrètement. Nous arrivons enfin devant un bâtiment devant lequel des gens sont assis sur des bancs. Une odeur de cuir et de produits de tannage flotte dans l'air. Nous comprenons que les FARC veulent nous faire constater que tout ce petit monde est fort industrieux. Ces villageois fabriquent des gilets en cuir pour les FARC. Au lieu de nous impressionner, c'est tout le contraire : il est évident que ces pauvres gens sont les esclaves des FARC et Dieu sait s'ils sont payés et combien. Aucun des ouvriers ne nous regarde. On a dû prévenir tout le monde que trois Américains sont de passage et qu'il ne

doit y avoir aucun contact. Aux abords du village, nous passons près du cimetière, qui nous paraît presque plus vivant
que tout le reste.

Une fois sortis du village, nous faisons une halte de plusieurs heures. Les FARC envoient quelques gars chercher des
sodas et du pain frais pour tout le monde. Quelques heures
passent, puis un peloton d'une centaine de FARC descend
des collines et nous emmène.

Trois jours après, notre équipée de vingt-quatre jours se
termine.

4

LA TRANSITION
MARS 2003

TOM

À la fin de l'après-midi du vingt-quatrième jour, nous sortons de la jungle près d'une vaste clairière entourée d'une clôture. On nous dit qu'on va venir nous chercher à 20 heures et qu'il faut attendre.

Le temps que notre chauffeur arrive, il est 1 heure du matin et nous sommes gelés. Le 4 × 4 Toyota est conduit par un guérillero au crâne rasé ceint d'un bandeau Tommy Hillfiger ; je me demande encore le rapport qu'il y a entre un créateur américain et la doctrine marxiste. Nous nous entassons sur la banquette arrière, Sonia devant. Le chauffeur lui donne consigne, ainsi qu'à nos gardes, d'armer leurs fusils. Puis il se tourne vers nous avec un sourire fielleux :

– Ça vous en bouche un coin que les FARC aient des voitures, hein ?

Ce mec sait conduire et il tient à le montrer. Nous devinons que c'est peu fréquent chez les FARC, bien que « conduire » soit là un bien grand mot. Au cœur d'une nuit noire, il fonce à tombeau ouvert, la radio à fond et une main négligemment posée sur le volant. Il passe son temps à fixer Sonia et à tenter de l'impressionner par ses traits d'esprit et son savoir-faire. Alors que nous pensions que notre premier trajet sur des sièges confortables serait presque agréable, nous avons droit à un rodéo entre nids-de-poule et virages en épingle à cheveux, à vous retourner l'estomac. Au bout d'une heure, nous nous arrêtons au milieu de la route. Un pick-up bâché surgit de nulle part et se gare à côté de nous.

Nous sommes transférés dans la benne de ce nouveau véhicule, et nous redémarrons en trombe, en tressautant et en nous cramponnant dans les cahots. Malgré une suspension à nous briser les reins, nous nous assoupissons de temps en temps. Au moment où l'aube rougit le ciel, nous faisons de nouveau halte afin d'installer un matelas ultra-mince dans la benne. Une heure plus tard, nous arrivons dans le plus grand campement des FARC que nous ayons vu jusque-là.

L'endroit a l'air d'un ancien site de maintenance, vestige de l'époque du *despeje* (le défrichage), la zone démilitarisée accordée en 1998 par l'ancien président. La trêve a été levée en 2002 à la suite d'attentats terroristes des FARC, le summum ayant été atteint lorsque ceux-ci ont détourné un avion de ligne et retenu en otage Jorge Eduardo Gechem Turbay, un sénateur du Parti libéral colombien (PLC) et président de la Commission de paix. Avant cela, il y avait eu plusieurs attaques de villes et villages, de nombreux civils tués et plusieurs autres enlèvements de membres du gouvernement. Leur coup le plus audacieux a consisté à se faire passer pour des policiers et kidnapper une douzaine de législateurs colombiens. Dans la période précédant les élections de mars 2002, les FARC ont kidnappé 840 personnes en 2001 et 183 au cours des trois premiers mois de 2002.

Ces enlèvements afin de demander une rançon représentent un business florissant pour les FARC, mais ce n'est pas la seule tactique terroriste qu'ils emploient. Sur une période de dix-huit mois à partir du début 2001, ils ont tué au moins 400 militaires à l'aide de voitures piégées et de mortiers improvisés. Sur cette même période, trois membres de l'IRA ont été arrêtés en Colombie et accusés de former les FARC à la fabrication d'engins explosifs.

Toutes ces activités ont donc mis fin aux négociations de paix et à la zone démilitarisée, au début de l'année 2002. En représailles, les FARC ont kidnappé la candidate aux élections présidentielles Ingrid Betancourt et plusieurs autres qui traversaient leur territoire. Depuis, tous les regards sont tournés sur la Colombie et le monde entier fait pression sur eux. Lorsque Álvaro Uribe s'est présenté aux présidentielles de 2002, sa politique de « sécurité démocratique » était au cœur de son programme. Son père avait été tué par les FARC et sa promesse de fermeté à leur égard lui a permis la victoire en août 2002. Notre travail témoigne de la forte implication des États-Unis à aider la Colombie à retrouver une certaine stabilité politique. Une grande partie du financement américain envers ce pays transite par le plan Colombie, soit des milliards de dollars en aide militaire et sociale et en lutte contre les narcotrafiquants. Faute d'une telle aide, les cartels et autres criminels continueraient de rendre le pays et la région dangereux.

Et nous voici jetés au milieu de cette arène où règnent enlèvements, assassinats, tensions politiques et conflits intérieurs. Aucune trêve ni négociation n'étant prévue, nous ignorons si nous sommes considérés comme des garanties précieuses ou comme un simple gibier à égorger pour prouver que la lutte continue. Les FARC ont l'habitude d'échanger leurs prisonniers contre de l'argent comme on rapportait autrefois des bouteilles consignées. Peut-être est-ce le sort qui nous attend.

Dans ce nouveau camp, on nous mène à une vaste construction sans murs, qui devait servir à abriter les camions et engins de terrassement, de la taille d'un petit hangar d'aviation, où se trouvent trois lits en planches distants de trois mètres, ainsi qu'une table ronde sur laquelle trône vicieusement un cageot de fruits.

Entrent deux hommes vêtus de treillis impeccables, portant des chaises sur lesquelles ils s'installent. Au début, je ne vois que leurs gilets de combat, un pistolet de chaque côté et un fusil à l'épaule, et leurs foulards aux couleurs du drapeau colombien. De petite taille, ils sont plus âgés que nos gardes ; ils doivent avoir la quarantaine.

Nous reconnaissons aussitôt celui qui arbore une fine moustache et des traits métissés. C'est Fabián Ramirez. Dans l'un de nos briefings, nous avons appris que c'est le commandant du Quatorzième Front, l'un des principaux chefs des opérations liées à la drogue du Bloc Sud. Son vrai nom est José Benito Cabreara Cuevas et, selon nos sources, c'est lui qui a contribué à la mise en place de la stratégie cocaïne des FARC : le contrôle de la production, de la fabrication et de la distribution de centaines de tonnes de cocaïne aux États-Unis et partout dans le monde. Les taxes prélevées sur le trafic de stupéfiants ont permis aux FARC d'engranger des millions de dollars et sa politique est responsable de centaines de morts. Il a également déclaré après l'enlèvement d'Ingrid Betancourt que les FARC prendraient en otage tout candidat à la présidentielle. Enfin, il a précisé que le gouvernement avait jusqu'à la fin 2002 pour négocier sa libération et qu'ensuite les FARC « prendraient les mesures qu'ils juge-raient nécessaires ».

Celui qui l'accompagne se présente comme Burujo. Il a le teint plus mat et une voix si douce que je suis obligé de tendre l'oreille.

D'abord, ils nous demandent ce que nous sommes venus faire et si nous appartenons à la CIA. Notre réponse les fait grimacer de dégoût. Peu importe qu'ils nous croient : je pense qu'ils pourraient nous abattre sur-le-champ s'ils le voulaient. La conversation ne dure que quelques minutes. J'ai l'impression qu'ils voudraient continuer, mais un autre guérillero arrive, un peu plus grand et d'une nonchalance arrogante. Il porte lui aussi un uniforme de camouflage et les couleurs colombiennes à l'épaule, mais également un keffieh autour du cou. Comme les autres, il est armé, mais son pistolet est un Browning chromé dont il tapote régulièrement la crosse pour être sûr que nous ne manquons pas de le remarquer. Burujo et Ramírez vont rejoindre Sonia, qui est au garde-à-vous et rayonne, extatique. D'évidence, c'est quelqu'un qu'elle veut impressionner et que les autres respectent ou craignent.

Il s'arrête et nous toise, un peu théâtralement, je trouve. Nous échangeons tous les trois des regards et levons les yeux au ciel. Puis, repérant le cageot de fruits, il saisit une pomme ; je m'attends qu'il la fasse briller sur sa manche, mais non. Il croque dedans, mastique, puis :

— Vous voyez ce qui arrive quand on se mêle d'une guerre ?

Et il nous accuse d'être des ennemis de la guérilla.

— Nous ne faisons rien de plus que lutter contre le trafic de drogue. Nous ne combattons pas les guérilleros mais les trafiquants.

Chaque fois que nous prononçons le mot « drogue », il frémit. Il accueille chacune de nos réponses par un seul mot : « foutaises ». Puis il se lance dans une diatribe politique. Nous annonce que l'armée et les autorités sont sur nos traces depuis vingt-quatre jours et que cela n'a aucune importance. Le gouvernement colombien ne peut rien contre les FARC, parce qu'ils n'ont pas une *casa blanca*, une Maison-Blanche, mais une *casa verde*, la jungle, dans laquelle ils se déplacent sans cesse. Comme ils n'ont pas de siège, on ne peut pas le bombarder ou l'attaquer.

Entre-temps, j'ai compris qui il est. C'est Joaquín Gómez, le chef du Bloc Sud. Selon nos renseignements, c'est lui qui collecte les revenus du trafic de drogue orchestré par les FARC.

Il continue son discours, nous disant que les FARC savaient que nous les épiions.

— C'est exact, répond Keith.

— Alors, ça veut dire qu'il n'y a aucun moyen de communication sûr ? s'étonne-t-il.

Keith lui explique qu'ils n'ont pas de lignes sécurisées et que tout le monde peut intercepter leurs communications. Si l'armée est sur nos traces, elle sait que nous sommes là, avec les FARC. Qu'ils sont pris au piège et qu'ils ne peuvent rien y faire.

Gómez réplique que la meilleure manière de combattre la technologie qui permet de nous suivre est de remonter dans le temps. Nous avons déjà l'impression que c'est le cas : croit-il pouvoir faire pire ? Il nous répond qu'au lieu d'utiliser la radio il va se servir de messagers pour transmettre des courriers.

— Bravo, je n'aurais pas trouvé mieux, répond Keith en dissimulant à peine son ironie.

Cet échange avec Gómez n'est pas vraiment un interrogatoire, mais plutôt une simple conversation sur notre situation. C'est à la fois rassurant et déconcertant. S'il nous parle aussi librement, est-ce parce qu'il sait que nous allons être bientôt libérés ou plutôt exécutés ? Nous finissons par lui déclarer que c'est une grave erreur de nous retenir prisonniers. Il s'énerve et rétorque que nous sommes un cadeau pour Uribe parce que l'armée colombienne voulait nous abattre et mettre cela sur le dos des FARC à des fins de propagande. Il ajoute que les FARC comptent nous libérer, de manière spectaculaire. Il veut en faire un événement au retentissement international, devant des ambassadeurs et journalistes venus du monde entier.

Nous restons sceptiques, mais la signification de cette entrevue est indéniable : depuis vingt-quatre jours, nous voulions des réponses, et maintenant nous les avons. Peut-être que Gómez brasse beaucoup d'air, mais au moins c'est quelqu'un de haut placé qui peut modifier notre situation. Bien qu'il semble se bercer d'illusions sur son importance, nous essayons de lui faire comprendre comment nous percevons les choses. En détenant trois otages américains, pour lesquels le gouvernement ne négocie pas directement avec les *terroristes* (ce mot aussi le fait frémir), il ne fait qu'encourager notre gouvernement à accroître son soutien militaire et financier aux autorités colombiennes dans leur lutte contre les FARC.

Nous lui déclarons aussi qu'en nous gardant prisonniers il vient de changer la règle du jeu et d'ouvrir la boîte de Pandore. Jusque-là, les États-Unis se contentaient de missions de reconnaissance, sans entreprendre la moindre action contre les FARC. Nous sommes une excellente raison pour que cela change et que les États-Unis s'en prennent directement à eux.

Soyons justes, Gómez reconnaît l'exactitude de notre analyse. Dans les années 1970 et 1980, beaucoup de FARC ont
voyagé, notamment à Cuba. Ils ont fait la connaissance de
certains dirigeants communistes auprès de qui ils se sont
formés. Nous ignorons si c'est le cas de Gómez, mais c'est
probable et cela expliquerait qu'il ait une vision plus internationale.

Mais son ego prend le pas sur la raison. La décision de
Pastrana d'accorder aux FARC une zone démilitarisée leur a
donné une crédibilité, à leurs yeux comme à d'autres dans la
région et le reste du monde. Un an environ avant notre capture, des chefs comme Gómez, Ramírez ou Mono JoJoy
s'imaginaient tirer les ficelles, puisque le président d'un grand
pays d'Amérique latine se pliait à leurs caprices. Malheureusement pour eux, ils ont capitalisé sur leur légitimité crois-
sante non pas en négociant, mais en se comportant en terroristes. Ne pas négocier en toute bonne foi a des conséquences : à présent, ils sont dans le maquis et en paient le
prix. Au lieu d'avoir une zone où se réfugier en sécurité, ils
sont obligés de courir dans la jungle avec l'armée à leurs
trousses. Les chefs des FARC venaient de tomber de leur
piédestal imaginaire, mais maintenant qu'ils nous détiennent
ils sont convaincus de l'avoir regagné.

Hormis son agacement quand nous parlons de stupéfiants,
Gómez est cordial. Keith le caresse dans le sens du poil en
admirant son joli Browning, ce qui nous vaut des sourires et
le droit de le voir de plus près.

Après quoi on nous fait sortir. Keith monte avec Gómez
dans un véhicule avec des gardes. Marc se retrouve dans un
4 × 4 avec Burujo et Ramírez, et moi dans un autre. Le convoi
s'ébranle.

Le jeune garde qui me surveille braque son arme sur moi durant les cinq minutes du trajet. Personne ne pipe mot. Nous nous engageons sur une piste au bout de laquelle se trouve un autre campement des FARC qui a l'air plus permanent, les bâches étant cette fois remplacées par des toits en tôle et les appentis reliés les uns aux autres par des allées en planches pour éviter la boue.

Nous passons devant l'un de ces bâtiments où sont réunis une soixantaine de FARC de tous âges et des deux sexes. Des sous-fifres. En voyant leurs expressions fermées, j'ai l'impression d'être un accusé qui passe devant une haie de policiers et de citoyens haineux. L'un d'eux attire mon attention. Bedonnant, petit, avec une énorme moustache, il ne lui manque plus que deux cartouchières pour avoir l'air d'un bandit mexicain. On nous conduit dans une petite pièce isolée du reste par des bâches en plastique transparent.

Nous nous asseyons sur des fauteuils de jardin. Sonia est assise devant, un peu plus loin. Le type bedonnant vient la rejoindre et ils se mettent à converser en nous regardant. Les gardes qui nous ont accompagnés depuis le début sont aussi épuisés que nous et ont du mal à garder les yeux ouverts. Il est presque midi et la température monte. Nous sommes tellement habitués à la montagne et à la fraîcheur de la jungle qu'au début nous accueillons cette chaleur avec plaisir.

On nous apporte des assiettes d'*empanadas*, de boulettes de pommes de terre frites et de bananes. Après ce repas, six gardes que nous n'avons jamais vus entrent et font cercle autour de nous. Ils nous dévisagent, sans la moindre expression. Dix minutes plus tard arrivent Burujo, Gómez et Ramírez, accompagnés de leur petite suite. Nous nous levons pour les saluer, mais notre brève conversation est interrompue par un brouhaha. La cause de ce remue-ménage entre peu après. C'est un autre chef, un costaud plus grand que tous les autres. Outre la tenue habituelle, il porte un béret rouge avec une étoile. C'est visiblement une grosse légume, car Gómez, pourtant lui-même haut placé, se lève et lui cède son siège.

Il nous serre la main, à Keith et à moi, puis je le vois hésiter et dévisager Marc. Il me demande s'il est américain. Claire-ment, à cause de son teint mat et de ses traits, il le prend pour un Colombien. Je lui explique que Marc est d'origine portugaise et italienne, sachant que dans le cas contraire Marc risque d'être exécuté.

On nous présente ce nouveau personnage : c'est Mono JoJoy. Commandant du Bloc Central, il a apparemment beau-coup trop à faire pour s'occuper de nous. Il se tourne vers Gómez et lui dit

— Ce n'est pas eux les otages, c'est nous.

C'est une autre manière de nous faire croire que nous sommes encore en vie grâce aux FARC et que c'est l'armée colombienne que nous devons redouter. Ce refrain nous fatigue. Si les militaires colombiens viennent nous sauver, il est évident que les FARC vont nous exécuter. Nous ne pre-nons même pas la peine de discuter.

KEITH

Martín Sombra est le gros plein de soupe que nous avons vu parler avec Sonia. Mono JoJoy nous le présente en nous disant qu'il est chargé de bien s'occuper de nous. Nous échan-geons un regard consterné. Comment ce type le pourrait-il alors qu'il n'est déjà pas capable de s'occuper de sa propre personne ? Sombra ne dépasse pas le mètre soixante et il mesure à peu près autant en largeur. Il hoche la tête et les trois autres s'en vont, accompagnés de Sonia et de leur suite. Nous nous retrouvons devant six bonshommes qui nous fixent comme un peloton d'exécution.

Sombra nous conseille de nous détendre, affirme que tout va bien se passer et que nous allons être bientôt libérés. Avant, nous allons nous restaurer et nous irons ailleurs nous reposer.

Nous savons que ces déclarations d'intention ne sont destinées qu'à nous calmer. Un otage tranquille est plus facile à gérer et moins susceptible de chercher à fuir. Si Sombra s'imagine nous endormir, il est loin du compte. Sa petite voix piaillante qui contraste avec son physique de Sancho Pança nous hérisse. Il nous ordonne de prendre nos fauteuils, car nous partons. Nous nous entassons donc à l'arrière d'un autre pick-up avec trois gardes. L'engin démarre et franchit une série de postes de garde déserts. Bien que nous ne marchions plus, nous sommes toujours aussi indisposés et Sombra doit faire halte pour que nous puissions nous soulager dans un champ. Quand nous revenons, nous trouvons Sombra et un garde qu'il nous a présenté comme Milton trônant dans nos fauteuils au milieu de la route. Ils fument en tirant de grandes bouffées comme s'ils faisaient la course. Après quoi Sombra se relève avec autant de peine qu'une femme enceinte et déclare qu'il va nous donner des surnoms.

Je me retrouve affublé d'Antonio et Tom d'Andrés. Comme nous ne comprenons pas celui qu'il donne à Marc, celui-ci propose Enrique. Et nous revoilà baptisés. Nous comprenons très bien pourquoi, mais nous décidons de nous en accommoder pour le moment. Ils croient qu'en modifiant un peu de notre réalité – notre identité – ils auront moins de mal à nous manipuler. Au final, nous renversons leur petit jeu en leur donnant de notre côté des surnoms. Ainsi, quand nous discutons en anglais, ils ne pourront pas comprendre de qui nous parlons. Martín Sombra devient ainsi Bouboule.

En route, nous voyons des bonbonnes cylindriques de gaz empilées. Nous avons entendu dire que les FARC fabriquent des mortiers en coupant le cylindre en deux et en y plaçant une charge d'un côté et en le bourrant de clous et débris. Une telle arme est si peu précise qu'elle tue n'importe qui. En les voyant, je songe que ces guérilleros sont vraiment désorganisés, mais qu'ils savent comment bousiller la vie des gens.

Notre entrevue avec Mono JoJoy nous a permis d'appréhender comment fonctionne la hiérarchie de cette organisation. Après avoir cheminé dans la jungle avec une bande de gardes dépenaillés, nous comprenons mieux qui tire les ficelles. J'ai observé Sonia dès le début. Elle passait beaucoup de temps à communiquer par radio avec quelqu'un – Bouboule, peut-être, mais plus probablement Mono JoJoy. Si incohérents qu'aient pu sembler nos déplacements, il était clair qu'on indiquait à Sonia les points de ralliement. Cette marche avait donc un but. Les FARC ont l'habitude de gérer des otages et savent ce qu'ils font avec nous. J'aimerais juste savoir quoi.

Au bout d'une vingtaine de kilomètres, nous arrivons à un camp abandonné dépendant de celui que nous venons de quitter. Comme les autres, c'est une petite construction au milieu d'une clairière dans la jungle. Nous descendons du pick-up et un garde se précipite avec un fauteuil pour que Bouboule n'ait pas à rester debout pour nous parler. Un autre se poste à côté de lui, c'est clairement son bras droit.

Bouboule nous désigne l'endroit et annonce que tout a été fabriqué exprès pour nous.

Tout, c'est cette unique construction que nous baptisons aussitôt notre « taule ». Cinq mètres par six, trois parois en dur, la quatrième étant en grillage. Au moins, il y a un toit, et si c'est là qu'on doit nous parquer, nous serons à l'abri. J'en veux à Sombra d'imaginer que nous devrions le remercier parce qu'il nous a construit une prison. Voulant arrêter ce cinéma, je demande dans mon espagnol de cuisine qui est le chef ici. Bouboule nous donne la ligne du parti : il n'y a pas de chefs, tout le monde est égal. Je rétorque en demandant à qui nous devons nous adresser pour manger. Sombra me désigne son bras droit : Ferney. Je le surnomme aussitôt le Français. Il nous donne immédiatement l'impression de quelqu'un à qui on ne la fait pas. J'ai pu voir que lorsque Bouboule fait de l'humour devant ses hommes, le Français est le seul à ne pas rire. Il semble ne même pas avoir d'âme. Et c'est ce type lobotomisé qui nous conduit à notre nouvelle demeure.

En route, je me dis que c'est la fin de notre vie de sous-traitants kidnappés et le début de notre vie de prisonniers. Toute la matinée a été occupée à des discussions nous concernant, mais maintenant, voici la réalité. Mon estomac se noue, j'éprouve un désespoir nouveau. Un coup d'œil à Marc et à Tom me suffit pour comprendre qu'ils ressentent la même chose. Cet endroit est totalement déprimant. La canopée est si dense qu'aucune lumière ne pénètre et cette construction ne date pas d'hier : le bois commence à pourrir. Le sol est recouvert de planches grossières sur lesquelles nous devons dormir. Pour tout mobilier, en planches également, quelques sièges et une étagère. Nous préférons ne pas envisager de devoir rester ici un bout de temps. Nous ressortons aussitôt pour nous planter devant le grillage, une sorte de patio boueux qui devait être un enclos, à en juger par les vestiges de poteaux. J'espère qu'ils vont pouvoir le clôturer à nouveau pour que nous puissions aller dehors.

Un garde nous montre une planche fixée à un arbre et nous apprend que nous pouvons y déposer des miettes de biscuits pour que les singes viennent les prendre. J'échange un regard avec Marc, qui murmure : « Singeville ». Le nom va rester et ce n'est pas affectueux : durant notre marche, nous avons vu des groupes de singes, et les FARC nous ont prévenus que ces bestioles sont capables de vous bombarder de leurs crottes et de vous pisser dessus depuis les branches.

La nuit tombe vite. Le Français vient nous demander de lui remettre les tenues que nous portons. Il va nous en donner de nouvelles. En guise de paquetage, nous recevons deux uniformes, un tee-shirt, deux sous-vêtements, deux paires de chaussettes, un drap et une moustiquaire. Marc est le seul à avoir un tee-shirt de rechange. Moi, je n'ai qu'un sous-vêtement, car ils n'en ont pas d'autre à ma taille. Il nous demande si nous voulons autre chose. Nous réclamons une radio en lui rappelant qu'il nous l'a promise. Nous désespérons d'avoir des nouvelles du monde extérieur et surtout de ce que l'on fait pour nous. Le Français nous répond qu'il va nous en apporter une ainsi qu'un coq en guise de réveil. Et sur ce, il s'en va en cadenassant la porte.

À défaut de toilettes, nous disposons d'un bidon à essence de vingt litres dont le dessus a été coupé. Nous sommes seuls au monde. Sans un mot, nous étendons la bâche en plastique noir sur les trois sommiers de planches, puis nous fixons la moustiquaire, avec la certitude d'être vraiment à présent des otages.

C'est la première fois que nous sommes enfermés, de toute notre vie. C'est troublant de savoir que l'on n'a plus sa liberté de mouvement. Surtout lorsqu'on en a besoin, et ce sera le cas cette première nuit, avec tout ce qu'on nous a donné à manger dans la journée. Au point que nous devons appeler un garde à grands cris en lui disant qu'il faut absolument nous laisser sortir. Il nous désigne le bidon et c'est à ce moment-là que je ne peux plus me retenir malgré tous mes efforts. S'il croyait que je jouais la comédie, il a maintenant la preuve du contraire. Cet incident convainc les FARC que j'ai un gros problème. Cela fait une semaine à peu près que je peux de nouveau m'alimenter, mais je suis encore malade. Le lendemain, on vient m'annoncer qu'on va me soigner.

— Ils disent qu'ils vont te faire un massage du ventre, m'explique Tom.

Je refuse catégoriquement. Il paraît qu'ils y tiennent et que c'est nécessaire. Je me rappelle les bons offices de Johnny, mais il n'est pas là. Finalement, je cède. On m'allonge par terre et on m'enduit le ventre d'une espèce d'huile. Puis deux costauds commencent à appuyer sur mon abdomen de haut en bas. La douleur est intense, c'est comme s'ils essayaient de me vider. Cela dure dix bonnes minutes. Ensuite, je me sens mieux, mais c'est seulement parce qu'ils ont arrêté. Après quoi les deux bonshommes me soulèvent, la tête en bas, et me secouent comme une bouteille de ketchup. Puis on me noue un bandana autour du ventre tellement serré que j'ai du mal à respirer, en me recommandant de le garder vingt-quatre heures.

— C'était vraiment la préhistoire, dit Marc une fois qu'ils sont partis. Où est-ce qu'ils sont allés chercher un truc pareil ?

— Médecine populaire, fait Tom. Pas remboursé par ta mutuelle, mais peut-être que c'est efficace.

Je déclare que c'était douloureux et que, s'ils ont l'intention de me tuer, ce n'est pas la peine de m'infliger un traitement pareil. Tom me répond qu'ils l'ont soigné lui aussi et qu'il n'y a pas de raison pour qu'ils ne me soignent pas. Seulement, j'ai peur que ce ne soit pas une infection mais quelque chose de plus grave, une séquelle de notre crash. Quoi qu'il en soit, je vais passer les deux ou trois semaines suivantes à aller de notre taudis à un fossé qui nous sert de latrine un peu plus loin. Ma santé ne s'améliore pas. Affaibli et incapable de m'alimenter, je ne fais que dormir. Plusieurs fois, je me réveille seul dans la taule. J'entends Tom et Marc qui discutent dehors et je me rends vaguement compte que j'ai fait sous moi. Dans ces moments-là, j'ai l'impression de toucher le fond. Des chauves-souris volettent sous la poutre du plafond. Des tiques m'envahissent. Parfois, j'ai la force de me lever pour aller me laver.

La seule chose qui me permet de tenir durant ces premiers jours de détention, c'est un carnet à spirale et un stylo que Ferney nous a donnés avec le nécessaire de base – brosse à dents, dentifrice, rasoir et savon. Chaque jour, malgré ma situation, je pense à ma famille et j'écris une lettre à Lauren, Kyle et Malia. Je ne leur raconte pas ce qui se passe à Singeville, mais plutôt ce que j'éprouve pour eux, mes souvenirs de nos moments les plus chers.

Mon état commence à s'améliorer après une semaine : j'arrive à me retenir. Je n'en suis pas encore à courir un marathon, mais je peux participer au quotidien. Je suis stressé et le manque d'activité physique me fait gamberger plus que nécessaire. J'essaie de mettre en pratique des trucs de méditation que ma mère m'a appris quand j'étais gosse et cela semble me calmer un peu.

Dès le début de notre séjour à Singeville, nous essayons de déterminer ce qui peut tourner à notre avantage vis-à-vis des FARC. Nous sommes là avec une trentaine de guérilleros, estimation effectuée d'après les tours de garde. Bien que nous

entendions des voix de femmes, nous n'en voyons aucune.
Le camp des FARC est à l'écart du nôtre, mais nous apercevons du mouvement et entendons des bruits, rien de plus.
Marc s'efforce de se lier avec l'un d'eux, Lapo, un garçon
calme et assez bien élevé qui nous accompagnait au début.
Nous lui demandons de nous expliquer la hiérarchie et il nous
dit que le Français est le commandant, le geôlier en chef du
camp. Lui-même est le numéro deux et Pollo − surnommé
ainsi parce qu'il ressemble à un poulet − le numéro trois. Peu
après, à la même question, un autre garde (que nous surnommons le Plombier) répond que le Français est le numéro un,
mais que c'est Pollo le deux et Lapo le trois. Du coup, nous
surnommons Lapo 2,5.

Nous aimons bien 2,5. Il nous raconte qu'avant de rejoindre
les FARC, il a fait ses études à Bogotá, ce dont il est très fier.
Par études, il veut dire qu'il est un peu allé à l'école et a appris
à lire. C'était pratiquement un gosse des rues quand les FARC
lui ont proposé mieux − le fameux coup du « trois repas
chauds et un lit ». Nous lui reconnaissons certaines qualités.
Bien que notre espagnol soit rudimentaire, beaucoup de nos
interlocuteurs des FARC ne sont pas doués pour la conversation. Ils se donnent du mal, mais dès qu'il s'agit d'exprimer
une opinion ou une pensée originale, ils retombent dans la
rhétorique habituelle des FARC. Tous ont eu droit à un lavage
de cerveau, mais quelques-uns, comme Pollo, ont été laissés
à tremper un peu trop longtemps, et sont devenus idiots et
méchants.

D'autres, comme Chanteur, sont assez liants. Il n'a que
seize ans, plein d'acné, mais il est relativement gentil, même
s'il donne à Tom des envies de meurtre à force de chanter
constamment des âneries où il est question d'éléphants. Au
point d'écrire dans son journal : « Date de ma première

migraine en captivité : 6 mars 2003. Cause : Chanteur. » Le surnom est naturellement tout indiqué et nous devons le supporter, lui et ses gazouillis. Il a l'air d'être une recrue assez récente, remplie du zèle du nouveau converti. Il ne cesse d'orienter la conversation sur la politique et de nous recracher la propagande des FARC sur l'impérialisme américain. Il déclare nous en vouloir particulièrement parce que les États-Unis contrôlent encore le canal de Panama. Nous lui expliquons que nous y avons renoncé en 1999, mais il ne veut rien entendre. Par jeu, nous nous lançons avec lui dans un débat contradictoire qu'il conclut en nous disant que nous sommes simplement idiots avant de partir furieux. Nous ne le voyons pas pendant quelques jours.

Nous devons être très attentifs pour pouvoir identifier et évaluer le rang de tous les gardes. Pour la plupart, à l'exception de Bouboule et du Français, ce ne sont que des sous-fifres. Ils se donnent parfois entre eux du *camarada* assorti d'un prénom, mais pas toujours. Le Français est toujours *comandante*, et dans ce camp isolé il a le pouvoir d'un dieu. Bête et méchant avec les autres, il l'est d'autant plus avec nous parce que c'est le chef.

MARC

Au bout de dix jours à Singeville, vers le 20 mars, nous sommes allongés dehors dans les hamacs qu'on nous a donnés. La taule est tellement déprimante que même rester dehors à la merci des piqûres de taons géants est plus agréable. Ils nous harcèlent par centaines et sont capables de piquer à travers le tissu, mais au moins nous ne sommes pas dans la boue.

Ce jour-là, nous discutons de la bizarrerie de la situation. Les FARC ont des toilettes qui sont situées sur une éminence à quelques mètres de notre clairière. Et, encore plus étrange, elle est clôturée.

– Pourquoi est-ce qu'elle est autant en vue ? s'interroge Tom en retournant dans sa main un cavalier d'échecs qu'a trouvé Keith.

Nous n'en avons aucune idée. Tom nous demande si nous avons fait comme lui notre cauchemar habituel. Nous acquiesçons. Depuis les premiers jours de notre détention, nous faisons ce que nous appelons le cauchemar de la marche. C'est tellement réel que nous nous entendons nous agiter dans notre sommeil. Nous rêvons que nous crapahutons et nous mimons cela tout en dormant. Nous sommes surpris d'être encore à la même place quand nous nous réveillons.

Le Français arrive. Comme, d'habitude, il laisse le quotidien aux sous-fifres, nous nous doutons qu'il va se passer quelque chose d'important. Il nous annonce que nous allons être séparés et que nous ne devons plus communiquer, sinon ils vont devoir nous éloigner encore plus les uns des autres.

Au cours des ces trente-quatre jours, j'ai songé à toutes les horreurs que les FARC pouvaient nous faire subir, mais je n'avais pas pensé à cela. Nous n'avons que nous pour nous soutenir et ils veulent nous en priver.

Peu après le départ du Français, les autres gardes se mettent en devoir d'organiser ce nouveau système. Tom doit rester dans la taule, et Keith et moi retournons dans une *coleta* sous une bâche tendue entre des poteaux. Keith est à un bout de la clairière et moi à un autre. Je crois que les FARC savent que, pour nous, avoir la possibilité de nous *voir*, mais pas de nous *parler* est bien pire qu'une séparation complète. Ainsi, ils peuvent nous rappeler constamment ce dont ils viennent de nous priver.

Avant qu'on nous emmène, nous discutons une dernière fois. Ensemble, nous formons ce que nous appelons une « bulle », un espace qui nous permet de supporter cette insanité.

Keith nous rappelle que, même au Vietnam, les prisonniers de guerre trouvaient le moyen de communiquer. Je renchéris : que nous soyons ensemble dans la taule ou à vingt mètres, peu importe. Nous sommes encore dans la bulle. Il suffit que nous nous apercevions de temps en temps pour nous y retrouver ensemble. Tom acquiesce :

— On va trouver un moyen de supporter ça. On sera forts, plus forts qu'eux.

Cette obligation de silence est cruelle et je ne vois pas en quoi c'est utile aux FARC. En effet, nous savons depuis long-temps qu'ils veulent que nous restions calmes. Le silence et la séparation ne peuvent produire que le contraire, nous mettre en colère et nous rendre fous. Je dois me répéter que ce ne serait pas une bonne idée de céder à ces sentiments. Il est clair que les FARC peuvent nous séparer encore plus si cela leur chante et faire en sorte que nous ne nous revoyions plus jamais. Ils ont des otages dans tout le pays et l'idée de devoir marcher jusqu'à un autre camp suffit à nous dissuader de désobéir trop ouvertement à leurs règles. Ce serait idiot de risquer le seul avantage qu'il nous reste.

Je sais que je dois m'en tenir à la routine la plus stricte possible. Quand Ferney nous a donné le carnet, comme j'ai suivi des cours de dessin industriel, mon premier geste a été de dessiner ma maison dans les Keys, comme un plan, avec tout le mobilier. Au réveil, au coucher et plusieurs fois par jour, je regarde mon dessin en m'imaginant que j'y suis et en visualisant ce que font les miens en cet instant.

La dépression qui nous guettait au cours des premières semaines à Singeville s'installe après notre séparation. Tout est étranger : la nourriture, les gens, la langue. Vivre en extérieur, soumis aux caprices de la nature, est aussi fascinant que terrifiant. Mais ne pouvoir parler ni à Keith ni à Tom est le plus dur. J'ai du mal à communiquer avec les gardes. Le dialecte qu'ils parlent pour la plupart n'a que de vagues ressemblances avec l'espagnol scolaire que j'ai appris. Au final, cela n'a aucune importance, car on nous interdit quelques jours plus tard de parler même aux gardes.

L'ennui me ronge. Je n'ai pas grand-chose à écrire dans mon journal et l'intérêt de le relire finit par s'épuiser. La radio promise n'arrivera jamais ; je dois trouver à m'occuper chaque jour, et comme il n'y a guère d'activité, le plus logique est de raccourcir autant que possible la journée. Comme il n'y a pas d'électricité, c'est le soleil qui en détermine la durée. Du coup, alors que Tom et Keith se lèvent aux aurores, je reste au lit le plus longtemps que je peux, sans même prendre de petit déjeuner. D'après les grognements qu'ils poussent, je ne manque pas grand-chose : la plupart du temps, c'est une soupe et une galette de maïs frite. Comme je ne suis pas très fan non plus de café ni de chocolat chaud, quand on nous en apporte, je laisse ma part à Tom et à Keith, qui ne pourraient pas s'en passer. Je sais qu'en restant dans la taule je manque quelque chose : en effet, les gardes déposent la nourriture à un endroit unique et, si nous y allons tous les trois au même moment, ils ne disent rien. C'est une occasion pour nous de nous rapprocher un peu et de nous murmurer quelques encouragements, n'importe quoi, du moment que cela renforce le lien. Je suis obligé de sacrifier cela à mon désir de raccourcir mes journées. Cependant, il y a d'autres occasions où nous pouvons nous croiser brièvement et je préfère rester couché. Parfois, je les entends râler sur les horreurs qui surnagent dans leur soupe et je me dis que je n'ai rien manqué.

Même avant notre détention, Tom a toujours été un lève-tôt qui déteste la chaleur. À Singeville, il se réveille à l'aube et va s'étendre dans son hamac. Il n'y a pas encore de mouches à cette heure et cela lui permet d'avoir un moment de repos en paix. Il préférerait passer plus de temps dans son abri, mais des rats nichent dans la poutre et il reçoit en permanence un déluge de crottes, brindilles et feuilles. Il s'efforce de garder le lieu propre et rangé, mais c'est peine perdue avec le pauvre balai qu'on lui a donné.

Chez moi, je regardais souvent des documentaires sur la nature avec mes enfants, mais il y a un abîme entre cela et le vivre vraiment à plein temps. Les FARC élèvent des pécaris, des cochons sauvages, qui viennent manger le moindre relief de nos repas. Ils ne m'ennuient pas trop, mais j'ai du mal à oublier où je suis, avec leurs couinements ajoutés aux bruits incessants de la jungle. Les gardes s'ennuient autant que nous et, parfois, ils se distraient avec les cochons, leur donnant des petits noms, genre *Niña* – c'est-à-dire « fille », ce qui prouve qu'ils n'ont pas plus d'imagination que des gosses qui appelleraient leur chien « Chien ».

J'avais déjà observé leur côté puéril durant la marche, aussi ne suis-je pas surpris de les voir jouer à la sarbacane avec la tige creuse et les graines d'une plante de la région. D'ailleurs, nous admirons tellement leurs sarbacanes que nous les imitons et que nous y jouons avec eux. Ils sont également fanatiques de yoyos, dénichés dans les boîtes de céréales qu'ils reçoivent. Certes, ils n'y jouent pas constamment, mais si l'un d'eux s'y met, les autres viennent regarder. C'est à la fois amusant et triste. Ce sont des gamins tellement pauvres qu'un malheureux yoyo est pour eux une chose de valeur.

Pour nous, la distraction des sarbacanes et des yoyos fait long feu. Durant la marche, nous avions l'esprit occupé, ne serait-ce que par la difficulté du terrain. Je ne dis pas que je préférerais marcher, mais à présent nous sommes bien forcés d'admettre que nous sommes des captifs.

J'ignore si c'est à cause de cela ou parce que je sais qu'il importe de rester physiquement actif, mais je marche beau-coup pour dissiper mon ennui et mon angoisse. Je peux seu-lement faire des allers-retours à travers la petite clairière, soit une trentaine de mètres, mais c'est le plus vaste espace dont nous disposons. Au-delà, ce ne sont qu'enchevêtrements de bananiers, palmiers et taillis. Un ami m'a dit un jour que les animaux enfermés dans les zoos ont ce comportement – on dit toujours « marcher comme un lion en cage » – que l'on n'observe jamais dans la nature. Sur le moment, je n'y avais pas prêté attention, mais à Singeville j'en fais personnellement l'expérience et je suis de tout cœur avec les animaux des zoos.

Malgré tout, marcher consume mon énergie nerveuse et me permet d'explorer mon nouvel univers. Je pense à chacun des miens, je les visualise à chaque pas. Je prie aussi, quoti-diennement, ce qui m'aide un peu. D'éducation catholique, bien que non pratiquant, j'ai toujours eu foi en Dieu. Je n'ai jamais voulu devenir moine ou prêtre, mais là j'expérimente ce qu'est une vie de solitude et de recueillement. Ce n'est pas désagréable, mais je n'aime pas avoir uniquement une vie intérieure. C'est un espace que je dois partager avec trop de monde.

Parfois, quand j'arpente la clairière, je songe que je ne vais pas revoir ma famille avant longtemps. Quand je serai libéré, Destiney sera une femme, et non plus ma petite fille. Je vois la vie de ma famille qui file à toute vitesse sans moi. Je dresse la liste de tous les événements que je vais manquer – fêtes, permis de conduire, diplômes, premières amours et premiers chagrins, tout ce qui constitue une vie. Je note tout cela dans mon journal. Parfois, quand je ne suis pas trop déprimé, je me relis et me rends compte que j'ai écrit cela dans un grand moment de désespoir. C'est heureux que je sois capable de m'en rendre compte, et je me résous à reprendre du poil de la bête.

Je prie régulièrement Dieu de me tirer de cet enfer. Je Lui promets de devenir un homme meilleur, de faire tout ce qu'Il me demandera, du moment qu'Il me laisse retrouver ma famille. Je n'ai pas de réponse, mais il suffit que je lève les yeux pour apercevoir de l'autre côté du camp Keith qui me fait un signe d'encouragement, ou Tom dans son hamac qui interrompt sa lecture des tracts des FARC pour me sourire. Les défis psychologiques et émotionnels que nous devons relever ici sont bien plus difficiles que durant notre marche dans la montagne. J'ai du mal à croire que les souffrances que nous avons alors endurées ne sont rien par rapport à ce que nous éprouvons à présent.

Un jour, je me lasse de toutes les pensées négatives qui m'assaillent. Je viens de passer en revue toute ma vie, mes décisions, mes regrets et mes désirs, et je consigne dans mon journal tout ce que je veux changer en moi.

Apparemment, il y a aussi du changement dans l'air : nous entendons des coups de marteau et des tronçonneuses au loin. C'est notre troisième semaine à Singeville et les FARC ont l'air particulièrement occupés. Les toilettes sur la petite colline sont enlevées. Le lendemain, c'est le tour de la citerne de mille litres. Sombra, qui ne vient nous voir qu'une fois par semaine, arrive sans crier gare. Il n'a rien à nous annoncer de précis, mais il nous demande de dresser la liste de ce dont nous avons besoin. Même un magnétoscope, si cela nous chante, dit-il. Nous avons suffisamment l'habitude de Bouboule pour ne pas tenir compte de ses exagérations et nous demandons des draps, des couvertures, quelques serviettes, rien d'extravagant. Nous réclamons une radio – une fois de plus.

Nous remarquons aussi que des appareils survolent de nouveau notre campement.

5

INSTALLATION
AVRIL-JUIN 2003

TOM

Une semaine après les premiers coups de tronçonneuse, le Français me dit d'annoncer à Keith et Marc que nous déménageons. Il me tend trois sacs de toile pour ranger nos affaires, car nous partons au milieu de la nuit.

Peu après minuit, on nous réveille. La lune est déjà couchée et seules les torches des FARC trouent l'obscurité. Nous marchons une vingtaine de minutes. Je crois alors que c'est une simple halte, mais, à la faible clarté des étoiles, je vois que nous sommes arrivés dans le nouveau camp. Mon cœur se serre quand j'aperçois, malgré la distance, les poteaux et les planches fraîchement coupés de notre nouvelle prison, qui se détachent comme des ossements blanchâtres dans le noir.

J'ai souffert durant la marche et pendant les trois semaines à Singeville. Nous éprouvions tous de la culpabilité d'une manière ou d'une autre vis-à-vis de nos familles ou de notre vie. J'ai beaucoup repensé à ma dernière conversation avec ma femme avant de partir pour ce vol. Et si je jetais l'éponge pour enfin m'installer dans la maison de mes rêves en Floride, ce ne serait pas si mal ? Eh bien, je ne l'ai pas fait et maintenant je suis un otage, et elle, elle se retrouve toute seule aux États-Unis, immigrante dans un pays qu'elle ne connaît pas. Bien sûr, elle parle anglais, mais ce n'est pas sa langue maternelle. Et puis il y a notre fils. J'ai quarante-neuf ans et il n'en a que cinq. Va-t-il grandir privé de père, alors que je ne l'ai déjà pas beaucoup vu tellement j'ai voyagé ?

Quand nous arrivons dans ce campement nouvellement construit, ces sentiments s'intensifient. Moi qui espérais être relâché, j'écope d'une peine encore plus longue. Il est évident que les FARC ne se seraient pas donné le mal d'édifier tout cela s'ils avaient l'intention de nous libérer. Le Français nous fait passer une clôture montée à la va-vite et nous pénétrons dans une clairière ronde d'une quinzaine de mètres de diamètre où se dressent trois bâtiments, l'un plus grand et à l'écart des deux autres. Nous nous y dirigeons. Comme d'habitude, il est en planches, mais il est doté d'une petite véranda et d'une porte avec une fenêtre grillagée, et il est assez vaste pour trois personnes. D'ailleurs, il comprend trois chambres. Nous pensons que nous allons être réunis, mais, quand Keith et Marc s'en approchent, leur garde, Pollo, leur fait signe de le suivre vers les deux autres. Leurs cabanes ne font pas plus de deux mètres de long et sont séparées par la même distance. Ce sont des cubes ceinturés par du grillage. D'évidence, ils sont faits pour stocker des marchandises, mais les chefs ont dû exiger que nous soyons séparés.

Quant aux toilettes, au lieu d'une simple tranchée, c'est un vrai cabinet avec une chasse d'eau manuelle. En voyant le siège en céramique récupéré dans les anciennes toilettes de l'autre camp, nous comprenons que nous sommes ici pour longtemps. Je pensais que nous en aurions pour trois semaines, mais ce sont des mois qui se profilent à l'horizon.

Certes, ce campement est en meilleur état et nous avons des couchettes surélevées, mais cela ne nous réconforte pas.

La première nuit, je suis en proie à une attaque de panique. Quand les gardes cadenassent la chaîne de ma porte, c'est comme s'ils me la mettaient autour du cou. Mon cœur s'emballe, je ruisselle de sueur et les halètements qui me prennent sont tels que Marc et Keith appellent les gardes et les supplient dans leur espagnol rudimentaire de rouvrir ma porte. Je réussis à passer la nuit, mais cela ne s'améliore pas le lendemain. Je me sens coupable d'avoir une taule plus vaste que celle de mes compagnons. Keith est tellement grand qu'il ne peut pas s'allonger complètement dans la sienne. Je ne suis pas claustrophobe, mais je ne veux même pas imaginer ce que c'est d'être enfermé dans ces quasi-cercueils. J'en arrive à redouter la tombée de la nuit qu'accompagnent le bruit des chaînes et le déclic des cadenas.

Mon sommeil est agité, quand j'arrive à dormir, et le matin il faut que je libère toute cette angoisse accumulée. Je me lève dès l'aube, quand le garde ouvre, et je fais le tour de la clairière. Il pleut un peu tous les jours et le chemin que je trace est de plus en plus boueux. Je commence par soixante tours, puis je passe à cent cinquante. Keith et Marc doivent en avoir marre d'entendre le bruit de succion de mes bottes dans la boue, mais il faut que j'aie une activité physique. Je gamberge à toute vitesse, convaincu que nous sommes là pour six ans. Six ans. Je me répète ces mots à chaque pas.

Comme nous ne pouvons pas communiquer, même si nous sommes très près les uns des autres, l'isolement me mine. Au bout de quelques jours dans ce que nous appelons le Nouveau Camp, je suis au plus bas. Même lorsque nous avons le droit de nous promener dans notre enclos, je choisis de m'isoler dans un coin, sur un banc. Pendant un long moment, je me demande si je vais être capable de survivre à tout cela, puis Keith passe en laissant tomber un bout de papier par terre. J'attends qu'il se soit éloigné pour le ramasser. Je le déplie : « On ne nous a pas oubliés. On nous recherche. Il faut tenir d'un jour sur l'autre. Nous allons rentrer. » Il n'y a pas de quoi me faire sauter de joie, mais c'est un début. Je regarde vers Keith et Marc qui hochent la tête, pour bien me faire comprendre qu'ils sont avec moi et que je dois garder ce message présent à l'esprit. Je ne suis pas du genre religieux, mais à ce moment-là je me dis que je dois avoir foi en quelque chose ; je suis un pilote : je dois reprendre les commandes. Je n'ai peut-être pas de carte, c'est peut-être un avion qui m'est inconnu, mais mes compagnons vont m'aider.

Avec ce petit mot, je comprends aussi qu'une partie de mon stress est due au fait que je suis le seul à parler espagnol. C'est moi qui assure la majorité de la communication. Sachant que ces connaissances sont capitales pour notre survie, je m'impose trop de pression, persuadé que ce que je fais affecte Marc et Keith, et pas seulement moi.

Je suis également angoissé par l'état de Keith. De nous trois, c'est de loin le plus imposant physiquement et aussi l'une des personnes les plus courageuses que j'aie connues. Ancien marine, il en sait plus long sur la survie que nous. Le voir blessé et souffrir de maux de ventre est du coup encore plus effrayant : si cela lui arrive à lui, qu'est-ce que cela pourrait être pour Marc et moi ? Et si notre longue marche a tellement éprouvé Marc et Keith, qui sont plus jeunes, quelles sont les perspectives pour moi ? La priorité est de supporter la situation et de rentrer chez nous. Et si je n'y arrive pas ? La santé de Keith semble s'améliorer, mais il est moins actif que d'ordinaire. Ce type que j'ai toujours vu plein de vie et d'énergie semble passer la majeure partie de son temps seul dans sa cabane. Son message me rassure cependant : s'il est physiquement un peu diminué, son mental est resté intact. En lisant son message, je me rends compte que nous avons tous des compétences différentes et nécessaires à notre survie, et qu'il faut voir comment les utiliser au mieux. Comme l'environnement est nouveau, cela va demander du temps et il y aura des tâtonnements. Sauf que je n'ai jamais été du genre patient, comme le prouve ma tendance à arpenter notre lieu de captivité.

C'est Marc qui m'apprend à me calmer et à arriver au bout de la journée. J'ai toujours été un homme d'habitudes : je prends soin de ses affaires et j'aime agir rapidement et efficacement. Tout le contraire des FARC. Par exemple, même si leurs talents de constructeurs m'impressionnent et que je sais que ce ne sont que des bâtiments provisoires, je trouve que le résultat est toujours un peu de guingois, alors que je suis un partisan du durable et du bien fait.

Marc l'ignore, mais je le considère comme un exemple. Chaque matin, il se lève et nettoie toutes ses affaires avec une vieille brosse à dents. Cela dit, nous n'avons pas grand-chose : nos vêtements et ceux de rechange, nos bottes, les fauteuils de jardin et quelques trucs disparates. Dans la vie courante, il suffirait probablement d'une heure pour tout nettoyer, mais Marc prend exprès son temps et fait montre d'une concentration que je lui ai rarement vue dans son travail. Je me mets à l'imiter. Je me dis que si j'arrive à ralentir mon rythme comme lui , je vais évacuer mon angoisse et maîtriser mes émotions. Comme il n'y a pas grand-chose à faire, je passe le temps en démontant et remontant mentalement une moto, examinant et identifiant chaque pièce. Quand j'en ai terminé, j'en fais autant avec un avion. Je me sens mieux, mais mon état de santé continue de m'inquiéter, notamment mon hypertension. Apparemment, les FARC s'imaginent qu'il suffit de vous donner un médicament pour que vous soyez guéri une bonne fois pour toutes. Après la première dose que m'a fournie Johnny, je suis obligé de réclamer. Notre médecin est Pollo. Il refuse et je suis obligé de m'adresser au Français, qui doit en référer à Sombra. Évidemment, cela signifie que Pollo va avoir des ennuis parce qu'il ne prend pas soin de nous.

Au bout d'un mois dans le Nouveau Camp, je contracte une infection oculaire. J'ai l'œil rouge et enflé, et il suinte. J'ai déjà eu de la conjonctivite et je sais que c'est pénible, mais soignable. Je demande un collyre : Pollo m'en apporte et m'en met *une seule fois* ! Patiemment, je lui explique qu'un traitement antibiotique doit avoir une certaine durée pour être efficace. Il me l'administre encore quelques jours, puis le quatrième soir, après nous avoir enfermés chacun dans nos cabanes, il s'en va sans m'en donner. Je réclame. Il me répond qu'il ne veut pas gâcher des médicaments sur moi. J'explose, je le couvre d'insultes en braillant et il riposte sur le même ton. Cela dure un moment et je suis sûr que tout le monde a entendu ; j'espère que cela va ameuter quelqu'un qui se montrera un peu plus sensé. En vain. Pollo s'en va dans l'obscurité. Je suis tellement furieux que j'en tremble.

Son comportement arbitraire m'a mis hors de moi, mais en le voyant s'en aller je suis terrifié. Être ignoré, c'est s'entendre dire qu'on n'existe pas. Me refuser un médicament dont j'ai besoin, c'est comme me déclarer que je n'ai aucune importance. En fait, cette dispute n'est qu'un exemple des nombreux incidents qui me font perdre pied. Ainsi, un jour, je les entends castrer l'un des sept cochons qu'ils élèvent, mais ils s'y prennent tellement mal que les hurlements de l'animal résonnent pendant presque une heure, nous faisant perdre le peu de sérénité que nous avions réussi à rassembler en nous. Pire encore, un autre jour, j'entends une détonation et le cri perçant d'une femme, puis une grande agitation suivie de cris et de sanglots. Personne ne veut rien nous expliquer, mais il est évident qu'on a tiré sur quelqu'un. Un guérillero ? Un otage d'un autre groupe ? (Nous avons entendu dire qu'il y a d'autres camps comme le nôtre dans cette zone.) Les exécutions ont-elles commencé ? Les FARC ont-ils abattu exprès l'un des leurs ? Maintenus dans l'ignorance, nous ne savons pas à quel saint nous vouer.

À vrai dire, j'étais déjà sur les nerfs avant que Pollo refuse de me donner mon médicament. Nous ne nous attendons pas que les FARC soient aux petits soins ou nous accordent des privilèges, mais nous demandons simplement à être traités humainement. C'est ainsi que nous nous comportons avec eux et nous attendons la réciproque.

KEITH

Le stress agit différemment selon les gens. J'ai été témoin de toutes sortes de situations dans ma vie professionnelle ou privée. Tom, Marc et moi devons décider comment nous allons gérer notre confinement. Je crois qu'être obligé de rester allongé sur le dos dans ma taule me facilite les choses. Sachant qu'à un moment ou un autre je vais sombrer dans le trente-sixième dessous, je préfère prendre les devants et me lancer dans l'introspection. J'ai survécu à la brutalité de l'entraînement au camp des marines de Parris Island et j'y ai trouvé la discipline mentale nécessaire pour ne pas être viré. J'ai aussi passé des centaines d'heures à démonter et remonter différents appareils et systèmes aéronautiques à l'armée et comme réserviste. En sachant que le moindre geste peut faire pencher la balance du côté de la vie ou de la mort, on cultive la capacité à se concentrer et à évacuer toute distraction. L'esprit est un drôle d'engin, mais plus je demeure allongé, plus j'apprends à le maîtriser. Peut-être est-ce parce que j'y suis contraint, mais ce temps de réflexion est bénéfique. Quand j'étais petit, et parfois plus tard dans ma vie d'adulte, si j'avais un problème, je m'isolais pour faire le point. Ma minuscule cabane devient mon refuge, même si elle est inconfortable.

La plupart de mes réflexions tournent autour de ce qui m'a amené ici : mon métier. Tom et moi en avons parlé plusieurs fois durant notre marche. Nous aimons notre boulot et les avantages qu'il nous procure pour nos familles, mais il faut regarder la vérité en face : si ce n'était l'argent, nous ne serions pas en Colombie. Nous en gagnons beaucoup et c'est important, mais je n'ai pas envie d'être un héros. Je suis superficiel et intéressé, peu importe. Ce qui m'intéresse dans la vie que je mène, c'est la réalisation du rêve américain.

Mes parents étaient des universitaires, des gens très intelligents et affectueux qui se donnaient beaucoup de mal, mais qui n'ont jamais, d'après moi, été récompensés comme ils le méritaient. Mon père dirigeait un centre éducatif et ma belle-mère y travaillait dans l'administration. Ce qu'ils y accomplissaient était important et ils me disaient qu'il y a d'autres gratifications que le salaire. J'ai gardé cela en tête et j'ai suivi ma propre route, mais à présent je reviens dessus. Pendant que nous crapahutions dans la jungle et la montagne, j'ai confié un jour à Tom que, lorsque nous sortirions d'ici, il était hors de question que je reprenne le même métier. Tom était de mon avis.

Allongé sur ma couchette, je sais que je n'ai pas été à la hauteur vis-à-vis de ma famille et je me jure de ne plus recommencer. Il y a plus important que le nombre de zéros sur un compte en banque. Je me dis que je n'aurai qu'à supprimer certaines dépenses superflues et que nous nous en sortirons très bien. Je n'ai pas besoin de gagner autant d'argent. On peut être heureux sans cela. Je viens de me prendre conscience de la réalité et ce n'est que le début.

Je continue d'observer nos gardes et les autres guérilleros. Il y en a un qui me laisse perplexe : Milton. Apparemment, c'est le bras droit de Sombra. Nous les voyons presque toujours ensemble, mais ils forment un couple mal assorti. Bouboule est un gros tas, c'est clair, mais il sait s'exprimer, il essaie de sortir des blagues et il fait des promesses qu'il ne tient jamais. De son côté, Milton est indéchiffrable et nous nous demandons s'il a quoi que ce soit entre les oreilles. Nous apprenons plus tard que oui : une balle. Depuis, Milton est le petit chien, la mascotte qui suit Sombra comme son ombre, le regard vide, il hoche la tête à tout ce qu'il dit. Cela nous fait pitié, maintenant que nous savons qu'il a été blessé, mais nous ne pouvons nous empêcher de penser que Milton n'est peut-être pas aussi idiot qu'il en a l'air.

Dans le Nouveau Camp, nous continuons d'exploiter la faiblesse des gardes que nous avions déjà remarquée à Singeville : la nicotine. On nous distribue de temps en temps des cigarettes, mais nous ne les fumons pas. Pour nous, c'est une monnaie d'échange. Avantage aux Américains. Voyant que la plupart des guérilleros sont accros au tabac, nous en déduisons que nous pourrons les convaincre d'adoucir notre sort. Même si nous ne pouvons pas nous payer des biens réels, nous pouvons au moins acheter la bonne volonté de certains de nos ravisseurs les plus faciles à fléchir.

L'un d'eux, Smiley, est un garçon qui a bon caractère, aussi expansif que sensible. La première fois qu'il nous garde, c'est comme s'il avait le béguin pour nous. Pensez : ses premiers Américains. C'est le premier guérillero avec qui je me lie et auquel j'applique cette nouvelle tactique. Je vois bien que Smiley a de la cervelle, qu'il réfléchit par lui-même et qu'il est disposé à prendre des risques pour nous. Un jour, quelque six semaines après notre arrivée au Nouveau Camp, Smiley se pointe derrière ma cabane, là où personne ne peut le repérer à part moi. Il a l'air à la fois heureux et terrorisé ; il sourit et mime un oiseau qui s'envole, pour me faire comprendre qu'on va nous libérer. Je me rends compte qu'il est sincèrement heureux pour nous. Je n'ai jamais vu un aussi bon acteur.

Prenant le risque de me faire rabrouer par nos gardes, je cours vers Marc et Tom et leur transmets le message de Smiley.

– Comment ça ? demande Marc. Comment il le sait ?

J'explique que je l'ai seulement vu mimer un oiseau qui s'envole.

Tom décide de lui parler dès qu'il en aura l'occasion et nous nous séparons avant qu'un garde ne vienne. Le lendemain, Tom demande à Smiley qui lui a dit que nous allons être libérés. Le gamin prend un air paniqué et répond qu'il va se faire tuer.

Nous espérions qu'il nous dirait sur quelle radio colombienne il avait entendu la nouvelle, mais sa réaction dépasse nos espérances. Et mieux encore, le lendemain, le Français vient voir Tom, l'air très officiel, et lui annonce qu'il a besoin de tous nos vêtements civils. La nouvelle nous met en joie : nous nous disons que cela ne peut signifier qu'une chose : notre libération. Les jours qui suivent, Tom, Marc et moi composons déjà mentalement notre menu dans notre restaurant préféré.

Les nombreux avions que nous avons entendus survoler le camp depuis quelques jours ne font que confirmer nos soupçons. Le suspense est insoutenable. Et trois ou quatre jours plus tard, Tom demande au Français ce que les FARC comptent faire de nous. D'habitude, celui-ci répond n'importe quoi avec aplomb. Là, il reste évasif, sans rien promettre. Il marmonne que nous sommes peut-être là pour des années.

Je ne me fie pas trop à ses déclarations étant donné qu'il ne sait probablement pas lui-même si ce qu'il raconte est vrai ou faux. Quelques jours plus tard, Pollo vient ouvrir nos taules pour le petit déjeuner. D'habitude, Marc est le premier à sortir et moi le dernier, mais ce matin, ne le voyant pas, je m'inquiète. Nous n'y sommes pas autorisés, mais Tom et moi allons inspecter sa cabane.

Marc est assis sur son lit, le regard vide. Il semble effondré. Nous nous asseyons à côté de lui et lui demandons ce qui se passe. Il fond en larmes et nous avoue que les paroles du Français l'ont totalement démoralisé. En plus, il a rêvé de sa fille et, quand il s'est réveillé, il s'est retrouvé comme d'habitude dans sa cage en pleine jungle. Nous tentons de le réconforter jusqu'à ce que les gardes nous obligent à sortir.

Deux soirs plus tard, nous sommes assis tous les trois à un endroit de la clairière d'où nous pouvons voir à travers les arbres. Les gardes nous y autorisent et nous profitons de l'éloignement de leur poste pour parler à voix basse et faire le point sur notre état mental. Alors que le soleil se couche, Marc nous désigne un arc-en-ciel.

– C'est peut-être un signe, dit Tom.

Nous cherchons constamment des signes et celui-ci en vaut

bien un autre. Je vois que Marc reste perdu dans ses pensées, mais il a l'air apaisé et je préfère ne pas le déranger.

Nous n'avons pas oublié la révélation de Smiley, mais quelques jours ont passé depuis notre conversation avec le Français. Tom se renseigne de nouveau et lui demande dans combien de temps on nous libérera si c'est bien ce qui a été prévu. Huit jours, lui répond laconiquement le Français.

Nous n'y croyons guère. Pourquoi une telle précision ? Est-ce parce que le décompte a déjà commencé ? Ajoutée à l'accroissement de l'activité aérienne au-dessus du camp, cette réponse décuple notre impatience. En entendant le moteur d'un avion, nous spéculons sur son origine : s'il s'agit d'un Cessna comme le nôtre (auquel cas ce sont des gens de California MicroWave) ou le King Air d'un autre groupe de Bogotá. Les avions volent toujours de la même manière en décrivant des cercles de plus en plus rapprochés pour délimiter notre position, tout comme nous le faisions lors de nos vols.

C'est à la fois de bon et de mauvais augure. Nous savons qu'un avion de reconnaissance nous recherche au sol. La jungle colombienne est immense et notre petite clairière peut facilement se fondre dans l'environnement. Nous sommes une aiguille dans une botte de foin, mais entendre ces avions si près nous confirme que l'on nous recherche. La mauvaise nouvelle, c'est que la perspective d'être sauvés nous trouble énormément. La citerne en plastique de mille litres des FARC est une véritable cible : noire, trois mètres sur trois, sur pilotis pour fournir assez de pression, elle doit clignoter sur les capteurs infrarouges. Et si on peut nous repérer précisément, cela signifie que l'armée colombienne peut arriver et tenter une opération de sauvetage. Nous sommes convaincus que nous pourrions très facilement y laisser notre peau, surtout si l'opération a lieu de nuit, quand nous sommes enfermés et faciles à abattre. Nous discutons de ce que nous devrions faire en pareil cas, mais nous nous rendons à l'évidence : le seul moyen de nous en tirer, c'est durant la journée, or c'est seulement de nuit que l'armée peut réussir une telle opération.

Une semaine après la révélation de Smiley et environ soixante-cinq jours après notre arrivée au Nouveau Camp, nous sommes tous les trois enfermés pour la nuit quand nous entendons des avions à réaction qui frôlent les cimes. Impossible de discerner si ce sont des A37 américains ou des Kfir de fabrication israélienne, mais peu importe : ce sont des avions de combat et cette approche à basse altitude ne peut signifier qu'une chose : la menace d'un bombardement. Marc et moi hurlons à nos gardes de nous laisser sortir.

Je n'ai jamais eu aussi peur de ma vie. Nous n'avons aucun abri en vue et nous allons prendre un déluge de bombes et de balles. Les FARC se contentent de nous répondre que tout va bien se passer et que nous n'avons aucune raison de nous inquiéter.

Quand les avions reviennent une minute après, la première bombe est lâchée. Elle explose dans un fracas de tonnerre suivi d'un bref silence — tous les bruits de la jungle se sont tus — puis l'onde de choc qui balaie la végétation fait bruisser branches et feuilles. Les bombes tombent à un kilomètre d'ici, mais nous en ressentons l'impact. Nous hurlons pour qu'on nous laisse sortir, mais une voix nous répond que nous devrions faire comme le Français et dormir. Sur ce, l'un des gardes terrorisés se met à vomir.

Je m'approche de la paroi de ma cabane. Par un interstice des planches, je vois le Français blotti contre le mur avec deux autres gardes. Ils ont abandonné leur campement à une vingtaine de mètres du nôtre et se sont mis à couvert ici. Ne voyant pas la quarantaine d'autres FARC, j'imagine qu'ils ont été touchés ou qu'ils se sont enfuis dans la jungle.

Les avions font plusieurs largages et s'éloignent ; ils sont suivis de Broncos OV-10, des appareils de l'armée de l'air colombienne qui mitraillent pendant une demi-heure. Quand ils s'en vont, nous reprenons notre souffle et nous nous lançons dans un concert de cris et de hurlements jusqu'au lendemain. Savoir que vos alliés ont failli vous réduire en bouillie n'est pas réconfortant et nous avons besoin de nous défouler : les FARC en prennent pour leur grade autant que les militaires colombiens. Cela dit, nous savons très bien tous les trois que nous n'étions pas la cible : les Colombiens ignoraient certainement que nous étions à proximité.

Nous comprenons quel jeu se joue. Les FARC se servent de la présence des *secuestrados*, des otages, pour que le gouvernement colombien ait les mains liées. Nous sommes quasiment des boucliers humains. Les FARC espèrent que la présence d'otages dans différents camps à proximité de leurs unités empêche les attaques des militaires. Nous venons d'avoir la preuve que l'armée ne se laisse pas intimider pour autant. Évidemment, le gouvernement ne peut pas laisser les FARC prendre le dessus. Si l'armée cesse de bombarder les cibles des FARC, elle montre sa faiblesse et ne fait que renforcer l'ennemi.

Nous voyons bien que nous sommes sacrifiés sur l'autel de la politique : quand les FARC sont attaqués, nous sommes en première ligne. Cette fois, nous avons eu de la chance. Nous n'apprécions pas de nous être fait bombarder, mais nous sommes contents que les FARC aient subi des pertes. Même si nous avons frôlé la mort, il y a de quoi se réjouir. Mais nous sommes furieux que les FARC puissent prétendre à une victoire simplement parce qu'ils nous détiennent en otages. Dans notre situation, nous ne pouvons pas faire grand-chose qui leur nuise. Tout au plus pouvons-nous refuser d'avaler leur propagande marxiste et ne pas nous conduire comme les porcs impérialistes qu'ils imaginent que nous sommes.

Au final, nous décidons que cette nuit a été une victoire, même si nous nous sommes fait dessus de trouille. Cela donne une nouvelle dimension à notre captivité et c'est crucial.

MARC

Trois jours après l'attaque aérienne, le Français nous ordonne de plier bagage. Nous partons. N'ayant pas oublié qu'il nous a demandé nos vêtements civils, nous pensons que notre libération est en vue. Cela fait environ treize semaines que nous sommes détenus et notre accident a eu lieu le 13 février. Je ne suis pas superstitieux, mais je note la coïncidence dans mon journal. Keith rappelle qu'il voudrait être avec son fils Kyle pour son anniversaire le 20 mai et, tandis que nous rassemblons nos affaires, Tom lui glisse que son vœu va peut-être être exaucé, à quelques jours près.

Nous n'avons que quarante-cinq minutes pour nous préparer. Au Nouveau Camp, on nous a donné quelques affaires : des torches dont nous devons masquer la lumière avec des feuilles pour ne pas être repérés, une toile de tente en nylon, des nécessaires de toilette. Nous fourrons tout cela dans les sacs qu'on nous donne et nous reprenons en sens inverse le chemin qui nous a conduits ici au bout de vingt-quatre jours de marche. En passant devant le campement principal, nous apercevons Sombra dans un camion et nous espérons que, si mauvais conducteur qu'il soit, il nous amènera quelque part pour nous relâcher. Il se contente de nous donner pour consigne de marcher dans nos empreintes pour laisser le moins de traces possible.

Nous nous enfonçons dans la jungle. La colonne d'une quarantaine de guérilleros emmène également le bétail. Pas de doute, la probabilité d'être libérés a considérablement diminué. Nous dormons cette première nuit sur des bâches en plastique, nos toiles de tente accrochées au-dessus de nous sur des piquets. En me réveillant le lendemain, Tom et Keith me montrent l'endroit où dormait ce dernier. Durant la nuit, un essaim de termites a envahi les lieux ; il reste sur le sol le contour de son corps. Ce simple spectacle nous fait rire. Et il va nous falloir une bonne dose d'humour, car nous passons plusieurs semaines dans une brume humide. Nous sommes dans ce campement provisoire depuis plusieurs jours quand le Français entraîne Tom à l'écart pour lui parler. D'après l'attitude et les gestes de mon compagnon d'infortune, je me doute que ce ne sont pas de bonnes nouvelles. Je crois d'abord qu'on nous réprimande pour avoir bavardé ensemble, mais, quand Tom revient et m'annonce ce qu'il en est, je suis effondré : ordre a été donné de nous enchaîner.

Être enfermés dans nos cages à Singeville et dans le Nouveau Camp était affreux. L'interdiction de parler était pire. Maintenant, l'idée d'être enchaînés du matin au soir est un coup très dur porté à notre moral. Comme les chaînes ne sont pas encore livrées, les FARC prennent des cordes en nylon et façonnent des sortes de harnais passés autour de nos épaules avec un nœud coulant autour du cou. Lorsqu'on me le met, je suis obligé de fermer les yeux pour m'empêcher de trembler et de vomir. Être traité comme un chien ou un quelconque animal est déjà pénible, mais c'est rageant de devoir entendre les FARC nous affirmer que c'est pour notre

114

bien, que l'armée colombienne est dans les parages et tente de nous tuer.

Cette étape franchie, notre traitement passe de brutal à inhumain. Dormir par terre sur une bâche en plastique et une toile de tente en guise de matelas et de toit, avec un ou deux draps ultralégers pour nous tenir « chaud » et une moustiquaire, c'est à peine tolérable, mais être attaché... Au bout de la première journée, nous apprenons qu'il en sera ainsi pour un moment. Puis nous faisons halte et nous bivouaquons en pleine nature : nos ravisseurs ne prennent même pas la peine de défricher un peu et nous devons nous contenter de la boue. Pire encore : nos harnais sont attachés à un arbre ou un poteau. La seule fois où nous pouvons sortir de la tente, c'est pour rester sous la pluie attachés. Tout espoir d'être relâchés s'évanouit.

Nous avons beau essayer de nous en tenir à notre routine et de rester positifs, ce n'est tout bonnement plus possible. Nous sommes sur les nerfs et, privés de toute activité physique – Tom de ses tours de clairière et moi de mes séances de ménage –, nous soulageons notre frustration les uns sur les autres. Cela n'a rien de surprenant : nous sommes ensemble depuis la mi-février et nous sommes en mai. Je défie quiconque de supporter de passer autant de temps en permanence avec la même personne – même son conjoint, son jumeau ou son meilleur ami – sans que surgissent des tensions. Là, nous ne sommes pas des inconnus mais seulement des collègues : imaginez ce qui peut se passer.

Une grande partie du problème vient du fait que, dans ce que nous appelons désormais le Camp de Boue, nous sommes dans un espace bien plus confiné qu'auparavant. Nous sommes vraiment les uns sur les autres. Les Américains ont l'habitude d'avoir un espace personnel relativement vaste et le nôtre s'est considérablement réduit. Cette promiscuité physique et émotionnelle ne peut que causer des frictions. Nous en avions déjà connu quelques-unes dans le Nouveau Camp alors que nous n'étions pas autant les uns sur les autres.

Il y a notamment les cochons. Les FARC ont installé une petite décharge loin de leur bivouac, à côté de l'emplacement de Tom, et la nuit, surtout vers 5 heures du matin, ces bestioles viennent y fouiner. Réveillé, Tom leur crie dessus sans se rendre compte que, du coup, c'est Keith et moi qu'il réveille. Keith s'en prend à lui, Tom riposte et ils se brouillent. Ils se font la tête toute la journée et, le lendemain, cela recommence.

Ce n'est pas tous les jours la même histoire, mais il y a toujours une raison de mettre le feu aux poudres. Si Tom et Keith se chamaillent plus souvent que moi avec eux, c'est parce qu'ils ont des caractères opposés. Tom est du genre réservé, alors que Keith est une grande gueule. Même dans de meilleures circonstances, ils ne pourraient pas s'entendre tout le temps. Tom déteste franchement ces tensions. Il sait que cela amplifie notre angoisse et il se sent encore plus mal quand la situation dégénère ainsi.

Nous devons apprendre à supporter certaines choses. On nous permet de nous laver régulièrement, mais à force de porter toute la journée des bottes en caoutchouc, Keith et moi empestons des pieds. Tom est bien obligé de s'en accommoder, car nous n'y pouvons rien. De la même manière, quand on est forcé de partager tous ses repas avec les mêmes personnes pendant plusieurs mois, on ne supporte plus le moindre bruit de mastication. Dans cet espace confiné, tout prend une ampleur démesurée.

Tom et Keith conviennent qu'ils sont un peu comme chat et chien et qu'ils supportent moins facilement leurs petites manies qu'ils ne supportent les miennes. En fait, le seul sujet dont ils ne se lassent pas de parler a tendance à me fatiguer, moi : ce sont les avions. S'ils pouvaient, ils en discuteraient toute la journée et c'est parfois l'impression qu'ils me donnent. Dans la « vie normale », j'irais voir ailleurs quand une conversation ne m'intéresse pas, mais là, je suis coincé. Il y a de quoi hurler – et cela m'arrive parfois.

Malgré tout cela, nous restons unis comme les doigts de la main. Les conditions dans le Camp de Boue, les cordes et les harnais, notre espoir de libération envolé, tout contribue à nous mettre les nerfs à vif. Même au pire de nos disputes, nous sommes aussi proches que des frères et nous considérons de plus en plus nos gardes comme l'adversaire. Entravés, nous dépendons encore plus d'eux et cette situation nous hérisse autant qu'eux. Une envie de faire pipi : il faut qu'un garde vienne vous détacher et vous emmène aux latrines. Parfois, ils font la sourde oreille et devoir supplier pour ce genre de chose quand on est un adulte est incroyablement humiliant. Apparemment, les FARC ont l'intention de nous faire toucher le fond.

Tout semble se liguer contre nous au Camp de Boue. De la fin mai à l'été, c'est la saison des pluies. Tout est trempé et boueux. Pour aller nous laver dans le cours d'eau voisin, nous devons passer devant la cuisine, placée au plus près de l'eau par commodité, ce qui est logique. Ce qui l'est moins, c'est que les FARC balancent toutes leurs ordures exactement là où nous nous lavons. Nous pataugeons dans un bouillon où flottent des épluchures et des déchets.

Vers la fin de notre séjour au Camp de Boue, Pollo vient nous voir et nous jette neuf savons. Ces cubes bleus sont destinés à la lessive, mais assez doux pour la toilette, et c'est

117

une denrée précieuse pour tout le monde. Il nous annonce, énigmatique, que là où nous allons, cela vaut de l'or.

Ses paroles nous effraient. Si nous devons nous enfoncer plus encore dans la jungle et donc loin des points de ravitaillement des FARC, c'est que notre libération est encore plus lointaine que nous le pensions. Nous avons aussi entendu d'autres bombardements, un peu plus loin, ce qui démoralise Tom. Il nous explique qu'il s'était convaincu qu'avant notre libération il y aurait un cessez-le-feu de deux semaines. Ce nouveau bombardement éloigne la date d'autant plus. De son côté, Keith constate que Pollo lui a une fois de plus menti en lui promettant que nous serions libérés à temps pour l'anniversaire de son fils le 20 mai.

Quelques jours plus tard, nous apprenons que nous nous remettons en route. Nous nous efforçons de nous convaincre que c'est une bonne nouvelle, mais c'est peine perdue. Nous partons et, bien que la marche ne dure que quelques heures, c'est un supplice. Ces presque cinq semaines, sans aucune liberté de mouvement, ont laissé des traces. C'est seulement lorsque nous devons prendre la route que nous nous rendons compte que notre état physique s'est largement détérioré. Quelle que soit notre destination, nous espérons qu'elle n'est pas trop lointaine. Au bout de quatre heures, nous faisons une halte de trois nuits au bord d'une rivière, puis des canots en aluminium arrivent pour nous emmener plus profond que jamais dans la jungle.

6

PREUVE DE VIE
JUILLET-SEPTEMBRE 2003

KEITH

Je n'aurais jamais cru me retrouver dans une situation où le nombre de savons en ma possession agirait à ce point sur mon moral. Quand Pollo nous les lance en annonçant qu'ils vont se faire rares, c'est comme s'il nous enfonçait encore plus. Nous nous précipitons pour ramasser les petits cubes bleus. Quelques jours plus tard, Ferney nous donne des rasoirs, du dentifrice et des brosses à dents. Message reçu : nous partons pour longtemps et le ravitaillement sera difficile.

Le fait que nous soyons essoufflés au bout de deux minutes de lessive donne une idée de notre état d'épuisement. Bien que la marche n'ait duré que quelques heures, nous sommes heureux d'embarquer pour l'étape suivante dans l'une de ces pirogues en aluminium de six mètres que possèdent les FARC. Nous partons sur une rivière gonflée par les pluies et envahie de troncs dárbres. Parfois, elle est tellement ensevelie sous la végétation que c'est comme de marcher dans la jungle. Ces embarcations portent bien leur nom : Duroboat. Le barreur conduit cet engin poussé par un moteur de 40 CV à tombeau ouvert. Parfois, nous frôlons de si près la rive que nous devons nous baisser pour éviter les branches et subir un déluge d'araignées et autres rampants délogés de leurs perchoirs. Cela fait longtemps que nous sommes habitués aux piqûres et aux morsures, et, bien que je gonfle comme un ballon à la moindre piqûre de guêpe, j'ai plus de peur que de mal.

Malgré les bestioles, ce voyage de trois jours en pirogue est un vrai plaisir. Après avoir vécu dans l'isolement de la jungle pendant presque six mois sous la voûte des arbres et le regard des FARC, cela ressemble à une bouffée d'air frais et c'est encore mieux lorsque nous débouchons sur des zones plus vastes où le bateau peut manœuvrer plus facilement et où le soleil vient darder ses rayons sur notre peau livide.

Le ciel de juillet est encore plus bleu à l'horizon et le voyage a un peu des allures de vacances. L'enfermement sous le couvert des arbres a un effet déprimant. Nous avions noté la différence entre les périodes où nous arpentions la jungle et celles où nous débouchions dans une clairière. C'était un rayon de soleil dans une journée morne qui vous redonnait de l'énergie. Et vous retombiez aussitôt lorsque vous la quittiez.

Contrairement aux voyages précédents, nous nous déplaçons surtout dans la journée. Généralement, nous partons tôt le matin et nous faisons halte en début d'après-midi. Même lorsque nous sommes à découvert, les FARC n'ont plus l'air autant sur le qui-vive qu'auparavant. Personne ne guette d'avions dans le ciel ni ne scrute les rives. Nous sommes toujours attachés, mais nous avons le droit de nous parler. Nous n'en abusons pas, mais l'un de nos principaux sujets de conversation, c'est qu'on nous déplace quasi ouvertement : nous savons que nous sommes proches de la « civilisation » à plusieurs reprises car nous entendons d'autres bateaux qui naviguent dans d'autres bras voisins ou affluents de la rivière.

Nous ne pouvons tirer que deux conclusions logiques de ce changement : soit les FARC ont accepté un marché quelconque et obtenu la zone démilitarisée qu'ils exigent, et peuvent donc voyager sans craindre d'être repérés. Soit des informateurs infiltrés dans l'armée leur ont fait savoir que la région est sans risque pour eux. Cette hypothèse est la moins plausible, car nous n'avons jamais observé chez eux la moindre compétence tactique qui leur permettrait de bénéficier d'un tel niveau de sophistication.

Durant tout le trajet en bateau, rien ne change pour autant : nous dormons toujours par terre, parfois une seule nuit, parfois plusieurs d'affilée. Le 23 juillet, au bout de cent trente jours de captivité, Bouboule arrive dans l'un de ces bivouacs avec des airs de Père Noël. Il s'assoit à une table que les FARC ont apportée dans le campement. Nous sentons immédiatement qu'il y a anguille sous roche : Sombra a deux comportements – gentil et méchant – mais aujourd'hui il semble différent. Il tire de la poche de sa chemise des sucettes et nous fait signe d'approcher.

– Demain, nous allons faire la démonstration au monde entier de notre force et de notre unité. Nous montrerons combien nous sommes dévoués à notre cause.

– Nous savons que vous aimez la paix, répond Tom pour le caresser dans le sens du poil. Mais quel est le rapport avec nous ?

– Des journalistes de la presse internationale vont venir demain vous parler.

Il marque une pause théâtrale, puis il nous demande nos mensurations. Nous devons présenter bien devant les visiteurs et nous laver. Il brandit les sucettes dans la main comme un médecin qui promet une récompense à des gosses avant de leur faire une piqûre.

— Apparemment, c'est important pour eux, nous explique Tom. Il a utilisé le terme *prueba de vida* – preuve de vie.

Ce n'est pas la première fois que nous entendons l'expression, mais nous nous demandons comment Bouboule et ses copains organisent ce genre d'événement. Nous savons qu'en gros nous allons être photographiés ou filmés en possession d'un journal portant la date du jour pour montrer que nous sommes bien en vie. Nous n'avons pas le temps d'en apprendre beaucoup plus. Deux gardes armés de ciseaux arrivent avec des airs de chirurgiens prêts à opérer. Les autres se rassemblent pour assister à la coupe de cheveux. Après quoi on nous donne de gros bols de riz et du thon en boîte. Il est clair qu'on veut que nous soyons heureux et le ventre plein pour cette entrevue.

Nous profitons de la situation pour discuter ouvertement. Je demande à Tom si Sombra lui a expliqué comment la preuve de vie allait être transmise.

— Il dit qu'il va entrer en contact avec nos familles, rien de plus.

Marc se demande pourquoi les FARC se donnent autant de mal pour faire savoir que nous sommes en vie s'ils n'ont pas l'intention de nous relâcher. À son avis, un marché a dû être conclu.

— Je me demande si c'est un journaliste de CNN, dis-je. C'est Christiane Amanpour qui s'occupe d'une grande partie de l'international.

— Ils peuvent envoyer qui ils veulent, je m'en fiche, soupire Tom. Du moment que nos familles ont la confirmation que nous sommes en vie... Après tout ce temps, il faut qu'ils sachent que nous sommes vivants.

Marc imagine à quel point les siens vont être heureux en voyant nos visages apparaître à la télé après tout ce temps. Il aborde là un sujet qui nous occupe l'esprit depuis longtemps. Nous savons que l'armée nous a vus en vie le premier jour quand le tireur de l'hélico a échangé un regard avec moi. En l'absence de la moindre preuve de vie depuis cette date, pense-t-on que nous avons été exécutés par les FARC ? Je m'efforce de chasser cette idée.

— Quelqu'un du gouvernement les a contactés, Marc. Ils savent que nous sommes ici, nous ne sommes pas oubliés. Cette preuve de vie est sûrement une exigence de quelqu'un.

Après une nuit quasi blanche, Sombra vient nous chercher le lendemain matin. On nous demande de nous préparer à un séjour d'une nuit et de prendre le minimum avec nous. Le Français, Milton, Smiley et deux autres nous accompagnent. En route, nous faisons le plein sur une petite île. Sombra descend avec Ferney, et nous nous retrouvons avec Milton et un autre garde. Ils se mettent à parler et nous finissons par apprendre que Colin Powell, notre cher Secrétaire d'État, est venu en Colombie à notre sujet. Nous restons ébahis devant cette nouvelle.

Nous nous demandons aussitôt qui d'autre hormis la presse va être présent. Nous pensons à l'ambassadrice américaine, Anne Patterson, à d'autres officiels du Secrétariat d'État, peut-être même à des représentants de Northrop Grumman. Peut-être y aura-t-il aussi des représentants du gouvernement colombien, Fernando Londoño, ministre de l'Intérieur et de la Justice, ou d'autres.

Sombra revient et nous tend des bandeaux à enfiler en nous précisant qu'il est désolé mais que c'est nécessaire. Ensuite, on nous cache sous une bâche en plastique, mais l'odeur d'essence nous donne la nausée. Nous faisons un vacarme d'enfer jusqu'à ce qu'on nous laisse à découvert et nous pour-suivons le voyage ainsi. Après quatre à six heures de bateau, on nous fait débarquer et remonter une pente. Le bruits de la jungle et du bateau ont laissé la place à des moteurs de voitures et des voix. On nous fait monter à l'arrière d'un véhicule qui s'ébranle. Nous sentons la brise sur nos visages et nous entendons la rumeur de la civilisation autour de nous. Nous nous arrêtons, on nous fait descendre et un garde nous mène chacun au bout de notre corde. Nous empruntons une passerelle en planches ; j'entends le murmure d'une foule et le ronronnement d'un générateur au-dessus de ma tête.

Je me dis qu'on nous emmène dans une chambre d'hôtel ou quelque chose de ce genre, mais quand on nous assoit et qu'on enlève nos bandeaux, je m'aperçois que nous sommes dans une autre cabane en planches. Tout comme lors de notre rencontre avec Gómez, Ramírez et Mono JoJoy, nous sommes de nouveau des animaux dans un zoo. Tout un groupe de FARC que nous n'avons jamais vus se massent devant la porte et nous dévisagent. La plupart nous font la scène de l'anti-américanisme primaire, jusqu'au moment où Bouboule et le Français mettent fin au spectacle et nous emmènent dans une autre cabane où des planches sont ins-tallées sur des tréteaux. Nous faisons une croix sur le bon lit.

Dans la cabane voisine se trouve une grande cuve en plas-tique. Après avoir subi au Camp de la Boue les cochons qui pissaient et chiaient là où nous nous lavions, nous nous méfions de tout ce qui ressemble à de l'eau. Nous soulevons le couvercle et n'en revenons pas : nous qui avons l'habitude de boire et nous baigner dans une eau marronnasse, la vue de cette eau cristalline nous laisse sans voix. Elle est tellement limpide que nous osons à peine y toucher, mais l'hygiène et l'amour-propre l'emportent.

Après notre bain, on nous donne des frites et on nous demande si nous voulons autre chose. Je demande une pommade pour soigner une sorte d'irritation cutanée contractée dans la jungle. À ma grande surprise, on me laisse le tube entier. Nous nous couchons sur la plate-forme posée sur les tréteaux et, à l'exception du rat qui niche sur la poutre du toit, nous sommes laissés seuls toute la soirée. Dehors, nous entendons les FARC en pleine assemblée. Ils entonnent leur chanson *Nous aimons la paix* et scandent « la légalisation, c'est la solution » tandis que des orateurs s'adressent à la foule. Il doit y avoir une quarantaine de FARC ici, et l'ambiance générale est plus militaire que sur le terrain. Ils portent tous le même uniformes, sont plus disciplinés, gardent leurs casquettes sur le crâne et semblent mieux dégrossis que ceux que nous avons croisés dans la jungle.

Bouboule a l'air un peu sur les nerfs et nous voyons beaucoup d'agitation dans la cabane voisine de la nôtre, où on organise la conférence de presse. Nous sentons même une odeur de détergent ménager et nous étonnons du mal qu'ils se donnent. Puis Sombra nous annonce que le grand et magnifique Mono JoJoy sera bientôt des nôtres.

Sombra déclare qu'il veut que je sache qu'il a vu une photo de mon fils. Je suis stupéfait. Ne veut-il pas dire *mes* fils ? Patricia était enceinte de jumeaux ; qu'est-il arrivé ? Ai-je mal compris ? Sombra élude quand je le questionne. Marc et Tom essaient de me calmer, mais je suis convaincu qu'il est arrivé quelque chose. Peu après, Mono JoJoy fait son entrée, accompagné par un guérillero inconnu de nous. Le grand chef se met à nous parler et nous comprenons qu'il s'agit de son interprète. Le seul problème, c'est que l'autre est tellement angoissé qu'il a un mal de chien à parler ne serait-ce qu'en espagnol.

Au milieu de ce grand moment d'incompréhension, je repère une femme en uniforme des FARC dans le fond. Elle se distingue des autres, car elle n'est d'évidence pas colombienne. Ses pommettes hautes sont encore plus saillantes après un régime qui a dû ressembler au nôtre. Elle a la peau plus pâle que les autres, sauf les joues et le nez, rougis par le soleil. Des cheveux châtains encadre son visage ovale et les dures conditions qu'elle a dû subir ne parviennent pas à dissimuler que c'est une très jolie jeune femme qui paraît incongrue dans cet uniforme des FARC.

Elle s'approche et commence à me parler dans un anglais parfait avec un très léger accent. Nous avons enfin trouvé notre traductrice. Cette situation est totalement étrange, tout comme son irruption en ce lieu. Impossible d'identifier son accent ou de lui faire dire qui elle est. Je ne peux que lui demander de nous servir d'interprète, car elle parle nettement mieux anglais que celui qui accompagne Mono JoJoy. Le grand chef accepte.

Elle commence à traduire quand un civil, qui parle également bien anglais, arrive avec une caméra vidéo qui enregistre.

– Je m'appelle Jorge Enrique Botero, nous dit-il. (Et avant que nous ayons pu poser la moindre question, il se tourne vers Marc :) J'ai un message pour vous de la part de votre mère.

MARC

Je ne savais pas trop ce que je devais attendre de cette entrevue, mais quand Botero s'adresse à moi, je comprends que cela va être très pénible.

À peine m'a-t-il annoncé qu'il a un message de ma mère qu'il me tourne le dos et contourne la table. Je suis stupéfait et je ne comprends pas pourquoi il ne me donne pas le message. Je ne m'attendais sûrement pas à avoir des nouvelles de ma famille et je me force à me concentrer sur ce qui se passe.

Mono JoJoy commence sa litanie habituelle : nous sommes détenus parce que nous avons violé la souveraineté nationale des FARC. Ce n'est pas la première fois qu'on nous sort cette pitoyable justification que nous trouvons grotesque : une organisation terroriste n'est pas une nation souveraine. JoJoy continue tandis que la jeune femme traduit.

— Depuis votre accident, vous faites partie d'un groupe de prisonniers de guerre. Nous devons vous garder en vie en vue d'un échange de prisonniers.

C'est la déclaration d'intention la plus précise que j'entends depuis le début, mais elle balaie aussi tout espoir de libération unilatérale comme on nous l'a promis durant les premiers jours. Keith intervient.

— Si le président Uribe refuse de négocier et n'accepte pas l'échange de prisonniers, nous pouvons rester ici cinq ou dix ans. Comment comptez-vous vous y prendre ?

— Des négociations vont s'ouvrir, répond JoJoy. Nous ne savons pas quand. Notre commandant en chef, Manuel Marulanda, nous a donné ordre de faire parvenir à vos familles une preuve de vie. C'est pourquoi un journaliste colombien est présent ici. Vous êtes d'accord ?

Nous acceptons, mais nous sommes déçus que JoJoy n'ait pas totalement répondu à notre question. Il a utilisé le mot *canje* – échange – et *monetario* – financier. Il s'agit donc d'un échange contre des FARC détenus par la Colombie ou contre rançon. Nous voulons en savoir davantage sur cette histoire de *monetario*.

127

— *Humanitario*, répond la traductrice.

Il ne doit pas y avoir de rançon, juste une sorte d'échange.

Mono JoJoy se lève et nous serre la main à tous les trois en disant « *Respectos* ». Je n'éprouve aucun respect pour lui, mais donner une preuve de vie importe plus que mes sentiments. Cela vaut pour le journaliste venu nous interviewer. Nous ne le connaissons pas, mais le fait qu'il soit autorisé à pénétrer dans le camp des FARC et son comportement très familier ne nous disent rien qui vaille. Nous savons qu'il se sert de nous, mais nous voulons aussi que nos familles sachent que nous allons bien, même si ce n'est pas par le biais du gouvernement américain ou de CNN.

Avant que nous entamions notre déclaration à nos familles, Botero veut nous poser quelques questions. Alfredo, un autre FARC haut placé, nous annonce qu'il va assister à l'entretien. Comme Botero doit régler sa caméra, nous faisons une petite pause et en attendant, il nous donne quelques copies d'articles, un exemplaire de *Newsweek* et une édition de poche de *La Loi du plus faible* de John Grisham.

Keith commence à lire la copie qu'on lui a remise. C'est une sortie papier d'un article paru sur Internet sur MSNBC.

— Oh, là, là, c'est mauvais, ça, dit-il brusquement.

Il s'apprête à en parler à Tom, mais la caméra est en marche. Tom, qui a lu autre chose de son côté, a juste le temps de nous dire que nous avons envahi l'Irak.

Alfredo nous demande d'abord qui nous a engagés.

Keith donne des explications en fonction de ce qu'il vient de lire : ce n'est plus Northrop Grumman qui exécute les missions de reconnaissance en Colombie. Le contrat est passé à une entreprise du nom de CIAO. Nous n'en avons jamais entendu parler, mais nous sommes ébahis d'apprendre qu'une entreprise qui travaille dans le renseignement puisse se bap-

128

tiser CIAO. La confusion du sigle ne peut que nous compliquer la vie.

Et, comme prévu, Alfredo s'empresse de nous demander si nous travaillons pour la CIA.

Nous nous récrions tous les trois.

Keith lui montre la copie de l'article pour qu'il voie bien que l'entreprise s'appelle CIAO et non CIA. Je ne sais pas si cela le convainc ou l'embrouille encore plus.

Sont ensuite abordés différents sujets, Keith posant la plupart des questions afin d'en savoir un peu plus long sur la situation. En cours de route, Botero nous confirme ce dont nous nous doutons depuis le 13 février : Tommy Janis a été exécuté, tout comme notre correspondant local, le sergent Cruz. Botero nous demande si nous avons un message pour la famille du Colombien et Keith lui résume la journée que nous avons passée ensemble juste avant l'accident. Nous exprimons toutes nos condoléances à la famille, mais c'est surtout à Tommy J que nous pensons. Nous avions encore l'espoir qu'il avait été pris en otage et séparé de nous, mais nous ne sommes pas surpris d'apprendre que son corps a été retrouvé. Tommy J étant un ancien militaire des Forces spéciales, nous nous doutons qu'il aura essayé de s'enfuir pour accomplir son devoir. Comme il avait toujours dit à Tom qu'il agirait ainsi s'il était capturé, nous n'avons pas besoin de rapport officiel pour confirmer cette nouvelle.

Botero continue de filmer et les mauvaises nouvelles de s'accumuler. Nous apprenons que, peu après notre crash, un autre avion américain s'est écrasé à son tour. Un mois après notre panne de moteur, le deuxième Cessna Grand Caravan de notre flotte s'est écrasé au décollage, tuant ses trois passagers. Ils étaient partis à notre recherche et ont trouvé la mort. Ralph Ponticelli est probablement celui dont j'étais le plus proche et, quand nous apprenons son décès, Tom et moi sommes au bord des larmes. Savoir que Tommy Schmidt et Butch Oliver ont eux aussi trouvé la mort ne fait qu'aggraver notre émotion.

Botero a dû planifier toutes ces révélations afin de nous déstabiliser et il a réussi son coup. Tom est tellement bouleversé par la mort de Ralph qu'il prend l'exemplaire du jour du *Miami Herald* qui doit servir à dater l'enregistrement pour se cacher derrière. Botero zoome sur lui. Le tragique, c'est bon pour l'image, mais là, c'est une accumulation.

Je n'ai pas oublié le message de ma mère et je me demande si c'est une lettre, une vidéo ou autre chose. Botero sort une cassette qu'il met dans sa caméra et branche un petit moniteur pour que je regarde. Ayant vu que la nouvelle de la mort de Ralph était destinée à montrer Tom sous son jour le plus vulnérable, je suis bien décidé à résister à la manipulation propagandiste de Botero. Malgré ce que j'éprouve en entendant une voix du pays, je reste stoïque en visionnant la bande. Ma mère est chez elle, assise sur le canapé, la caméra immobile face à elle. L'objectif fait un lent panoramique vers une photo de moi en uniforme de l'armée de l'air, posée sur une étagère. Elle parle d'une voix calme, comme si elle faisait un effort pour ne rien montrer de son inquiétude.

Je veux te dire que je t'aime beaucoup. J'espère que tu vas rentrer bientôt, sain et sauf, ainsi que tes collègues. Des centaines de personnes prient pour toi et je demande seulement que tu rentres, parce que tu me manques énormément et que je suis inquiète pour toi. Je te supplie de rester fort. Tu vas bientôt rentrer. Je t'aime.

Je m'efforce de rester de marbre et je serre les dents. Je suis assailli par une multitude d'émotions. Je suis transporté par un visage familier et une voix qui m'est chère, mais je suis brisé de constater sa peine. J'en veux aux FARC de me mettre dans une telle situation, de me culpabiliser de ronger d'inquiétude ceux que j'aime.

Je hais ce journaliste qui nous manipule, mais j'essaie de garder en tête les mots de Keith. Nous étions réunis dans la pièce où nous avions dormi et nous avons décidé d'accepter ce que voulaient les FARC, pas pour eux, mais pour nos familles. On nous a quasiment déguisés, coiffés et nourris pour que nous ayons l'air aussi en forme et heureux que possible. Tout en ajustant le col de Tom, Keith nous a recommandé de faire bonne figure pour nos familles, de nous montrer forts pour que personne ne s'inquiète. Nous devons prétendre que nous allons bien et qu'on nous traite correctement (même si ce n'est pas le cas). C'est notre mission du jour, dont nous devons nous acquitter au mieux. Appelez cela de la manipulation si vous voulez, mais nous le faisons par compassion, pas pour blesser ou tromper.

Après que j'ai visionné le message, nous faisons une autre pause. Nous sortons sur la véranda et, pour la première fois, on ne nous bande pas les yeux. Je vais voir la jeune femme pâle qui a servi d'interprète et qui attend à proximité. Je suis si ébranlé par ce que j'ai entendu que j'ai besoin d'une confirmation.

— Pensez-vous que nous allons sortir vivants de cette histoire ? lui demandé-je.

Elle tire nonchalamment une bouffée de sa cigarette avant de répondre avec une grimace.

— Je ne sais pas. Tout dépend de ce que fait votre gouvernement.

— Comment cela ?

— Eh bien, le gouvernement a des soldats ici en Colombie et les entraîne pour une opération de sauvetage. (Je la regarde, attendant la suite.) Vous n'êtes pas au courant des autres otages ? me demande-t-elle avec surprise.

Je lui explique que nous n'avons ni radio ni moyen de nous informer. Elle écrase sa cigarette, hausse les épaules et me raconte que le gouvernement a récemment tenté de récupérer un autre groupe d'otages. Parmi eux se trouvait l'ancien gouverneur de l'un des départements, celui d'Antioquia, et un ancien ministre de la Défense, Echeverri. Les FARC les ont exécutés avec dix autres otages à l'arrivée de l'armée. Les FARC nous l'ont bien dit dans la jungle : si les secours arrivent, on tue tout le monde.

Elle ne m'a pas annoncé cela sur un ton théâtral, mais son ton calme a produit l'effet voulu. Je transmets tout cela à Tom et à Keith, qui sont aussi bouleversés que moi. On nous rappelle à l'intérieur, et, avant que Botero puisse poser la question suivante, Keith interroge Alfredo.

— En cas d'opération de sauvetage, votre mission est de nous tuer, n'est-ce pas ?

Cela aurait été trop demander qu'Alfredo ait le courage de répondre oui. Il nous donne la réponse habituelle : en pareil cas, si un otage est tué, c'est généralement sous les balles de l'armée colombienne. Les FARC n'appuient pas sur la détente.

Cela contredit totalement l'interprète. Elle a beau m'avoir parlé sans la moindre émotion, au moins je la respecte de m'avoir dit la vérité. Mais, après la déclaration d'Alfredo, je me rends compte qu'elle a aussi pris son pied à me terrifier.

Botero enchaîne en nous demandant ce que nous éprouvons quand nous entendons le mot « sauvetage ».

Nous venons d'apprendre qu'un groupe d'otages a été exécuté : qu'est-ce qu'il s'imagine ? Nous répondons à peu près la même chose, mais c'est Keith qui l'exprime avec le plus d'éloquence :

— Il y a eu assez de vies sacrifiées lors de notre accident et dans les jours suivants. Nous avons perdu quatre collègues et un cinquième homme qui était totalement innocent. Je n'ai pas envie de mourir. Aucun de nous ne le souhaite. J'en ai assez de la mort. La vie est la seule victoire et je prie pour une solution diplomatique.

Botero pose d'autres questions, puis nous faisons une nouvelle pause. L'interprète entame une conversation avec Keith. Je me rapproche en l'entendant parler de Cuba et de l'embargo américain.

— Les États-Unis ont institué ce blocus commercial parce que, s'il était levé, tous les Américains s'enfuiraient là-bas.

Keith la regarde.

— Vous êtes déjà allée à Cuba ? Parce que moi, oui. Ma première petite amie était cubaine. Ma belle-sœur l'est. J'ai été élevé en Floride dans un quartier rempli de Cubains.

Elle ne répond pas et tire sur sa cigarette. Je vois qu'elle est irritée qu'il lui tienne tête.

Il continue et lui demande quelle relation elle a avec Cuba et de quelle nationalité elle est. Il trouve qu'elle a un accent un peu cubano-américain.

Elle ne répond pas et le plante là.

— Qu'est-ce qu'elle a, cette guérillera des villes ? s'indigne Keith.

Il a raison. C'est clairement une révolutionnaire en herbe. Son treillis camouflage n'est pas un modèle de l'armée. Il est taille basse et bien coupé. Elle porte aussi ce que l'on appelle en Colombie un *ombligo* – un top qui découvre le nombril et qui est retenu par de fines bretelles. Elle nous a dit qu'elle avait appris notre capture à Bogotá – probablement pendant qu'elle achetait sa tenue.

Au bout du compte, spéculer sur l'interprète est le cadet de nos soucis. Pour le moment, nous sommes dépassés par ce que nous venons d'apprendre. Cela fait six mois que nous vivons prisonniers et sans la moindre information. En ce jour où il était question de preuve de vie, nous recevions une preuve de mort – celle de Tommy J, du sergent Cruz, de Ralph Ponticelli, Tommy Schmidt et Butch Oliver ainsi que d'autres otages colombiens qui ont été massacrés. Le stress, ces nouvelles tragiques, le message de ma mère – tout contribue à me donner la pire migraine que j'aie jamais endurée. Après ces mois de silence, ce déluge de nouvelles nous submerge.

Botero nous pose encore d'autres questions dans son anglais approximatif, tantôt que nous comprenons, tantôt que la jeune femme traduit. Il nous demande ce qui nous manque le plus (nos familles), comment se passent nos journées (dans l'ennui). Sachant que nos familles verront peut-être la vidéo, nous nous efforçons de tout positiver. Nous déclarons que nous allons bien, que nous sommes en bonne santé et traités correctement. Tout cela est faux, mais c'est ce que nos familles ont besoin d'entendre.

Nous avons beau être prudents dans nos réponses, il est difficile de tenir compte de tous les facteurs. Nous avons tellement de points de vue différents à prendre en compte... Au final, j'espère que mon double message est clair : je veux vivre. Je veux retrouver ma famille. Quand arrive le moment de m'adresser directement aux miens devant l'objectif, je suis content de ne rien avoir préparé. Je veux leur parler avec mon cœur. Keith et Tom sont toujours là pour poser une main réconfortante sur mon épaule, mais je ne veux pas qu'ils le fassent maintenant. Je veux tenir le coup, comme ma mère me l'a demandé. Lui dire combien je suis fier d'elle. J'ignore comment elle a réussi à tourner cette vidéo et à me la faire parvenir, mais sa voix a percé la pénombre humide et gluante de cette jungle.

Voici en partie ce que je déclare :

Maman, j'ai reçu ton message et je te remercie d'avoir tout fait pour qu'il me parvienne. Je t'aime aussi. Je veux que tu saches que je suis fort. Personne ne m'a fait de mal ou torturé. J'attends juste de rentrer.

Shane, je t'aime. J'avais hâte de te dire que je pense à toi tous les jours. Attends-moi, ma chérie.

Joey, Cody, Destiney, je vous aime, les enfants. Attendez-moi, je vais rentrer. Je vous aime.

C'est tout.

TOM

Depuis le début de notre captivité, j'ai espéré des nouvelles. À un moment, j'ai dit que nous avions quitté l'ère de l'information pour retourner à l'Âge de Pierre. Quand nous recevons enfin des nouvelles, elles sont presque toutes mauvaises. Apprendre que notre pays est en guerre avec un autre groupe de terroristes est encore la meilleure. Je ne veux pas que d'autres Américains meurent, mais savoir que nous combattons un régime qui a abrité des terroristes et a tant fait souffrir le peuple qu'il était censé protéger est un sacrifice nécessaire. Être détenu par des guérilleros n'a fait que durcir ma position vis-à-vis de quiconque prive autrui de sa liberté et de ses droits.

Une fois l'enregistrement terminé, j'ai le temps d'analyser ce qui s'est passé. Je suis heureux que nous ayons eu l'occasion de passer un message à nos familles, que l'on m'ait donné quelques magazines et des nouvelles du monde extérieur. Comme d'habitude, je compte bien que l'espoir renaîtra malgré ces mauvaises nouvelles.

La mort nous occupe l'esprit. Je voulais briser l'isolement que nous subissions, mais apprendre que tant de gens sont morts, ce n'est pas que j'espérais. Recevoir confirmation de la mort de Tommy J est déjà dur, mais c'est pire de devoir y ajouter celles de Ralph, Tommy Schmidt et Butch. Je fais ce job depuis assez longtemps pour avoir connu des pilotes et membres d'équipage qui sont morts dans des crashes. C'est l'un des risques du métier, mais c'est la première fois que des gens meurent en essayant de me sauver. Cela me reste sur l'estomac. L'ironie d'être filmés pour prouver que nous sommes en vie tout en apprenant que d'autres sont morts est amère. Sans compter qu'on vous braque sous le nez une caméra dans l'espoir de capter une réaction.

Je n'ai pas envie que ma famille s'inquiète pour moi et Dieu sait ce que ce Botero compte faire de cette bande. J'ai presque aussitôt la certitude que lui ou d'autres comptent utiliser nos déclarations à des fins de propagande. Et au final, je ne sais même pas si ces images seront vues par nos familles. On nous a fait croire que toute la presse internationale serait là et nous n'avons que ce Colombien qui n'a ni carte professionnelle, ni équipe avec lui. Rien ne prouve que ce n'est pas un type des FARC qui se fait passer pour un journaliste. Il prétend que deux confrères de Los Angeles vont adresser nos messages à nos familles, mais nous ignorons ce que va devenir cette vidéo. Ils n'ont peut-être monté tout cela que pour nous endormir.

Mon scepticisme est renforcé quand je trouve par terre un papier. C'est un message écrit par un otage d'un autre groupe.

Je préfère ne pas le lire, mais je suis furieux de penser qu'il a dû être confié à l'un des innombrables grands chefs des FARC ou même à Botero, qui n'a pas pris la peine de le transmettre comme promis. Cela aurait très bien pu être une lettre que j'aurais écrite à Mariana.

Cependant, je suis fier de notre comportement. Nous réfutons toutes les accusations fantaisistes proférées sur notre mission. Lorsque l'un de nous cède à l'émotion, les autres le soutiennent et le réconfortent. Nous sommes sincères et nous nous montrons aussi rassurants que possible. On m'a prêté provisoirement des lunettes et j'ai pu lire, alors que je n'y voyais rien depuis des mois. J'espère que les FARC ont enfin compris que des lunettes me sont vraiment indispensables.

Quand nous parlons de nos familles, j'essaie d'être aussi sincère que possible. Cela me fait du bien d'entendre les déclarations de Keith, qui rejoignent beaucoup les miennes. Quand vient mon tour, je déclare que je suis en bonne santé et bien traité. Je promets que je vais bientôt rentrer et j'espère que les images que ma famille verra confirmeront ce que je dis, même si je suis concis. Voir, c'est croire : puisque les FARC veulent transmettre une preuve de vie, je la donne. Mais moins nous leur fournissons d'éléments pour alimenter leur propagande, mieux cela vaut.

Comme Marc, j'ai une migraine de chien toute la journée. Lors d'une pause, on me donne de l'ibuprofène, mais cela n'a pas beaucoup d'effet.

La nuit venue, après avoir passé en revue la journée, je regrette de ne pas avoir eu l'occasion de clarifier au moins un point. Quand on m'a demandé comment je réagissais au mot « sauvetage », j'ai voulu dire clairement que la crainte que ce mot m'inspirait correspondait à l'appréhension liée à une opération montée par l'armée colombienne. Pour moi, ce mot implique liberté et Amérique. Le mot *rescate* évoque plutôt pour moi la mort et les massacres. À ce stade, je ne fais pas vraiment confiance à l'armée colombienne pour mener à bien une opération de sauvetage. Je ne pouvais pas le dire clairement dans la vidéo, sans quoi j'aurais effrayé ma femme et mes enfants. Je sais que l'armée américaine est bien mieux formée à la récupération d'otages, qu'elle dispose de meilleurs systèmes d'espionnage, armes et logistique. Je ne veux pas que ceux qui verront la vidéo de Botero aient l'impression que je refuse qu'on vienne me sauver. Et, alors que je suis allongé dans notre petite cabane, cette phrase me trotte dans la tête : « Toute cette journée n'a été que du vent. »

Le trajet du retour en bateau se passe sans incident. Tout le monde paraît plus détendu. On nous fait porter nos bandeaux moins longtemps qu'à l'aller. Nous avons déjà tellement discuté de tout ce que nous avons vu et appris que notre unique sujet de conversation est la faune que nous apercevons. Il est agréable d'être dans un bateau et d'avancer, mais, si je pouvais choisir, je préférerais être dans un avion qui me ramène chez moi plutôt que vers une toile de tente et un coin de jungle boueux.

À notre arrivée au camp, le changement d'attitude de nos gardes est visible. Tout le monde est plus jovial. La pression a diminué, peut-être. Même les gardes les plus austères, ceux qui ne sourient jamais, nous adressent des signes d'amitié comme si nous étions des stars de cinéma. Ils sont ravis de savoir que, même en exécutant une tâche mineure, comme nous enfermer le soir, par exemple, ils contribuent à la réussite des FARC. Cela les rend un peu plus humains : tout le monde aime participer à un succès, même de façon marginale. C'est seulement quand je me rappelle que ces gens qui nous retiennent en otages ont tué certains de mes amis que je ne supporte plus leur accueil. Malgré ce que prétend Mono JoJoy, en définitive, les FARC sont avant tout des assassins.

Un peu plus tard, je deviens plus positif. Je me réjouis de savoir que Colin Powell est venu et d'avoir entendu les FARC discuter d'une éventuelle intervention de l'ONU. À mesure que le temps passe, mon point de vue évolue encore et je sais que je ne vais pas y trouver un soulagement ou un réconfort durables, mais sur le moment je décide de m'y accrocher.

Le lendemain de notre retour dans ce que nous appellerons le Deuxième Camp de Boue, nous profitons de la levée de l'interdiction de communiquer et nous nous retrouvons devant ma cabane. Entre-temps, nos points de vue se sont clarifiés.

Marc n'arrive pas à oublier que d'autres otages ont été tués :

— Tu te rends compte ? Tu entends un hélico et l'instant d'après tu te retrouves abattu comme un chien ?

— Il va falloir les guetter, dit Keith. En plus, nous pouvons les identifier avant eux.

J'explique à Marc que ces quelques minutes d'avance peuvent totalement changer la donne pour nous. Keith renchérit : si l'ordre d'exécution est donné, nous devons être le plus loin possible et dans une position défensive. Seulement, je vais avoir besoin de leur aide sur ce coup-là : je n'ai plus l'ouïe aussi aiguisée, à force d'avoir passé des années à voler dans des engins bruyants.

L'épisode de la preuve de vie a mis une chose au clair. En cas d'opération de sauvetage, nous devons nous éloigner des FARC pour ne pas être exécutés. Keith a appris à Marc à faire la différence entre le son d'un Blackhawk américain et d'un Huey UH-I, et c'est une victoire sur les FARC – minime, mais significative. L'un des rares avantages que nous avons sur eux. La plupart n'ayant jamais pris d'aéronef, leur capacité à évaluer la menace est sérieusement compromise. En cas d'opération de sauvetage, nous aurons quelques minutes d'avance. Ce n'est pas grand-chose, mais, quand une partie se joue sur des secondes, c'est un bon point. Nous passons notre temps à guetter le ciel et les FARC viennent nous demander ce qui se passe. Pour ne rien perdre de notre avantage, nous leur répondons évasivement ; ils ne sauront jamais la différence entre la réalité et ce que nous inventons.

Depuis notre arrivée au Deuxième Camp de Boue, aucun appareil ne nous survole. Cela nous trouble un peu, car nous aimions la présence de ces appareils, surtout celle des avions : elle signifie que quelqu'un nous observe ou nous recherche. Nous savons qu'ils ne viennent pas pour les FARC. Une semaine plus tard, début août, les avions réapparaissent. Nous espérons que cette arrivée a un rapport avec la diffusion du message de preuve de vie. Il y en a un en particulier qui décrit de larges cercles au-dessus de nous à des intervalles de trente minutes. Nous n'arrivons pas à l'identifier avec certitude, mais nous savons qu'il est là, à haute altitude. Quoi qu'il en soit, avant ou après l'épisode de la preuve de vie, l'équation reste la même : les avions sont un bon présage, les hélicos sont de mauvais augure. La plupart du temps, au Deuxième Camp de Boue, aucun hélico n'est dans les parages.

Pour autant, nous continuons de bondir hors de nos taules au moindre signe d'activité aérienne. Je vois de temps en temps des guérilleros immobiles dans la clairière, l'oreille aux aguets comme des chiens d'arrêt. Nous établissons un système. Si les Fantasmas – appareils armés – sont dans les parages, nous devons sortir de nos cabanes et être prêts à nous enfuir. Si c'est un avion d'observation comme notre ami des hauteurs, nous pouvons nous détendre.

Il y a une conséquence positive de l'épisode de la preuve de vie. Pendant qu'on nous filmait, nous avons demandé qu'on nous rende le droit de nous réunir et de discuter, et, si Ferney ne l'a pas officiellement validé, dans les faits, l'interdiction de communiquer est levée. Les gardes ne sont plus constamment derrière nous et ils nous parlent même plus fréquemment. Quant aux harnais, nous devons toujours les porter, mais nous ne sommes plus attachés à un arbre.

Grâce à cette nouvelle liberté, nous prenons à nos dépens quelques leçons d'entomologie et de botanique souvent douloureuses. Nous sommes constamment piqués ou mordus par une bestiole. Si ce ne sont pas les *tábanos* (les taons), les *montas blancas* (sorte de mouche) ou les *jejenes* (petites mouches de sable à la morsure cruelle), ce sont les tarentules, les scorpions et les fourmis légionnaires, les *yanaves* ou *congas*. Sortir uriner, c'est un peu la roulette russe : on ne sait jamais ce qui s'est logé dans les bottes que vous enfilez dans le noir. Sans oublier les guêpes, le pire étant de s'enfuir et de perdre l'équilibre. Quand on se rattrape à un arbre, mieux vaut que ce ne soit pas du houx, ni tomber sur une colonne des fourmis qu'il abrite, et dont la morsure est pire qu'une décharge électrique.

Rares sont les FARC qui s'intéressent à la nature. Pour eux, tout se répartit en catégories opposées : d'un côté ce qui est comestible et inoffensif, de l'autre ce qui est vénéneux, venimeux et dangereux. Étant donné les circonstances, c'est une distinction judicieuse. Au terme de notre séjour au Deuxième Camp de Boue, cela fait presque neuf mois que nous sommes avec les FARC et certains de leurs comportements nous étonnent encore. Aux repas, nous leur proposons d'utiliser nos cuillers, mais ils préfèrent manger avec les doigts. Quand ils nous serinent leur propagande et prétendent qu'une fois maîtres du pays ils mettront fin à la corruption, nous leur demandons comment ils procéderont, étant donné qu'ils passent leur temps à se voler mutuellement. Leur idéal d'une Colombie meilleure, c'est un appartement et une télévision pour tous. En revanche, ils sont incapables de nous expliquer comment ils comptent s'y prendre.

Pouvoir de nouveau parler nous permet de nous entretenir intellectuellement. Nous avons emporté les magazines et documents que nous a donnés Botero, et nous passons notre temps à les lire et relire. Le livre de Grisham est le seul ouvrage où nous trouvons un semblant de logique qui rappelle le monde dont nous venons. Keith et Marc le dévorent durant les premiers jours. Privé de lunettes, je n'y vois rien, et ils me font la lecture tour à tour. Et nous recommençons dès que nous l'avons terminé. C'est une manière de nous évader de cette jungle.

Quelques mois plus tard, Mono JoJoy nous rend visite et annonce que nous allons être déplacés dans un autre camp, où nous serons en compagnie des prisonniers politiques. Nous devinons sans peine qui nous allons y trouver, étant au courant des nombreux enlèvements qui ont eu lieu avant le nôtre. Nous n'aurions jamais imaginé que les précieux otages des FARC puissent être réunis au même endroit et nous sommes ravis des possibilités que cela nous offre. Nous avons hâte de les retrouver : soudain, après des mois de solitude à trois, nous allons avoir la compagnie de nos semblables.

Malgré les incertitudes que cela implique, nous sommes convaincus que ce nouveau camp ne peut que nous apporter du positif. Plus de monde et de liberté, moins d'ennui. Et, comme d'habitude, nous allons tomber de haut.

7

CARIBE
OCTOBRE-DÉCEMBRE 2003

MARC

Le 20 octobre 2003, nous arrivons dans ce nouveau camp que nous avons hâte de découvrir. Il ne faut pas longtemps pour que notre impatience laisse place à l'angoisse. Nous découvrons un vaste ensemble entièrement ceinturé par un grillage surmonté de barbelés. À intervalles réguliers autour de cette enceinte, se dressent six postes sur pilotis qui abritent des gardes armés d'automatiques. À l'intérieur, une deuxième clôture en grillage forme un enclos où trône un bâtiment de la taille d'un double garage. Nous sommes saisis par cette réalité implacable : pour la première fois, nous nous trouvons dans un endroit qui ressemble aux photos que j'ai vues de camps de prisonniers de guerre. Et pas le genre propret comme dans les films hollywoodiens, mais plutôt la version délabrée.

Sombra, pressé, nous fait faire le tour de la clôture. Nous apercevons des civils vautrés dans des hamacs. Ils nous voient mais ne réagissent pas. Plus loin, nous avisons une cour et un autre bâtiment devant lequel des hommes rassemblés nous regardent. De la musique et des voix s'échappent de l'intérieur. Nous continuons notre tour jusqu'à la grille principale, où deux sentinelles impassibles montent la garde à côté d'un bureau et d'une chaise.

Pendant que nous attendons qu'on ouvre cette grille, un des prisonniers, aussi déguenillé que les autres, qui a des airs de Robinson Crusoé avec ses cheveux jusqu'aux reins et sa barbe interminable, nous salue poliment en espagnol.

Une vingtaine de prisonniers sortent du bâtiment et accourent vers le grillage. Leurs vêtements aussi sont en loques. Je leur demande en espagnol depuis combien de temps ils sont là. L'un d'eux me répond dans un anglais correct, malgré son fort accent, qu'ils sont détenus depuis quatre à six ans selon les cas.

Mon estomac se noue. Ils sont dans un sale état. L'un d'eux a des plaques rougeâtres dans le dos, d'autres des dents en moins, certains sont dégarnis et voûtés. J'ai pitié d'eux avant de songer que je risque de connaître le même sort.

Nous pensons que nous allons faire partie de ce groupe, mais Sombra nous entraîne et reprend l'exhibition triomphale de ses précieux prisonniers autour du camp. Nous arrivons devant un autre enclos où sont accrochées des chaînes. Personne n'y est attaché, mais il est évident que c'est une prison. Nous retournons à la grille. Nous attendons d'entrer quand une femme, mince et aux longs cheveux, arrive à grands pas, suivie d'une demi-douzaine d'autres détenus. Nous suivons Sombra à l'intérieur et nous voyons que la femme et son groupe sont enfermés dans un autre enclos grillagé.

On s'apprête à nous y faire entrer quand elle déclare à l'un de ses compagnons en espagnol :

– Il n'y a pas de place ici. Qu'est-ce que nous allons faire ? Il faut leur dire.

— Ingrid, nous allons agir avec eux comme avec toi, nous allons les accueillir parmi nous, répond-il.

Nous n'avons pas besoin d'entendre son prénom pour savoir que la femme qui refuse que nous soyons logés dans le même enclos qu'elle est Ingrid Betancourt. Elle a été enlevée par les FARC un peu plus d'un an avant notre accident. Keith a d'ailleurs participé à une mission de reconnaissance aérienne pour la retrouver, par égard pour le pays qui nous accueille. Il s'est étonné à l'époque qu'on ait fait appel à un sous-traitant américain pour cela et non à l'armée colombienne.

J'ai appris son enlèvement quand j'étais encore aux États-Unis. Comme j'étais sur le point de partir pour la Colombie à l'époque, tout ce qui avait trait au pays m'intéressait. Plus tard, à Bogotá, j'ai vu une immense affiche avec une photo d'elle portant les mots LIBÉREZ INGRID. Quand on voit un visage géant placardé ainsi, on ne l'oublie pas.

Ingrid Betancourt est une personnalité politique franco-colombienne, sénatrice et candidate à la présidentielle de 2002 pour le parti écologiste Oxygène dont elle est la fondatrice. Peu après l'abolition de la zone démilitarisée, elle s'est rendue dans cette région dangereuse, en dépit des mises en garde du gouvernement et de l'armée. C'est là que sa voiture a été arrêtée à un barrage des FARC, qui l'ont capturée. Elle appartient à une famille en vue et elle a connu son premier mari à Sciences Po, qu'ils fréquentaient l'un et l'autre à Paris. Membre du corps diplomatique français, il l'a emmenée dans ses nombreux voyages.

Mais, à en croire l'accueil qu'elle nous réserve, la diplomatie n'est pas sa qualité première. Sans prêter attention aux paroles de son compagnon, elle répète sa déclaration à Sombra. Je suis particulièrement surpris qu'elle lui donne quasiment un ordre :

— *Póngalos en alguna parte más.*

« Mets-les ailleurs. » Je n'ai pas besoin de parler couramment espagnol pour le comprendre, surtout qu'elle s'adresse sèchement à lui et que Sombra la regarde avec un air dégoûté. Étonnamment, il cède à la pression d'Ingrid et accepte de la suivre dans le bâtiment d'où elle est sortie avec ses compagnons pour discuter de la question. Nous entendons deux voix de femmes lui crier dessus. Peu après, Sombra ressort et passe devant nous sans un mot.

Nous sommes stupéfaits. Ce n'est pas ainsi que nous pensions être reçus, on vient de nous rejeter ni plus ni moins. De l'entrée, nous jetons un coup d'œil dans le bâtiment. C'est un palace comparé à ce que nous avons connu et, même en ajoutant trois couchettes de plus, il reste amplement assez de place pour tout le monde. Nous restons là comme des visiteurs importuns. J'essaie de garder mon sang-froid et leur accorde le bénéfice du doute. Comment aurais-je réagi moi-même en pareil cas ? Différemment, je crois. J'espère qu'une fois passée la surprise de notre arrivée, ils seront plus chaleureux.

Au total, ils sont sept prisonniers colombiens. Ils discutent entre eux à voix basse.

— En tout cas, me glisse Keith, c'est toujours mieux que s'ils venaient nous flairer.

Au bout d'un moment, les Colombiens viennent nous saluer. Cette fois, ils ont l'air sincèrement heureux de nous voir, même Ingrid, qui me dit dans un anglais parfait :

— Nous sommes heureux de votre arrivée. Savez-vous ce que nous allons faire ce soir ? Une fête. Nous allons danser.

Elle sourit et s'éloigne. Pour quelle raison cette femme a-t-elle changé aussi radicalement d'attitude envers nous ? Est-ce parce que son quotidien a été brusquement dérangé ?

Je suis tout de même troublé. Nous avons hâte de discuter avec des gens nouveaux, surtout qu'ils parlent anglais, ce qui nous arrange, Keith et moi. Nous sommes également ravis qu'ils aient des radios, et donc un contact avec le monde extérieur.

— Vos familles vont bien, nous les avons entendues à la radio, annonce Ingrid à Keith et à moi.

Tom est en train de parler à d'autres prisonniers pendant qu'Ingrid nous explique : comme il y a beaucoup d'otages en Colombie, plusieurs stations de radio ouvrent leur antenne aux familles et aux amis pour qu'ils transmettent des messages, diffusés généralement la nuit ou très tôt le matin.

— Comme les otages, ce n'est pas bon pour les affaires et ça n'attire pas les publicitaires, ils sont obligés de diffuser à des heures de faible écoute, ajoute-t-elle en souriant.

Je réponds que cela n'a aucune importance et que je suis prêt à veiller vingt-quatre heures sur vingt-quatre et sept jours sur sept pour entendre les miens.

— Cela en vaudrait la peine, me répond-elle. Le message de votre mère passe constamment. On sent qu'elle vous adore. Ma mère est pareille.

Elle nous explique que nos familles veulent nous faire savoir qu'elles vont bien et que notre employeur s'occupe d'elles. C'est un grand soulagement pour nous, car nous nous en inquiétions depuis le crash.

Cependant, il y a plus d'angoisse que de joie dans l'air. C'est un peu comme lors de l'épisode de la preuve de vie : nous sommes submergés par l'abondance de nouvelles. Tout le monde nous parle en même temps, mais nous restons concentrés sur elle parce que nous n'avons pas besoin de traduction. Elle nous présente à un petit monsieur très digne du nom de Luis Eladio Pérez, que tout le monde surnomme Lucho. Il lui passe un bras autour de la taille et se joint à la conversation comme si nous étions à un cocktail.

Ils nous mettent au courant de la possibilité de négociations de paix, échanges d'otages et libérations. Nous leur faisons confiance, étant donné que ce sont des personnalités politiques colombiennes qui connaissent les parties en présence. Ils ont l'air convaincus qu'Ingrid va être relâchée sous peu. D'ailleurs, elle pense que le camp où nous sommes a été construit uniquement parce qu'elle va être libérée et que les FARC veulent qu'elle voie les otages les plus importants pour attester après sa libération qu'ils sont sains et saufs.

— Tu y crois, toi ? me fait Keith une fois qu'elle a le dos tourné. Cette fichue princesse croit que les FARC lui ont construit un château pour elle toute seule. Pour qui elle se prend ?

C'est en effet curieux. En réalité, elle n'est qu'une otage parmi les centaines de Colombiens captifs des FARC. Que sa capture soit passée aux infos aux États-Unis indique qu'elle est l'une des plus importantes. Mais peu m'importe : elle a manifestement réfléchi à la manière dont elle nous a d'abord accueillis et a ensuite fait bonne figure. Elle nous a donné des nouvelles positives et c'est ce qui compte. Mais elle s'est mis Keith à dos. Il maintient qu'entre otages nous devons nous traiter avec autant de dignité et de respect que possible pour atténuer les sévices des FARC. De mon côté, je préfère attribuer la réaction d'Ingrid à la surprise et passer l'éponge.

Après quoi on nous laisse le temps de nous installer, mais nous avons à peine terminé qu'une autre femme vient nous voir. Elle se présente comme Clara Rojas et veut discuter des horaires de la douche. Elle est menue, presque fragile, et son sourire rayonnant mais nerveux apparaît et disparaît sans rapport avec ce qu'elle dit. C'est la directrice de campagne d'Ingrid et elle a été enlevée en même temps qu'elle. Comme elle parle en espagnol, je ne comprends pas très bien, mais elle a l'air très agitée. D'après ce que j'entends, la moitié de ses phrases commence par *Ingrid.*

Quand elle en a terminé, Tom explique qu'Ingrid et Lucho ont carrément décrété dans quel ordre chacun prend sa douche et que nous devons nous laver aux horaires restants. Idem dans l'organisation de notre logement : nous arrivons dans un territoire déjà occupé et nous devons nous glisser là où nous le pouvons. Si l'extérieur paraît régi par Ingrid et Lucho, au moins la cabane est assez grande pour nous accueillir tous les dix, chacun disposant du même espace.

Tom est d'une aide précieuse pour la compréhension du système mis en place ici. Avant d'arriver à ce que nous appellerons le Camp Caribe – nom de l'espèce de piranhas abondants dans les eaux voisines –, il nous a expliqué que les Colombiens ont avec les Américains une relation d'amourhaine. Nous sommes dans leur pays et, maintenant, nous venons d'« envahir » leur camp. Tout au long de leur vie, les Colombiens entendent dire que c'est d'Amérique que viennent les meilleures choses du monde. Selon Tom, ils considèrent Disney World comme une destination de choix et Miami comme le centre du commerce et de la finance. Pour Tom, beaucoup de Colombiens, notamment ceux des classes aisées comme Ingrid et Lucho, en veulent aux États-Unis de se poser comme le pays de tous les possibles.

Cela établi, et comprenant qu'à bien des égards nous sommes des étrangers, nous devons marcher sur des œufs et laisser les choses s'organiser d'elles-mêmes. Nous avons réussi avec les FARC en nous contentant de nous comporter aussi respectueusement et humainement que possible. Nous ne voyons aucune raison de modifier notre approche, surtout que nous avons affaire ici à des compagnons d'infortune et non des ennemis. Je ne pense pas qu'aucun de nous trois ait un sens particulièrement aigu de l'équité et de la justice, mais apparemment c'est le cas, en comparaison de certains de ces sept codétenus.

S'installer dans un lieu où séjournent déjà d'autres détenus se révèle une expérience intéressante, un peu comme un nouveau qui arrive dans une école, et doit identifier les enfants sympas et savoir qui est ami avec qui. Il nous faut du temps pour connaître tout le monde et apparemment nous ne les voyons pas du même œil. Je flaire l'entourloupe quand un des Colombiens, Orlando, vient me confier qu'il y a eu une querelle la veille concernant l'emplacement de nos couchettes. Nous pensions cela réglé, mais Orlando nous dit que Clara essaie de demander trois lits superposés aux FARC pour libérer de la place. Nous ne savons pas si nous devons le croire, puisque Clara ne nous a rien dit de tel. Orlando a l'air de la détester, mais pourquoi ? Je note mentalement que je dois garder ce type à l'œil.

Tous nos codétenus ne sont pas des énigmes. Consuelo González de Perdomo semble partager notre vision des choses. C'est une députée élue depuis un an qui a été enlevée en 2001. Elle nous raconte qu'elle représentait Neiva, un district rural, et qu'avant elle était institutrice. Ironie du sort, elle est issue d'une famille de gauche qui a les opinions les plus anti-américaines de tous nos nouveaux compagnons. Malgré cela, elle nous traite bien. Consuelo est très pieuse, c'est une mère dévouée qui parle beaucoup de ses enfants, qui ont une vingtaine d'années, avec les larmes aux yeux. Cela dit, elle est toujours très digne et réservée, sauf quand nous jouons au *banco russo*, un jeu de cartes qu'elle nous apprend et où elle adore nous flanquer une dérouillée.

Keith et moi sentons dès le début que nous pouvons nous fier à elle. En plus, elle a une voix chantante, et quoi qu'elle dise, c'est agréable à entendre. Sa foi religieuse n'est pas étrangère à sa gentillesse à notre égard, mais elle possède une bonté naturelle. Son mari est un exploitant de laiterie qui a réussi et s'est fait tout seul. Nous n'avons aucune peine à nous trouver des points communs en raison de ses valeurs et du milieu dont elle est issue.

Un ou deux jours après notre arrivée, nous passons un moment avec Jorge Eduardo Gerchen Turbay et Gloria Polanco. Ils sont manifestement très proches. C'est l'enlèvement de Jorge avec le détournement d'un vol commercial d'Aires Airlines en février 2002 qui a amené le président Pastrana à mettre fin aux négociations de paix, à abolir la zone démilitarisée et à multiplier les actions contre les FARC. Comme c'est un homme politique très respecté, il a été très activement recherché par l'armée colombienne, contrairement à Ingrid. Dès le premier instant, nous comprenons pourquoi cet homme qui nous prie de l'appeler simplement Jorge est si apprécié. Calme, digne et aimable, il paraît beaucoup plus âgé que Tom alors qu'il n'a qu'un an ou deux de plus. Le milieu dont il est issu ne l'a pas préparé à la vie dans la jungle. Ses épais cheveux ont grisonné et le font paraître plus vieux, mais il semble en mauvaise santé et marche difficilement, étant affligé de douleurs dans le dos.

Gloria est aux petits soins pour lui. Nous l'admirons pour cela, surtout avec ce qu'elle a enduré elle-même. Son mari, Jaime Lozada, a été gouverneur de Huila, l'un des trente-deux départements que compte le pays. Ils habitaient à Neiva, la capitale, quand les FARC ont pris pour cible leur immeuble, dont ils ont enlevé de nombreux occupants en juillet 2001. Les portes des appartements ont été dynamitées, mais, Jaime

Lozada n'étant pas chez lui à ce moment-là, les FARC ont pris en otages Gloria et deux de leurs fils adolescents, Jaime Felipe et Juan Sebastian, pour qui ils ont demandé une rançon.

Nous retrouvons entre Lucho et Ingrid le dévouement de Gloria pour Jorge. Dans d'autres circonstances, Lucho mériterait toute notre admiration. C'est un politicien qui a commencé sa carrière comme ambassadeur au Paraguay. Après avoir quitté le corps diplomatique, il est devenu gouverneur du département de Nariño puis sénateur. Il était en pleine campagne dans le sud quand les FARC ont volé son véhicule. Accompagné de son garde du corps, il est allé le réclamer dans l'un des villages tenus par les FARC, qui l'ont enlevé et ont gardé le véhicule. Avec ses traits anguleux et sa barbiche grisonnante, Lucho a des airs de loup, et ses yeux vifs et clairs lui donnent en permanence un air méfiant.

Malgré leur statut, nos nouveaux compagnons ne nous impressionnent pas. Alors que jusqu'ici nous ne devions nous inquiéter que de la dynamique régnant parmi nos gardes, ici nous devons prendre conscience de tout un nouvel ensemble de relations. Si nos débuts houleux nous ont appris quelque chose, c'est qu'au Camp Caribe la clé, c'est d'identifier à qui on peut se fier.

KEITH

Ce premier jour avec les politiques me remet en mémoire l'une des nombreuses phrases que m'a enseignées ma mère : « On finit toujours comme on a commencé. » En d'autres termes, il ne faut pas juger trop précipitamment les gens, mais à la fin on s'aperçoit souvent que la première impression était la bonne.

Je ne suis pas un génie et n'ai aucun talent particulier dans ce domaine, mais même moi, je vois presque aussitôt ce qu'il en est au Camp Caribe.

Je dois reconnaître à Ingrid d'avoir le cran de venir me voir le troisième jour pour m'annoncer qu'elle a de nouveau demandé aux FARC de nous loger ailleurs. Je suis furieux et je le lui dis, mais d'autant plus parce l'un des gardes en qui j'ai confiance m'a appris qu'elle a envoyé à Sombra un mot disant qu'elle ne veut pas de nous dans son enclos parce que nous sommes des agents de la CIA. De plus, Lucho et elle en envoient un autre, prétendant que nous avons des implants électroniques dans le sang et que les FARC doivent se méfier de nous.

Je suis effaré que des codétenus puissent nous mettre en danger ainsi. Ce sont des sénateurs et, aux yeux des FARC, une précieuse monnaie d'échange. En plus, ces gens ont fait des études. Les simplets qui nous détiennent savent que Lucho et Ingrid sont intelligents et ils pourraient très bien les croire. Nous pourrions être exécutés simplement parce qu'elle a besoin d'espace. C'est irresponsable et imprudent ; je suis hors de moi. Heureusement, Marc et Tom me raisonnent et je parviens à contenir ma fureur.

Un peu plus tard dans la journée, nous décidons d'aller voir les autres pour discuter de la nouvelle organisation. Notre arrivée a suscité des tensions et cela ne réjouit personne. Aussi, nous nous installons dans la cabane pour discuter franchement des problèmes et trouver une solution. D'emblée, Lucho déclare qu'il faut remédier au plus vite à la situation et propose que chacun expose tour à tour son point de vue sur les autres afin qu'il n'y ait pas de secrets.

S'ensuit un déluge de doléances à notre encontre. Je ne vois pas en quoi notre odeur ou le fait que nous portions ou non des sous-vêtements a un rapport avec la question. Je les laisse geindre et se défouler jusqu'à ce que, soudain, Lucho se mette à hurler :

— ¡ *No hay putas aquí !*

Je ne comprends pas pourquoi il parle de putes, Tom essaie de traduire, mais Lucho braille tellement que je n'entends rien.

Je me tourne vers Ingrid, qui m'explique que Lucho est en train de la défendre. Je ne vois pas de quoi, et la seule réponse logique est qu'il croit que nous n'avons tous les trois qu'une idée en tête : coucher avec les femmes présentes.

D'après son comportement j'ai bien compris que Lucho n'a qu'une envie : protéger Ingrid. Il n'est pas sûr de sa position dans la meute, nous sommes les nouveaux, et il a besoin de défendre son territoire. Il nous perçoit comme une menace, mais je n'arrive pas à admettre qu'il nous considère comme un trio de voyous qui voient la présence de femmes dans un camp comme une invitation à la débauche. Pire, je subis un sermon de moralité dans la bouche d'un type qui est marié et que nous avons vu témoigner des marques d'affection sans équivoque à Ingrid. Comme j'en ai par-dessus la tête, je sors.

Marc et moi en discutons plus tard. Comme d'habitude, Marc étant d'un tempérament plus calme que moi, il réussit à m'apaiser. Nous sommes tous les deux offensés par les insinuations de Lucho ; nous ne comprenons pas ce qui les a motivées. Peut-être que c'est un truc de macho latin. Ou une défense. Quoi qu'il en soit, ce n'est pas logique.

Je me rappelle qu'avant notre départ pour Camp Caribe Smiley m'a confié que nous allions dans un endroit où il y avait des *viejas*, des dames, comme on dit par ici, quel que soit leur âge. Qu'elles sont quatre et que nous pourrons coucher avec elles. Je ne sais pas pourquoi il m'a raconté cela, mais je me souviens aussi que Sombra nous a mis en garde contre Ingrid, il considère qu'on ne peut pas lui faire confiance et que c'est une vipère.

Les pièces du puzzle se mettent en place. Nous avions tendance à considérer Sombra comme un imbécile. Il nous en a amplement donné la preuve, mais il a également démontré que, parfois, il peut être manipulateur. Si Sombra et Smiley nous ont suggéré que nous allions dans un camp où il y a des femmes avec qui nous pouvons coucher, peut-être ont-ils raconté le même genre de bobards aux Colombiens. Tout cela dans le but de diviser pour mieux régner, une tactique aussi ancienne que les Romains. Un camp où les détenus se chamaillent est plus facile à contrôler. Si nous sommes unis, nous les menaçons davantage. C'est une technique psychologique classique de camp de détention et nous en sommes victimes.

Même si j'adopte cette explication, je ne pense pourtant pas que les mesquineries dont je suis témoin soient uniquement le résultat des manipulations des FARC. Sombra a peut-être embrouillé intentionnellement la situation, mais cela n'explique pas les comportements égoïstes que je vois : des gens qui se querellent pour accaparer les rares ressources à notre disposition. Nous avons détesté chaque seconde que nous venons de passer dans la boue ces deux derniers mois. En comparaison, ce nouveau camp, si horrible soit-il, est un quatre étoiles, et pourtant, devant toutes ces chamailleries, j'en arrive à regretter la boue et l'isolement.

Pour ne rien arranger, les liens qui nous unissent tous les trois se distendent. Nous avons toujours répété que nous resterions unis, mais au Camp Caribe nous sommes un peu comme un couple jeté au milieu d'une secte polygame et, du coup, en plus des tensions avec nos nouveaux compagnons, nous sommes tous les trois divisés. Il y a d'abord la barrière de la langue. Comme Tom parle espagnol, il peut communiquer avec les autres, contrairement à Marc et moi. Il apprécie vraiment leur compagnie, alors que nous nous sentons sur la touche. Depuis le début, c'est sur Tom que Marc et moi comptons pour nous tenir informés de ce qui se passe et nous ne considérons pas ce besoin de comprendre comme une charge supplémentaire pour lui. À ce stade de notre « mariage », c'est un peu comme si nous avions adopté des habitudes. En gros, Marc et moi prenons la capacité de Tom à traduire comme un dû et nous ne lui demandons plus de le faire ni ne le remercions pour cela.

Évidemment, sur le moment, je ne vois pas la situation sous cet angle. Je songe que, durant le voyage en bateau vers ce nouveau camp, Tom a arrêté de traduire, qu'il a beaucoup parlé avec Sombra et même plaisanté. Cela ne m'a pas plu. Je n'ai pas envie de me lier avec Sombra ni que Tom devienne son pote. En fait, il est tout simplement fidèle à lui-même : c'est quelqu'un de sociable, mais son approche est différente de la mienne. Les FARC sont l'ennemi et nous ne devons utiliser les gardes qu'à notre avantage, pas plus. Tom n'a pas franchi une limite ou mal agi, mais l'épisode du trajet en bateau focalise ma colère et ma frustration. Je suis furieux de devoir me reposer sur Tom pour l'une des caractéristiques fondamentales de l'être humain : communiquer. C'est comme d'avoir la jambe cassée et d'attendre que l'on vous apporte à manger.

Cela empire une fois au Camp Caribe, quand je vois Tom se lier avec les Colombiens. C'est inoffensif, mais cela m'inquiète. La mise en garde de Sombra envers Ingrid est peut-être un mensonge, mais, après avoir vu comment elle se comporte, je n'ai pas besoin qu'on me dise que c'est une vipère. Je constate chez elle ce que certains qualifient de charme ou de charisme, mais j'ai vu aussi comment elle est passée de garce énervée à hôtesse accueillante en l'espace de quelques minutes. Je sais qu'elle n'est pas folle, mais astucieuse. C'est une politicienne. Je sens qu'elle a compris qu'elle n'a aucun intérêt à continuer à nous affronter ouvertement et, une fois la décision prise de nous laisser séjourner dans leur enclos, elle a dû rectifier le tir. Cette femme est maligne.

Outre ma défiance à son égard, je sais qu'en captivité, dans les relations humaines, que ce soit avec les gardes ou les codétenus, le savoir est une monnaie et un pouvoir. Devoir demander une traduction à chaque instant, être conscient que tout le monde sait que je ne comprends pas, c'est pénible. Nous arrivons dans un lieu où nous sommes dépassés par le nombre. Je n'ai pas imaginé que nos relations avec les autres pourraient être conflictuelles, mais Ingrid et Lucho nous font clairement comprendre dès le début qu'ils sont d'un côté et nous de l'autre. Ils estiment jouir d'un avantage parce qu'ils sont là depuis plus longtemps et que c'est leur pays. Et moi je ne suis pas d'accord.

Quand je confie mes réserves à Tom, il se fâche. Il croit que je lui dicte sa conduite. Ce n'est pas la première fois que nous nous chamaillons. Il est intelligent et trouve normal qu'il y ait une lutte de pouvoir dans un groupe. Dès lors, il essaie de balayer mes inquiétudes. Certes, il a passé plus de temps en Amérique latine que moi et il appréhende mieux la région et ses coutumes. Il m'explique qu'en Colombie les classes supérieures se comportent d'une certaine manière avec les gens issus d'un autre milieu, mais je ne veux rien entendre. Je suis américain et je compte bien me comporter en Américain où que je sois dans le monde, point barre. Tom est sur la défensive, il juge contre-productif mon entêtement. Nous nous dressons l'un contre l'autre alors que nous avons le même objectif.

Il y a clairement une hiérarchie ici : Ingrid et Lucho en haut, suivis de Gloria et Jorge, puis des trois autres, Clara, Consuelo et Orlando, un type avec qui je m'entends aussitôt, étant comme lui extérieur à cette clique. Pour moi, Orlando Beltrán, surnommé le Félin, est un politicien jusqu'au bout des ongles, mais du genre généreux. Le premier jour, voyant que je n'ai qu'un seul tee-shirt trop petit qui part en lambeaux, il fouille dans ses nombreuses affaires sous son lit et en trouve un à ma taille.

Orlando est député, il a été enlevé en 2001. C'est un grand gaillard de près d'un mètre quatre-vingt-deux, carré et bien bâti. Il doit son surnom à ses manières discrètes et à sa démarche. Je ne lui demande pas comment il a fait pour amasser autant de tee-shirts, mais j'ai ma petite idée. D'après nos premières conversations, il est évident qu'Orlando est le genre qui adore conclure des marchés et qui en cherche toujours de nouveaux.

Je me rendrai compte avec le temps que c'est le seul homme célibataire du groupe. Comme Lucho et Ingrid, Jorge et Gloria sont tout le temps fourrés ensemble. Il est évident que si elle est pour lui une sorte d'infirmière, son rôle va beaucoup plus loin. Je n'ai pas oublié ce que Tom m'a dit sur les us et coutumes différents, mais quand on voit des gens s'embrasser et se caresser, on a tendance à en tirer des déductions sur la nature de leurs relations.

Nous ne voyons pas Clara et Consuelo agir ainsi avec aucun homme, ni dormir avec l'un d'eux, comme c'est le cas pour Ingrid et Lucho ou Gloria et Jorge. Si nous ne tenons pas la chandelle, nous avons notre petite idée sur la nature de ces

« couples ». Nous nous en moquons : ce sont des adultes consentants. Ce qui nous déplaît, c'est que ces relations se transforment en jeux de pouvoir pour contrôler certains aspects du quotidien. Faites ce que vous voulez, mais ne me marchez pas dessus.

C'est pour cette raison qu'Orlando, comme Marc, Tom et moi, me semble légèrement en dehors de leur cercle. Il est un peu méprisé car, comme Consuelo, il ne fait pas partie de la classe supérieure. C'est un homme du peuple, mais il n'en est pas moins capable de soutenir une discussion politique avec les autres, quel que soit le sujet. Comme nous, il reste aux aguets et analyse rapidement la situation.

Il semble qu'il n'y a pas de hiérarchie entre Marc, Tom et moi, mais, quand nous arrivons dans ce nouveau milieu, je sens que nous courons un grand risque de nous retrouver du mauvais côté du manche à la moindre occasion. Je décide de rééquilibrer les choses. Étant le plus costaud et celui qui parle le plus fort, je peux être perçu comme le mâle alpha, position qui me convient. Mes compagnons m'ont toujours dit qu'ils n'aimeraient pas que je leur en colle une, mais ils ne courent aucun danger de ce côté. Je me défends quand on m'attaque, c'est tout.

Si l'on ajoute à ce mélange explosif de personnalités et d'intérêts le fait que nous sommes dans un espace exigu, c'est un miracle s'il n'y a pas d'affrontements quotidiens. Chez moi, quand je suis énervé, je saute sur ma moto et je pars faire un tour, mais ici on ne peut pas aller bien loin.

Après notre petite dispute, Tom et moi ne nous adressons pas la parole pendant quelques jours, histoire de mettre une distance entre nous. Désemparé, Marc s'efforce de ne pas prendre parti, et nous lui en voulons. Nous ne sommes pas des saints et sûrement pas des moines bouddhistes capables de rester sereins en permanence. Nous sommes des individus dans une situation merdique et parfois nous nous comportons en salauds.

Les jours suivants, nous continuons de lutter contre Ingrid pour notre territoire et nous constatons son incroyable exigence de privilèges. Le jour où les FARC nous apportent des matelas, elle est furieuse qu'on lui en donne un bleu ciel, parce que c'est une couleur où les taches de boue se verront trop. Nous sommes sur le cul. Nous avons dormi dans la boue, sur des planches ou des couches de palmes pendant presque un an et cette femme nous fait le coup de la Princesse au petit pois.

Plus tard le même jour, Tom trouve un endroit où accrocher son hamac à l'extérieur et commence à l'attacher. Je vois Ingrid et Lucho assis sur leur banc dans la portion de la cour qu'ils revendiquent comme la leur. Tom empiète sur leur espace. Ils commencent à chuchoter en lui jetant des regards assassins. Au lieu d'aller lui parler, ils vont dans la cabane chercher leurs draps et les étendent juste à côté pour qu'ils claquent sous le nez de Tom.

Marc assiste avec moi à la scène, et je profite de l'occasion pour faire la paix avec lui. Nous devons nous serrer les coudes.

Ingrid et Lucho ont observé nos dissensions. Tom s'est aventuré en solitaire en terrain miné. Le couple profite de l'occasion et lui saute dessus, Ingrid lui reprochant de ne pas avoir demandé l'autorisation à Lucho avant d'installer son hamac. Tom, qui est un gentil et cherche toujours à s'entendre avec tout le monde, essaie de les raisonner.

Malgré nos chamailleries passées, Marc et moi allons soutenir Tom. Nous intervenons et expliquons à Ingrid et à Lucho que personne n'a à demander d'autorisation pour installer un hamac, surtout à deux individus qui revendiquent comme leur propriété la moitié du terrain qui nous est dévolu. Nous ne haussons pas vraiment le ton, mais, comme Tom, nous raisonnables cherchons un terrain d'entente. Lucho et Ingrid en font un tel drame que Rogelio, l'un des gardes que nous ne supportons pas, intervient. Il les fait baisser d'un ton, puis prend notre parti et conclut qu'Ingrid a besoin d'apprendre à respecter les autres. C'est un grand moment : tous les autres assistent à la scène et, durant notre bref séjour ici, c'est la première fois que nous voyons Ingrid se faire remettre à sa place par un garde.

La situation entre nous trois s'améliore sans que nous ayons besoin de parler. C'est clair pour nous : nous sommes des frères. J'aurais aimé que, par la même occasion, Ingrid et Lucho apprennent à nous respecter et descendent un peu de leur piédestal, mais ce n'est pas le cas. C'est dans leur nature, ce sont des politiciens habitués depuis tellement longtemps à se tresser des couronnes de lauriers qu'ils finissent par croire eux-mêmes à toutes les qualités qu'ils se prêtent.

D'une certaine manière, ils sont en campagne et nous sommes des électeurs. Ils nous disent ce que nous voulons entendre et n'ont aucun scrupule à mentir. Dès la première réunion, où nous étions censés discuter de l'amélioration de notre quotidien, Ingrid a nié avoir demandé que nous soyons logés ailleurs, alors que nous l'avons entendue de nos propres oreilles. Dès qu'il ouvre la bouche, Lucho ne perd pas une occasion d'affirmer sa conviction qu'Ingrid sera présidente une fois relâchée.

— Il est chaud, ce café ? demande-t-il par exemple. Eh bien, quand Ingrid sera présidente, après sa libération, tout le monde aura du café chaud.

Ils passent leur temps à comploter ensemble et à décider de ce que sera la future Colombie. Malgré son cirque, les ragots et les coups bas qui sont partout son quotidien, je dois admettre que cette femme réussit à obtenir des avantages pour tout le monde. La cabane n'a qu'une porte sans fenêtre et une minuscule meurtrière sur un côté. Elle se plaint de la pénombre sinistre qui y règne, et les FARC rappliquent aussitôt avec des tronçonneuses et découpent une énorme ouverture dans une paroi. Je crois qu'ils font cela pour l'ennuyer, mais nous apprécions tous l'aération et la clarté supplémentaires. Si le parti écolo d'Ingrid est Oxygène, je soutiens au moins cet aspect de son programme.

Finalement, ces premières semaines au Camp Caribe nous enseignent que nous ne devons pas relâcher notre vigilance. Nous ne savons jamais sur quel pied danser avec personne. Je pense que cela vaut pour n'importe quel groupe. Des alliances se forment, des amitiés sont mises à l'épreuve, des décisions sont prises et parfois regrettées. Mais surtout des jugements prennent naissance et, s'ils ne sont pas gravés dans le marbre, je m'en tiens tout de même à l'enseignement de ma mère. Je suis loin de chez moi, mais les mêmes règles s'appliquent.

TOM

Je ne suis pas insensible à ces querelles et je perçois l'injustice qui règne. Nous avons chacun nos limites de tolérance vis-à-vis des gens et des circonstances. Je réagis quand j'ai l'impression que ma limite a été franchie. J'espérais trouver à Caribe des gens intelligents, bienveillants et communicatifs, et c'est le cas pour la plupart. Au total, je trouve que nous sommes mieux lotis qu'avant.

Bon, d'accord, le système de chasse d'eau improvisé par les FARC – il faut jeter un seau d'eau dans la cuvette – se bouche souvent. C'est tout de même mieux que de devoir s'accroupir dans les buissons. Ingrid ou un autre envahit l'espace où vous rangez vos affaires de toilettes ? Je suis déjà bien content de pouvoir prendre des douches – eau froide et marronnasse – et au moins nous marchons sur des planches, nous ne pataugeons pas dans la boue. Nous avons un baquet pour laver nos vêtements et c'est largement mieux que de faire sa lessive au milieu des ordures. L'eau que nous buvons est bouillie et Keith et moi souffrons désormais moins de maux de ventre. Nous ne marchons plus. Nous ne sommes plus entravés. Nous avons le droit de parler. Nous avons le droit de lire : il y a une dizaine de livres disponibles. Nous sommes en mesure de nous tenir au courant de la situation grâce à la radio et aux conversations. Je dors sur un matelas pour la première fois depuis des mois et j'arrive à faire des nuits complètes.

Un captif doit mettre au point ses propres méthodes de survie. C'est mon intention. Ma liste de tâches quotidienne commence toujours par le conseil que Keith nous a donné dès le début : tenir la journée et recommencer le lendemain. Je sais que ce ne peut être aussi facile que cela puisque, chaque jour, j'ai affaire à plusieurs personnes qui ont des priorités et un comportement différents des miens. Mais j'essaie de m'en tenir aux fondamentaux. Et si j'apprécie la compagnie d'Ingrid, avec sa conversation intéressante et son charme, je sais qu'elle veut que je lui donne quelque chose que je lui refuse : le pouvoir. Elle veut régner sur nous tous et, comme j'ai déjà l'impression d'être soumis – aux FARC –, je n'ai pas envie de me soumettre davantage. Les FARC me procurent nourriture, vêtements et logement. Je n'ai pas besoin d'un autre maître parmi mes codétenus, y compris Marc, Keith et les autres Colombiens. C'est très bien que nous nous entraidions, mais personne n'a le droit de me diriger.

À mesure que passent les semaines et les mois à Caribe, il me paraît trop simpliste de voir la situation du point de vue *secuestrados colombianos* contre *secuestrados gringos*. D'abord, nous avons pour ennemi commun les FARC. Ensuite, si nous jugeons le comportement d'un individu ou prenons une décision en fonction de sa nationalité, ce n'est pas seulement faire montre d'étroitesse d'esprit, mais surtout passer complètement à côté de la plaque. Toute réaction émotionnelle est contre-productive. Nous devons penser en termes de justice et de d'honnêteté, de façon à survivre à cet enfer. Nos jugements et décisions sont souvent prononcés en fonction des préjugés et des frontières nationales, mais pas toujours.

L'unique domaine dans lequel les *secuestrados colombianos* ont un avantage incontestable, ce sont les relations avec les geôliers. Je ne pense pas que ceux-ci font preuve de favoritisme envers eux, mais les politiciens ont l'habitude de traiter avec leurs concitoyens. Ils savent mieux que nous comment agir avec eux, voire dans certains cas les manipuler. Par exemple, Orlando employait de nombreux paysans dans l'une de ses entreprises, il a l'habitude d'avoir affaire aux couches défavorisées de la société colombienne. Du coup, il traite avec les FARC bien mieux que nous.

En arrivant ici, nous pensions que les FARC, ayant pour objectif de libérer les plus pauvres et réorganiser radicalement la société colombienne, seraient plus durs avec les politiques. C'est apparemment le contraire. Certains des gardiens témoignent de la déférence à ces Colombiens plus puissants et mieux instruits, leur accordant des avantages. Ainsi, quand des vêtements arrivent au camp, c'est toujours un des politiques qui est appelé pour les recevoir. Keith réclame constamment des vêtements à sa taille. Le jour où arrivent des tee-shirts assez grands pour lui, Gloria et Ingrid se les approprient parce qu'elles les trouvent parfaits comme pyjamas. Ce ne serait pas grave si les politiques partageaient plus équitablement d'ordinaire, mais ce n'est pas le cas. En général, nous avons la portion congrue.

De la même manière, on nous a promis des radios depuis le premier jour. Elles sont nombreuses ici et nous en sommes ravis, quel que soit leur propriétaire. Écouter la radio devient un rituel capital du quotidien, l'unique point commun qui nous réunit tous les dix. Même dans les pires moments, au cœur des disputes mesquines, la règle tacite est de prévenir quiconque reçoit un message des siens. Cela fait seulement deux jours que nous sommes là et nous sommes tous dans la cabane pour écouter une émission appelée *Radio Difusora* qui diffuse des messages le soir. À cette heure, il fait assez sombre pour une bonne réception des ondes courtes, mais pas assez pour gaspiller nos précieuses bougies. Et dans la pénombre, nous entendons la voix claire et assurée de la mère de Marc. Elle lui dit qu'il lui manque, qu'elle l'aime et qu'il doit garder la foi. Qu'il y a « beaucoup d'agitation » du fait que nous sommes dans la jungle. Après quoi elle s'adresse à Keith et à moi, et nous dit que nos familles vont bien et que tout va bien se passer. Nous sommes ragaillardis et nous prenons le « beaucoup d'agitation » pour un signe positif.

Malheureusement, en novembre 2003, nous apprenons à la radio que nous risquons de ne pas être relâchés avant longtemps – si nous sommes relâchés un jour. Le président Uribe annonce qu'il cesse toute négociation pour libérer des otages et que la seule issue est une opération de sauvetage. Il répète ce qu'il a dit en mai à propos des otages exécutés par les FARC lors d'une tentative de récupération : les prisonniers ne seront libérés que par *fuego y sangre* – par le feu et par le sang. Ces paroles glaçantes suscitent un débat ici.

Jorge a déjà entendu Uribe faire de telles déclarations : « L'échec de l'opération de sauvetage ne peut pas être attribué à un manque de volonté politique, mais à un manque d'assistance technique et d'équipement sophistiqué. Nous devons écraser le terrorisme en Colombie. »

Je déclare aux autres que je pense exactement comme Uribe : faute d'expertise et d'équipement adéquats, une telle opération serait dangereuse pour nous tous.

Pour Gloria, Uribe est animé par d'autres préoccupations. Il fait montre de fermeté pour être réélu. Elle n'est pas convaincue que notre situation soit une priorité pour lui.

Lucho l'interrompt.

– C'est exactement ça. Il veut que votre Congrès (il nous désigne Marc, Keith et moi comme si le Congrès américain nous appartenait vraiment et que nous étions responsables de ses décisions) promulgue une loi qui lui fournisse des outils coûteux et sophistiqués pour son armée. Ainsi il pourra contrôler le peuple en faisant une démonstration de force, alors que ce ne sera pas la sienne.

– Vous voulez parler du Predator ? demande Keith. Les drones automatiques évitent peut-être à des gens comme nous de courir des risques, mais je ne crois pas qu'on puisse nous remplacer par le dernier gadget en date.

Je suis obligé d'expliquer de quoi il s'agit et j'ajoute que je suis d'accord. Peut-être que je suis un dinosaure, mais je préfère que les États-Unis donnent aux Colombiens une meilleure formation pour combattre l'insurrection plutôt que de les doter du dernier joujou de la recherche militaire. La conversation continue sur le même thème.

Uribe a également déclaré qu'il espère que des Predator pourront servir aux opérations de sauvetage et nous mentionne nommément comme un moyen de faire fléchir le président Bush et le Congrès. Orlando et Consuelo nous apprennent qu'il y a eu de nombreux débats récemment au Congrès américain sur la viabilité du plan Colombie et des 700 millions de dollars accordés à la Colombie. Finalement, le Congrès a approuvé le financement qui permet la poursuite du programme d'éradication du trafic de stupéfiants, et même étendu ses compétences à la recherche des otages américains et des convois d'armes dans le pays. La mauvaise nouvelle, c'est que plus les FARC sentent le vent du boulet, plus ils risquent de se retourner contre nous. Du coup, une opération de sauvetage induit pour nous le danger d'être exécutés. D'ailleurs, quelques jours après les déclarations d'Uribe, les FARC publient un communiqué annonçant qu'ils liquideraient leurs prisonniers en cas de tentative de récupération.

Nous avons l'impression de n'être que des pions dans l'énorme partie d'échecs entre les États-Unis et la Colombie. La politique régionale colombienne joue un rôle dans notre sécurité. Les politiques nous informent des activités d'une organisation dont nous avons entendu parler sans trop y prêter d'attention : le Groupe des Amis. États-Unis, Brésil, Chili, Espagne, Mexique et Portugal y ont envoyé des délégués qui consultent des représentants de l'Organisation des États américains (OEA) à propos de ce que nos politiciens colombiens appellent le « problème vénézuélien ». Le président vénézuélien Hugo Chávez n'a pas assisté à plusieurs séances destinées à résoudre des problèmes de la région. Nos compagnons semblent aussi inquiets à son sujet que nous le sommes à propos du président Bush et du Congrès.

Marc, Keith et moi en discutons entre nous. Comme les tenues militaires qu'on nous a données portent toutes des étiquettes « made in Venezuela », nous soupçonnons que ce ne sont pas les seules fournitures vénézuéliennes dont bénéficient les FARC. Si nous ne pouvons affirmer que le gouvernement vénézuélien approvisionne les FARC, tout semble l'indiquer. Chávez a tout à gagner du conflit entre les FARC et la Colombie. Plus Uribe est occupé à combattre le terrorisme dans son pays, moins il menace les ambitions d'hégémonie de Chávez dans la région.

En outre, il est évident que les FARC penchent pour Chávez. Dans la propagande dont ils nous abreuvent, le Vénézuélien y a la part belle. À leurs yeux, il est le seul à tenir tête aux Américains et aux autres pays de la région. Ils le comparent à Simón Bolívar, icône de l'histoire sud-américaine. Les FARC voient en lui un homme capable de restaurer la « Grande Colombie », nation composée des pays qui venaient d'être libérés et dont Bolívar fut un temps président. Les FARC ont des rêves de grandeur quand il s'agit de transformer la Colombie. C'est risible qu'ils idolâtrent un personnage qui était tout aussi irréaliste.

Le fait que nous devions prendre en compte un être instable comme Chávez réduit notre espoir d'une libération prochaine et renforce notre inquiétude concernant une opération de sauvetage colombienne. Après la déclaration d'Uribe, nous échafaudons plusieurs plans d'évasion en cas d'arrivée de l'armée colombienne et de réaction des FARC. Derrière les toilettes, nous découvrons un petit espace entre le bas de la clôture et le sol, entre deux poteaux, ce qui permet de distendre le grillage et de se glisser par-dessous. C'est l'option numéro un. Nous cherchons d'autres solutions et Keith repère les grosses citernes d'eau de mille litres qui seraient des cachettes idéales si nous ne pouvons pas parvenir à la clôture. Prévoir est plus important encore que rester informés. Étant capables d'identifier précocement les appareils aériens, nous nous sentons un peu plus en sécurité en sachant que nous avons un plan d'évasion en place.

Les semaines qui suivent sont difficiles et Thanksgiving 2003 est pénible pour tout le monde, surtout Keith, car il sait que sa famille est réunie en Floride, sans lui. Pour Marc, le premier Noël est douloureux. Il s'effondre en entendant des cantiques à la radio. Mais, pour nous tous, ce sont les anniversaires de nos enfants qui nous font le plus de mal, car, chaque fois que la date approche, nous entendons des nouvelles qui nous font vainement espérer rentrer à temps.

C'est seulement après Noël que nous entendons un nouveau message de nos familles. Nous sommes levés de bonne heure comme d'habitude et nous allumons la radio à 5 heures un dimanche. C'est Consuelo qui nous a prévenus. À peine Marc entend-il la voix de sa femme Shane qu'il fond en larmes. Keith en fait autant à l'écoute du message de son fils Kyle et de sa fiancée Malia. Quant à moi, j'ai le souffle coupé lorsque retentit pour la première fois la voix de ma femme.

« Tom, sache que tu me manques énormément. Je te supplie de ne rien faire qui mette ta vie en danger : nous avons besoin de toi ici. »

Mariana sait que j'ai tendance à l'ouvrir un peu facilement et me conseille discrètement de tourner ma langue sept fois dans ma bouche avant de parler. Je suis obligé de m'éloigner avant la fin. Keith et Marc étant occupés avec Consuelo, je ne peux pas me joindre à eux et il vaut mieux que je m'isole :

ce que j'éprouve n'est partageable avec personne en cet instant.

Seul quelqu'un qui a enduré ce genre de séparation forcée peut comprendre le mélange d'exaltation et d'effondrement que l'on ressent en un tel moment. Entendre une voix si familière au milieu de la jungle, c'est comme une apparition presque palpable. Cela vous touche physiquement. Chaque fois, nous en avons la chair de poule. Jusqu'ici, je me suis toujours étonné de voir dans les films les détenus poser la main sur la vitre au parloir alors qu'aucun contact n'est possible à travers le verre. Maintenant, je comprends.

Ces messages sont rares et espacés, mais, selon leur contenu, ils peuvent vous soutenir ou vous accabler pendant les jours qui suivent. Keith est fou de joie d'entendre Kyle la première fois, mais, quelques jours après, il nous confie avoir été troublé parce que sa fiancée Malia n'a *pas* dit qu'elle l'aimait. Comme avec le moindre incident, nous ruminons et analysons le moindre mot pour y chercher une interprétation. Je vois parfois Keith assis dans son coin ou dans son hamac et je sais qu'il est en train de penser à ce message incomplet. La même chose arrive à Marc plus tard et nous nous rendons compte que ce sont les personnes les plus proches de nous qui peuvent nous infliger les pires peines ou les plus grandes joies.

Nous n'aimons pas que l'un de nous soit abattu, surtout à cause d'une absence de messages ou de la famille. Cela nous fait autant de mal, que cela nous arrive personnellement ou à un autre. Si Marc, Keith et moi sommes blessés par les mesquineries et les piques de nos codétenus, ce n'est finalement pas grand-chose. C'est penser à notre foyer qui nous fait le plus souffrir.

8

FRACTURES ET RUPTURES
JANVIER-SEPTEMBRE 2004

KEITH

Au bout de quelques mois à Caribe, notre groupe finit par ressembler plus ou moins à une famille, avec ses hauts et ses bas. En dépit de tout, nous bénéficions de certains avantages ici. Pour commencer, nous avons des livres qui nous permettent de nous évader un peu.

La lecture me plaît, pas tellement parce qu'elle me permet de me réfugier dans un autre monde, mais parce que j'essaie d'acquérir ce que je considère comme un facteur de survie essentiel. Je sais que Tom se sort bien d'une mission pénible (le rôle d'interprète pour nous) mais j'ai besoin de mieux comprendre par moi-même ce qui se dit et de pouvoir m'exprimer. Je me rends compte que mes interlocuteurs peuvent facilement interpréter un simple « bonjour » comme une agression à cause de ma grosse voix et de mon gabarit. Gloria a la gentillesse de me prêter un dictionnaire espagnol-anglais que je lis quotidiennement après m'être isolé.

L'anglais d'Orlando est à peu près aussi avancé que mon espagnol et nos premières conversations sont surtout à base de grognements et de gestes. Le soir, nous nous donnons mutuellement des cours de langue.

Le problème, c'est que Gloria tient beaucoup à son dictionnaire. Si je le garde trop longtemps, je dois lui payer mon emprunt avec quelques cigarettes. Malheureusement pour elle, j'apprends suffisamment d'espagnol pour comprendre grâce à Orlando que le livre ne lui appartient pas vraiment. Un matin, Orlando et Consuelo me voient payer mon écot ; quand je m'assois avec eux pour prendre mon cours, ils me répètent *mal hecho* – expression qu'ils utilisent quand je fais une faute durant la leçon. Ils m'expliquent que je n'ai aucune raison de payer cette amende : si ce sont les FARC qui ont prêté le dictionnaire à Gloria, il est pour le groupe tout entier. Cela ne l'a pas empêchée d'y inscrire son nom et de le considérer comme sa propriété. Elle tente de se justifier en disant que les FARC lui en ont confié la responsabilité et qu'elle veut s'assurer qu'il n'est ni perdu ni abîmé. Nous nous disputons un peu, puis je me résigne à payer ce qu'elle considère comme mon dû. Je suis le dindon de la farce, mais je préfère cela à une querelle qui se répétera tous les jours. Il est sûr que, lorsqu'on possède si peu, tout prend une énorme importance.

Outre le dictionnaire et les leçons avec Orlando et Consuelo, je mets la main sur un petit livre en espagnol sur le canal de Panama. La langue est assez simple pour que je progresse. Chaque matin, je le lis pendant trois quarts d'heure avec le dictionnaire à portée de main. Personne n'y trouve rien à redire. Puis un matin, en voulant consulter le dictionnaire, j'apprends que c'est Ingrid qui l'a repris. Je discute alors avec Gloria et Jorge pour organiser une rotation. Cela m'agace particulièrement étant donné qu'Ingrid parle couramment les deux langues et n'a donc pas besoin du dictionnaire. Les

FARC nous ont fabriqué un petit bureau, et naturellement c'est Ingrid et son ombre, Lucho, qui sont les seuls à l'utiliser. Le dictionnaire lui sert surtout de presse-papier.

Ce comportement est un exemple de l'exigence de privilèges dont elle fait preuve constamment. Les livres sont précieux pour tout le monde, et Ingrid, Lucho, et surtout Clara, en ont une quantité sous leurs lits qu'ils refusent de prêter. Nous proposons que tous les livres soient disponibles pour tous comme une bibliothèque. En vain.

Ils allèguent qu'ils ne les lisent pas tout de suite, mais qu'ils veulent pouvoir les consulter plus tard. Message reçu. Même dans le camp, il y a les nantis et les démunis. Marc et moi avons l'habitude de dire que nous vivons dans le ghetto. Nous avons la partie la plus sale de la cabane, tandis qu'Ingrid et Lucho séjournent dans la meilleure – le quartier chic.

Je serais indulgent envers les politiques si les prisonniers militaires ne se comportaient pas mieux qu'eux, du plus gradé, le colonel Mendieta, au soldat de base. Ils donnent aux FARC une liste des best-sellers qu'ils ont repérés dans un magazine et, chose étonnante, on les leur fournit. Ils ont une jolie collection de livres et, chaque fois que nous leur faisons passer un mot demandant qu'ils nous les prêtent, ils acceptent sans poser ni question ni condition. Évidemment, leur générosité ne peut que susciter le désir d'en profiter. Les politiques empruntent plus de livres qu'ils ne peuvent en lire. Quand les militaires leur envoient un mot demandant qu'ils rendent tel ou tel ouvrage, Ingrid et Lucho affirment que c'est impossible parce qu'ils n'ont pas encore eu le temps de le lire.

Les militaires nous aident même pour les cours de langue. Ils nous font parvenir un exemplaire d'un manuel d'anglais qui me sert pour donner des leçons à Orlando et à Consuelo. C'est une expérience intéressante : Orlando avance plus vite parce qu'il ne se soucie pas de faire des fautes ; Consuelo exige la perfection. Elle ne se hasarde pas si elle ne connaît pas la réponse.

J'apprends l'espagnol plus vite qu'ils n'apprennent l'anglais parce que je suis immergé dans la langue au quotidien. Au point de m'y noyer parfois. Au début, j'ai le vocabulaire, mais pas la grammaire, puis j'apprends la conjugaison. Consuelo m'aide beaucoup dans ce domaine.

Au bout du compte, nous parvenons à un modus vivendi durant les premiers mois. Nous nous tolérons, nous jouons aux cartes et nous étudions les langues le reste du temps. Clara n'entre pas dans le jeu. Elle semble la plus affectée par la captivité et s'isole la plupart du temps. Elle se transforme physiquement et il apparaît rapidement que Clara Rojas est enceinte.

Nous nous taisons, mais un jour elle vient voir le groupe, très agitée. Elle nous déclare qu'elle a décidé de nous faire part d'un événement très important, qu'elle est heureuse de nous annoncer qu'elle est enceinte de quatre mois et que, par respect pour sa vie privée, nous ne devons pas lui poser de questions sur le sujet. Et, sur ces mots, elle va retrouver Ingrid et Lucho dans leur petit coin.

Nous sommes médusés. Refuser de parler d'une question personnelle serait compréhensible dans des circonstances normales, mais la situation est tout sauf normale. De toute façon, en pareil cas, la question habituelle est : qui est le père ?

– C'est forcément un des politiques, dit Marc une fois que nous nous retrouvons tous les trois. Qui d'autre pourrait-elle fréquenter ?

Pour Tom, ce serait un guérillero. Clara ne fréquente pas d'assez près un de nos codétenus pour qu'il puisse être le père et la date ne collerait pas.

Je déclare que peu m'importe qui est le père, du moment que personne ne s'imagine que c'est moi. Marc est d'accord : il est hors de question que nos femmes ou fiancées s'inquiètent de ce qui se passe ici. La situation est suffisamment pénible comme cela. Je sais qu'aucun de nous n'est le père, mais cela ne sert à rien tant que personne n'aura juré du contraire, et de préférence la première intéressée, Clara.

Nous ne sommes pas là depuis assez longtemps pour être responsables de sa grossesse. Nous aimerions savoir qui est le père, avant tout pour nous protéger. Je suis fiancé à une femme et une autre m'a donné des jumeaux ; tous les hommes de notre camp sont mariés. Que vont penser nos femmes si elles apprennent que l'une des otages est enceinte ?

Toute cette conversation me rappelle le message de Malia et son ton que j'ai trouvé distant. Me dire « nous attendons tous que tu rentres en Géorgie », c'est comme si j'étais juste parti en déplacement quelque part. Si j'ai la moindre chance avec la femme qui partage ma vie depuis six ans et pour qui j'ai pris ce boulot afin de nous assurer un train de vie confortable, un simple « tu nous manques » ne suffit pas.

Peut-être qu'elle a changé d'avis. Quand je lui ai avoué mon incartade avec Patricia et la grossesse de celle-ci, je lui ai dit qu'elle n'avait aucune obligation et que je ne lui en voudrais pas qu'elle me quitte. Elle m'a répondu qu'elle m'aimait et que tout s'arrangerait. Mon enlèvement était imprévisible, mais, si elle a changé d'avis à cause de mon infidélité passée, je peux comprendre. Ce que je ne comprendrais pas, c'est qu'à cause de cet enlèvement elle ait un prétexte pour choisir la facilité.

Pour ne rien arranger, peu avant que Clara nous apprenne la nouvelle, Lucho est venu me chercher en me disant qu'il y avait à la radio un message de Patricia pour moi. Je suis un peu désorienté sur le moment. J'ai appris il y a quelques mois que mon fils allait bien, mais ne pas en savoir plus me tracasse. Apparemment, Patricia a décidé de me faire parvenir des messages. Je porte la radio à mon oreille. Le simple fait d'entendre une voix familière suffit à éveiller mon émotion. Après quelques publicités, j'entends celle qui m'a ensorcelé la première fois sur le vol Avianca de Bogotá à Panama.

« Keith, c'est Patricia. Je veux que tu saches que je t'aime. Cela me rend folle de ne pas savoir si tu auras ce message. Les garçons, Nicholas et Keith, vont bien, mais ils ont besoin de toi. Nick a trois dents et Keith deux... »

Je suis obligé de décoller la radio de mon oreille. Tout le monde me regarde. Je suis immensément soulagé d'apprendre que les deux garçons vont bien. En plus, c'est trop d'entendre cette femme me dire qu'elle m'aime, elle à qui j'ai grosso modo dit de vivre sa vie, de ne pas compter sur moi pour les enfants hormis financièrement. Et c'est absurde. Je suis avec Malia depuis six ans, j'ai fréquenté Patricia pendant six mois. Si ma fiancée ne semble pas disposée à me soutenir, pourquoi donc Patricia le ferait-elle ?

À la lumière de ce message, il m'apparaît encore plus indispensable que Clara déclare que ni Marc, ni Tom ni moi ne sommes le père de son enfant. Orlando est d'accord avec moi, mais le reste du groupe déclare que c'est une affaire privée. D'une certaine manière, je peux comprendre ce désir d'étouffer l'affaire : si jamais on apprend à l'extérieur qu'il se passe ici ce genre de choses, les deux duos – Ingrid et Lucho, et Gloria et Jorge – sont dans une position précaire. Dès notre arrivée, nous avons constaté qu'ils étaient proches, mais, à mesure que les mois ont passé, nous constatons que ce sont des couples à tous les égards.

Au final, c'est leur avis qui l'emporte et Clara garde le secret de l'identité du père. Je soupçonne que l'affaire est plus compliquée qu'il n'y paraît, mais elle ne cède pas et le mystère reste entier.

En avril, elle quitte le camp sous escorte pour accoucher. Plus le temps passe, plus nous spéculons. Nous espérons que cette grossesse lui a permis d'être libérée, mais cela ne ressemble pas aux FARC. Ce serait trop généreux de leur part. Mais au bout de quatre semaines d'absence, nous ne trouvons pas de meilleure explication. Si elle a été relâchée, nous sommes contents pour elle. Cela nous redonne espoir. Si elle a seulement été déplacée ailleurs, nous sommes contents pour nous. Je ne dis pas cela parce que c'est elle, mais parce que n'importe quel otage en moins accorde aux autres plus d'espace.

Un matin, j'aperçois un convoi de FARC qui approche. C'est un petit groupe qui encadre Clara. Je n'ai pas besoin d'annoncer la nouvelle à mes compagnons, car les militaires, qui l'ont eux aussi aperçue, crient son nom. Quand elle arrive à la grille, nous voyons qu'elle porte un bébé enveloppé dans un drap. Un garde lui tient la porte, elle se glisse sous son bras avec un sourire penaud, et c'est ainsi que la voici revenue à Camp Caribe.

Tout le monde se précipite sur elle, les dames les premières, pour admirer le nouveau-né, Emanuel. Consuelo pousse des piaillements de joie et c'est un plaisir de les entendre : nous sommes entourés par la mort, le danger, et le moindre signe de vie est crucial pour nous.

Clara va s'asseoir dans la cabane, le front ruisselant de sueur. Elle est très pâle et ses yeux sont cernés. Elle nous raconte qu'elle a été emmenée dans une section à part du camp des FARC.

177

À cet instant, le bébé pousse un cri et l'un des gardes se précipite, visiblement inquiet. Clara serre le bébé contre elle pour étouffer les cris, mais n'essaie pas de le calmer. Il a le bras bandé. Emanuel a l'air en pleine santé, mais il a le bras enflé et visiblement fracturé. L'accouchement a dû être difficile. Clara nous raconte :

— Au bout de deux semaines, comme je n'avais pas de contractions, ils m'ont dit qu'ils allaient faire une césarienne. C'est Milton qui a procédé à l'opération.

Le simple fait d'associer ce prénom à une opération chirurgicale suffit à nous arracher une grimace horrifiée. Milton, c'est le gardien que nous considérons comme un simplet, tout au plus comme une mascotte. Nous constatons sur la mère et l'enfant le résultat : les FARC ont eu beau essayer de réparer les dégâts, nous imaginons tous Milton en train d'extirper le bébé avec autant de délicatesse qu'il en met pour défricher un sentier.

— Je n'en pouvais plus. Ils m'ont donné un analgésique, mais j'étais toujours consciente. C'est un peu confus, mais je sais qu'à un moment Milton m'a dit qu'il y avait un problème et qu'il fallait extraire le bébé. Il a agrandi l'incision jusque sous le nombril pendant que d'autres guérilleros chassaient les mouches. Je les entendais bourdonner et se précipiter sur le sang qui coulait.

Son récit est insoutenable.

— Je l'ai senti passer la main en moi et je l'ai vu poser mes intestins sur mon ventre. Je l'ai entendu dire qu'il les sentait bouger sous ses doigts comme des vers de terre. J'ai entendu le bébé crier et j'ai compris que quelque chose n'allait pas. Et en voyant la tête de Milton qui prenait le bébé et partait précipitamment...

Les larmes de Clara et le bras bandé d'Emanuel nous laissent deviner la suite.

En partie à cause de sa blessure et aussi comme tous les bébés, Emanuel pleure beaucoup, ce qui préoccupe énormément les FARC. Des hélicos sont passés récemment et, si l'enfant est trop bruyant, il risque de mettre les guérilleros en danger. Ils lui administrent des calmants, mais malgré cela il pleure beaucoup car il souffre manifestement. Quand il est calme, il a un regard vide. Je sais par expérience que les nouveau-nés ne font pas grand-chose, mais là c'est une autre histoire. Il réagit à peine aux stimuli.

Nous avons vu beaucoup de choses affreuses durant notre captivité, mais là, c'est révoltant. Le bébé de Clara n'a pas sa place dans la jungle. Il doit être conduit dans un hôpital pour qu'on le soigne correctement. Dans un rare moment d'unité, notre camp organise une réunion. Lucho et Ingrid prennent les choses en main.

— Nous sommes tous d'accord : Clara et Emanuel ne doivent pas être contraints de vivre dans ces conditions. C'est au mieux un traitement inhumain et au pire un danger mortel pour le bébé. Les FARC doivent savoir que nous ne tolérerons pas cette situation.

Ce n'est pas la première fois que j'entends Lucho hausser le ton, mais il est sincèrement indigné.

— Ensemble, nous pouvons leur mettre la pression nécessaire pour qu'ils réagissent comme il se doit pour le bien de Clara et du bébé, ajoute Ingrid.

Elle n'est pas moins remontée, mais son ton calme et résolu contraste avec l'agitation de Lucho.

Consuelo fait observer qu'il est impossible de raisonner les FARC et qu'il faut nous y prendre autrement. Plusieurs proposent une grève de la faim que tout le monde accepte. J'ai été témoin de comportements égoïstes ici, y compris chez nous trois, mais là nous sommes tous prêts à ne plus nous alimenter pour que l'enfant bénéficie des soins dont il a besoin. La nourriture est mauvaise, certes, mais nous avons un objectif : les FARC nous maintiennent en vie comme ils peuvent et une grève de la faim va frapper Sombra et ses sbires là où ça fait mal.

Après cette réunion où nous avons tous adopté cette résolution, Tom me confie que ce n'est pas trop dramatique de se priver de ce que l'on nous sert au quotidien. Je sais qu'il minimise notre sacrifice et que nous avons déjà survécu aux privations durant les marches, mais c'est différent. Aucun de nous ne sait quel effet aura cette privation volontaire, même si nous sommes déterminés. Lorsqu'un garde nous apporte la marmite, nous continuons de vaquer à nos occupations sans nous lever ni obéir quand on nous ordonne de venir la chercher.

Le lendemain, des FARC viennent chercher Clara et le bébé. Un instant plus tard, elle revient sans Emanuel, en pleurs. Gloria lui demande ce qu'on lui a fait. Elle s'effondre. Orlando s'assoit à côté d'elle et la prend par l'épaule tandis qu'elle continue de sangloter en murmurant. Finalement, Orlando nous explique que les FARC ont fait ce que nous leur demandions : ils ont pris Emanuel, mais ils l'ont confié à des femmes camarades qui s'occuperont de lui. Clara n'aura le droit de le voir que quelques minutes par jour. J'explose.

– Comment ils peuvent faire un truc pareil ?

– Parce qu'ils peuvent, répond Orlando, résigné. Pour eux, s'il ne cesse pas de crier, il présente un danger pour tout le monde.

Nous sommes entre le marteau et l'enclume. Si nous insistons, les FARC vont l'emmener ailleurs et Clara ne pourra pas le voir du tout. Sombra nous a rivé notre clou. Au final, nous estimons que ce n'est pas la peine de continuer à protester si cela empêche Clara de voir son enfant.

Les journées passent et nous nous sentons impuissants. Les FARC autorisent sous bonne surveillance Clara à voir l'enfant trois quarts d'heure par jour. Elle n'attend que ce moment et passe le reste du temps à pleurer et hurler aux gardes qu'elle veut le voir. Gloria, Consuelo et Ingrid tentent de la consoler, sans grand succès.

Dans la journée, Clara reste près du grillage à crier et repousse quiconque essaie de la réconforter. La nuit, c'est encore plus irréel : nous l'entendons chanter des berceuses à pleins poumons. Durant les premières semaines suivant la séparation, elle est au bord de la dépression. Personne ne sait comment réagir, ni avec elle ni entre nous. Déjà parmi les moins robustes, Clara s'affaiblit de jour en jour et la voir ainsi ne fait qu'éveiller chez nous le spectre de l'angoisse. Nous souffrons déjà d'avoir été séparés de nos propres enfants, mais c'est pire pour Clara, dont le bébé est tout proche. Pendant les quatre mois suivants, les FARC ne céderont pas. Nous espérons que le bras d'Emanuel va guérir, mais nous savons qu'un lien important vient d'être brisé.

TOM

Si le drame de Clara nous réunit tous les dix à certains égards, cela n'empêche pas certaines fissures d'apparaître pour toutes sortes de raisons. Au fil des mois, nous constatons que la plus fréquente cause de dispute est la nourriture. Comme les FARC sont assez mal ravitaillés, cela a toujours été un problème pour nous, même avant Caribe. Quand les rations sont suffisantes, c'est assez mauvais, et comparés aux FARC, nous sommes difficiles : pour nous, la nourriture, ce n'est pas un mélange de riz, de haricots et de bouts de viande non identifiables.

Dans ce nouveau camp, il ne s'agit plus seulement de la qualité et de la quantité, mais de la rivalité. Au début, nous essayons d'être courtois et de montrer l'exemple en nous servant les derniers. Consuelo agit de même, mais nous apprenons rapidement que notre conduite est vaine. Les premiers servis se soucient peu du sort des derniers. Nous devons fréquemment demander aux gardes de rapporter à manger, car il ne reste plus rien quand arrive notre tour. Nous abandonnons l'idée de nous servir en dernier, mais nous nous comportons correctement : nous ne remplissons pas nos assiettes pour que tout le monde ait la même quantité. Nous alternons entre début, milieu et bout de file, mais le problème persiste. Au point que les FARC s'en rendent compte et interviennent, servant eux-mêmes les parts pour s'assurer qu'elles sont équitables. C'est la solution, mais je suis navré qu'il faille traiter comme des enfants un groupe d'adultes.

La nourriture est souvent épouvantable et parfois immangeable, mais nous avons besoin de nous sustenter. Les FARC ne gâchent rien et leur recette de la soupe au poulet contient tout : tête, bec et pattes. Cela devient même un sujet de plaisanterie avec Marc, qui écope toujours de la tête dans son bol.

Les poules ne se retrouvent pas seulement dans la soupe : elles sont partout. Nous aurions aussi bien pu baptiser l'endroit « Camp Poulet ». Les détenus militaires en élèvent. Certaines sont dans un enclos, d'autres se baladent librement. Marc finit par être obsédé par l'idée d'en enlever une pour avoir des œufs. L'odeur de l'omelette suffit à amener un homme raisonnable et respectueux de la loi à recourir à un comportement criminel. Les militaires sont assez bons pour nous en donner de temps en temps, mais Marc est trop industrieux (et affamé) pour attendre ces moments de générosité. L'une des poules vient souvent ; elle semble apprécier le calme de notre enclos. Marc jette son dévolu sur la bestiole comme premier membre de sa future basse-cour. Chaque fois qu'elle passe par là, il se précipite pour la prendre au piège, sachant que, réglée comme une horloge, la poule pond un œuf à midi. Il lui suffirait d'en avoir un seul pour se sentir un magnat de la volaille. Mais il a beau essayer, la poule se glisse toujours dehors par un trou dans le grillage et là, entreprend de pondre son œuf, variation locale du supplice de Tantale. Marc est si souvent occupé à boucher un trou dans la clôture qu'il ne remarque pas que sa proie s'est déjà échappée par un autre. Et nous ne pouvons nous empêcher de rire en voyant sa mine déconfite.

Marc n'est pas le seul à s'intéresser aux animaux. Quelques chats errants fréquentent le camp. Ils ne sont pas sauvages mais domestiques et viennent ici pour chaparder de la nourriture. Nous leur en donnons un peu, mais, la plupart du temps, ils se repaissent des rats et souris dont le camp est infesté. C'est pour ce service rendu que les FARC les tolèrent. Les Colombiens ont une attitude très différente de la nôtre à l'égard de ces animaux. Consuelo est effarée de nous voir les prendre sur nos genoux pour les caresser et se détourne avec dégoût. En revanche, elle n'a aucun problème à prendre une poule et à l'embrasser et la caresser. Comme dirait Keith : « Et c'est nous les dégoûtants Américains. »

Les mois passent. Nous échangeons de temps en temps des anecdotes et des plaisanteries avec nos compagnons, mais nous ne leur faisons pas part de notre plan d'évasion. Nous n'en parlons pas beaucoup, mais le trou derrière les toilettes nous occupe l'esprit. Nous guettons en permanence le moindre bruit d'avion. Nous avons préparé ce que nous appelons « baluchon », un filet qui contient le nécessaire à prendre en cas de fuite ou de tentative de sauvetage. Nous savons où nous devons aller, mais la question est de savoir si nous allons être forcés d'utiliser nos baluchons.

Un soir, vers 18 h 30, alors que nous discutons tous assis dehors, Marc nous fait signe de nous taire : il lui semble avoir entendu un avion. Keith incline la tête.

— C'est un hélico, un Blackhawk. Et il n'est pas seul.

Quand nous envisagions des scénarios de sauvetage, nous pensions surtout aux avions que nous voyions nous survoler parfois. Les hélicos, c'est autre chose. Nous ignorons comment les FARC réagiraient à une incursion d'hélicos dans les parages, mais, en les entendant ce soir, nous savons que nous n'avons pas le temps de prendre nos baluchons. Nous devons agir, car nous ignorons si les FARC vont attendre la suite des événements ou simplement nous exécuter sur-le-champ.

Les appareils approchent à basse altitude. Mon cœur s'emballe. Les FARC commencent à détaler.

— Suivez-moi, les gars, dit Marc en agitant sa torche.

Il court vers les toilettes en vérifiant que personne ne l'a vu, puis se glisse par la petite ouverture dans la clôture. Dans le noir et sans lunettes, je n'y vois rien. Keith tend l'oreille et hésite.

— Marc, attends, chuchote-t-il.

Le bruit des hélicos est trop fort pour qu'il entende et nous ne pouvons pas crier, de peur d'attirer l'attention.

— Merde, jure Keith. Ces Blackhawk ne sont pas venus nous exfiltrer.

Il a raison. Je me rappelle avoir entendu à la radio que le président Uribe doit visiter une base aérienne située dans les parages. Ces hélicos doivent effectuer une mission de reconnaissance. Mais que va-t-il arriver à Marc, tout seul dans la jungle avec seulement une torche, alors que nous avons toujours estimé qu'une évasion en solo était trop risquée ?

La situation est grave. Marc vient de prouver qu'il peut sortir sans se faire repérer. Maintenant, il faut qu'il revienne tout aussi discrètement. Si les FARC le repèrent, cela signifie au mieux que nous finirons tous enchaînés et au pire que Marc sera abattu. Et de toute façon, ils boucheront le trou de la clôture. Nous sommes au pied du mur.

Comme nous ne voulons pas attirer l'attention sur l'endroit par lequel il doit rentrer, nous rejoignons les autres, qui sont en proie à la panique. Alors que nous essayons de les calmer, nous constatons que nous avons vu juste : les hélicos continuent leur route.

Dans le noir, j'entends Orlando demander où est Marc.

Keith lui répond qu'il est dans la cabane et qu'il vaut mieux que nous restions dehors le temps que les FARC se calment.

Keith et moi retournons dans la cabane, mais Marc n'est pas revenu. Keith s'inquiète pour lui et je tente de le rassurer : les gardes ont fait le tour de l'enceinte, mais sans aller au-delà.

Quelques minutes passent : toujours rien. Nous faisons les cent pas autour de la cabane, angoissés, bien que nous n'ayons entendu ni cris ni coups de feu. Nous allons vers les toilettes, discrètement pour ne pas attirer l'attention. Plus le temps passe, plus les FARC auront eu le temps de s'organiser. Finalement, Marc réapparaît au coin des toilettes et revient d'un pas nonchalant. Ses vêtements sont couverts de terre et il est en sueur et épuisé, mais sain et sauf.

Il avait atteint l'orée de la jungle, à une trentaine de mètres de la clôture, quand il s'est rendu compte que les hélicos ne sont pas venus nous récupérer. Réintégrer le camp a été plus difficile, d'autant plus qu'il a oublié de reprendre sa torche, qu'il avait posée de l'autre côté de la clôture, et qu'il a dû déjouer la vigilance des gardes pour la récupérer à la dernière minute.

Du coup, les FARC confisquent toutes les torches, mais nous sommes soulagés qu'on ne nous prive de rien d'autre. Désormais, nous savons qu'une évasion est possible, nous sommes sûrs que nous aurons une occasion, et que cette fois ce sera sans retour. Mais, à l'avenir, nous ne devons pas nous précipiter sous prétexte de profiter de quelques minutes d'avance. À bien des égards, tout s'est passé comme nous l'avions prévu : nous avons entendu les appareils avant les FARC et il leur a fallu un certain délai pour s'organiser. Le temps qu'ils se rassemblent, nous avions déjà compris que les hélicos n'étaient plus une menace.

Deux semaines plus tard, nous avons une deuxième occasion de tester notre plan. Cette fois, nous entendons plus de deux Blackhawk se dirigeant vers nous. Là, tous les otages déguerpissent et se réfugient derrière les toilettes. Du coup, l'accès à la clôture est impossible. Nous retournons vers la cabane en suivant la corde que nous avons tendue pour nous guider dans l'obscurité, faute de torche. Mais cette fois, les FARC réagissent bien plus vite et se positionnent tous les cinq mètres autour de la clôture, doigt sur la détente. Apparemment, ils n'attendent que l'ordre de nous abattre.

Nous retournons dans la cabane, irrités et craignant pour notre vie. Nous entendons les hélicos approcher et craignons le moment où les FARC vont recevoir l'ordre d'ouvrir le feu sur nous. Quand je pense que nous avons enduré autant d'épreuves pour finir abattus juste avant une tentative de sauvetage ! Les FARC feront-ils parvenir mon journal aux miens ? Je suis heureux de l'avoir écrit pour eux. J'aurais aimé pouvoir parler une dernière fois à ma femme et mon fils, mais je ne pourrais jamais leur en dire autant de vive voix que tout ce que j'ai couché sur ces pages. Je refuse d'imaginer ce que ce serait d'être à leur place, d'avoir quelqu'un qui frappe chez vous et qui vous dit : « Je regrette de vous annoncer que... »

Cette éventualité devient plus présente quand les FARC font entrer un peloton dans notre enceinte. Il y a un garde pour chacun de nous et ils attendent les ordres devant la cabane. Keith et Marc sont les plus proches de la grille, où se trouve Ferney. J'entends un garde lui demander s'ils vont nous abattre.

Keith s'approche de Ferney.

– Ne nous descendez pas comme des lâches. Si vous devez m'abattre, faites-le en face, en me regardant droit dans les yeux.

Nous sommes sidérés de le voir à ce point hors de lui. Orlando se précipite pour le ramener dans le groupe. Nous essayons de calmer Consuelo, qui est en pleurs. Le pire, c'est que nous entendons les FARC glousser. D'expérience, nous savons que cela indique qu'ils sont nerveux. Jamais je n'aurais imaginé que j'aurais un jour affaire à une bande de guérilleros armés et prêts à vous abattre, mais je reste étrangement calme. Je n'ai aucun contrôle sur cette situation. D'habitude, savoir que j'ai les mains liées me rend fou, mais à force de vivre dans ce camp, je me suis résigné à ne plus chercher à tout maîtriser.

Quand les hélicos s'éloignent, nous regardons sans mot dire les gardes s'éloigner. Nous ne serons pas sauvés ce soir, mais nous venons d'avoir la confirmation de la politique assassine des FARC. Ils nous avaient dit qu'ils n'avaient aucune intention de nous tuer, mais ils ont aussi peu de scrupules à ne pas tenir leurs promesses qu'à mentir.

MARC

Dans les jours qui suivent, nous avons du mal à regarder de la même façon qu'avant les gardes, même ceux avec qui nous avions noué des liens. Ceux-ci sont désormais rompus, maintenant que nous avons constaté qu'ils étaient prêts à nous abattre froidement. Cela nous rappelle qu'en aucun cas nous ne pouvons escompter autre chose que de la violence. Nous ne prenons même pas la peine d'en parler avec eux, car nous savons qu'ils répondront irrémédiablement qu'ils ne font qu'exécuter les ordres.

J'essaie de me mettre à leur place. Comment réagirais-je si on m'ordonnait de protéger quelque chose ou quelqu'un de précieux pour la cause que je défends ? Serais-je capable d'appuyer sur la détente si on me l'ordonnait ? Refuserais-je parce que je percevrais le peu de logique de cet ordre ou par souci d'humanité ? Je l'ignore, mais cela me trouble que nos gardes ne se posent même pas la question.

Après le deuxième passage des hélicos, les FARC fouillent de nouveau nos affaires. Ayant déjà pris les torches, cette fois ils exigent les radios. Ce n'est pas seulement par mesure de sécurité, c'est dirigé contre nous qui guettons sans relâche les messages de ceux qui nous sont chers.

Sans compter que nous sommes de plus en plus dépendants des informations que nous y entendons. En juin 2004, cela fait dix-huit mois que nous sommes détenus quand nous apprenons grâce à la radio que le président Uribe et le gouvernement américain ont mis en place un nouveau plan contre les FARC dans le sud de la Colombie. Baptisé « plan Patriota », il est abondamment financé par les États-Unis et comporte la formation de soldats colombiens au combat dans la jungle. C'est l'effort le plus important jamais consenti par l'armée colombienne contre les FARC et il prévoit plusieurs offensives contre les guérilleros.

Selon certaines sources colombiennes, ce plan Patriota dévoile au grand jour le véritable objectif de la lutte anti-drogue menée jusque-là dans le pays par les États-Unis. Pour beaucoup de Colombiens, y compris certains de nos codé-tenus, il s'agissait en réalité de combattre les FARC.

Le plan Patriota est donc conçu pour éradiquer les FARC. Nous refusons de débattre avec nos codétenus de la question de l'aide financière américaine à la Colombie, ou d'examiner en quoi cela peut affecter nos chances d'être libérés ou sauvés. La nouvelle de la présence de soldats missionnés pour cap-turer ou abattre les FARC est un cadeau empoisonné. Si nous sommes conscients que c'est la mesure qu'il faut prendre, nous sentons aussi que cela augmente le danger pour nous. Que l'armée américaine entraîne les forces colombiennes est une bonne chose. Si des commandos américains sont sur le terrain, c'est encore mieux. Les radios sont essentielles pour que nous sachions ce qu'il en est, afin de réagir de manière adéquate.

Le jour où les FARC viennent nous les prendre, je suis avec Orlando. 2,5 entre dans la cabane, et Gloria et Consuelo lui donnent les quatre radios en leur possession. En jetant un coup d'œil derrière la cabane, Keith, Orlando et moi voyons Ingrid glisser un petit transistor dans sa botte. Elle nous fait signe qu'elle l'a caché. 2,5 jette un regard noir à Keith et lui demande si Ingrid possède une radio. Il répond aussitôt sans sourciller que non. Orlando en fait autant et le garde s'en va.

Sur le moment, je me demande pourquoi Ingrid prend un tel risque. C'est soit du courage, soit de l'égoïsme, même si nous estimons tous qu'elle mérite de garder sa radio. Mais j'ai vu de tels comportements dans ce camp que je ne peux pas trancher et que je préfère attendre de voir ce qu'il en est. Cela ne prend pas longtemps.

Keith a sauvé Ingrid en mentant au garde. Je sais qu'il l'a fait pour le bien de tous, pas seulement pour elle. Ce transistor est crucial pour nous tous. Désormais, Ingrid va devoir être très prudente quand elle l'allume. Nous nous attendons qu'elle nous tienne au courant de ce qu'elle apprend aux informations et qu'elle nous transmette les éventuels messages de nos familles. Il n'en est rien.

Nous sommes tous choqués par son comportement. Keith, qui a pris le plus de risques en mentant, l'est encore plus que nous. Il estime qu'Ingrid, comme pour le reste, se sert de la radio pour avoir une prise sur nous : en transmettant à quelqu'un un message, elle accorde une faveur et peut obtenir quelque chose en retour. Je ne veux pas faire preuve de cynisme, mais il est difficile de trouver une autre explication à son attitude.

Et comme si cela ne suffisait pas, elle est obligée de se donner beaucoup de mal pour que nous n'entendions pas sa radio. Nous sommes les uns sur les autres et il est difficile, sinon impossible, de cacher quoi que ce soit. Beaucoup de tabous sont déjà abolis. Nous trois, nous sommes déjà tellement habitués à nous voir nous accroupir pour soulager nos besoins naturels que cela ne nous choque plus et que nous avons déjà oublié que, dans notre vie antérieure, nous n'aurions jamais imaginé faire une chose pareille.

Quand on dort dans une petite pièce et qu'on partage quotidiennement ses repas avec dix autres personnes, on développe une sorte d'intimité forcée que je n'ai connue que dans les camps d'entraînement. On ne peut parler à personne sans être à portée d'oreille des autres, et, si l'on chuchote, cela revient à éveiller les soupçons de tout le monde.

D'une certaine manière, Caribe est une sorte de camp d'entraînement. Nous sommes mis à l'épreuve, physiquement et mentalement. Keith a remarqué que la captivité révèle notre nature profonde. Et là, en ce qui concerne Ingrid et sa radio, c'est exactement ce qui se passe.

Keith se plaint de l'égoïsme d'Ingrid à qui veut l'entendre et non seulement Orlando le soutient totalement, mais il apporte de l'eau à son moulin, ce qui alimente l'irritation de Keith. C'est à croire qu'Orlando se sert de lui pour obtenir quelque chose, et plus il abonde dans son sens, plus je me demande jusqu'où cela va aller.

Finalement, Keith et Orlando décident que le mieux est de demander franchement à Ingrid de partager l'information avec nous. Elle est avec Lucho dans leur coin de la cabane et nous pensons qu'Orlando est entré pour lui demander de nous retrouver dehors. Quand elle sort, elle est rouge et tremblante de rage, et va s'asseoir dans un fauteuil. Keith lui annonce tout de go qu'il va devoir la dénoncer si elle continue à refuser de nous transmettre ce qu'elle entend sur sa radio.

Elle soutient son regard. Silence. Je sais comme mes camarades que Keith bluffe, mais nous avons décidé que cela valait la peine de jouer cette carte. Étant tous otages, nous devons nous serrer les coudes, mais, comme Ingrid est la seule personne qui s'y refuse, elle nous croit capables de mettre notre menace à exécution. La réponse d'Ingrid montre bien qu'elle et les autres politiques ne partagent pas cet état d'esprit.

— Au lieu de vous occuper de moi et de ma radio, vous feriez mieux de voir du côté de Consuelo, répond-elle. C'est elle qui avait la plus grosse radio. Comment vous croyez qu'elle se l'était procurée ?

En disant cela, elle insinue que le seul moyen était de collaborer avec les FARC. Là, je dois dire que j'admire Ingrid pour sa rapidité de réaction. Sa réponse n'a aucun rapport avec le problème qui nous intéresse. Elle fait diversion et c'est indigne de sa part d'accuser Consuelo de comploter avec notre ennemi, d'autant plus qu'elle a rendu sa radio. C'est un coup bas qui révolte tout le monde.

Le ton monte, mais Orlando, qui s'est tu jusque-là, intervient et, à la surprise de tous, se met à défendre Ingrid en disant qu'il est choqué que nous l'accusions et qu'il a déjà tenté de la défendre. Je suis médusé qu'Orlando joue si ouvertement sur les deux tableaux. Je l'ai connu plus subtil. Un instant plus tôt, c'est lui qui nous poussait à aller mettre Ingrid au pied du mur en critiquant son comportement.

Keith n'en revient pas. Il prend Orlando à l'écart et lui demande une explication. J'ignore ce que lui répond Orlando, mais Keith revient et déclare à Ingrid qu'il est tellement révolté par son attitude qu'il refuse de rester un instant de plus à côté d'elle. Sur ces mots, il nous plante là.

Je reste assez longtemps pour voir Orlando convaincre Ingrid que c'est de son intérêt de lui confier la radio. Et là, la lumière se fait. Orlando le grand bonimenteur a touché le gros lot. Il convoitait la radio depuis le début et a profité de notre indignation pour l'obtenir. Je l'admire. Il a eu ce qu'il voulait : la radio et le pouvoir. Tout en se faisant mousser auprès d'Ingrid, en prenant sa défense et en proposant une solution apparemment raisonnable au problème. Et c'est

Keith qui a le mauvais rôle, car je suis sûr que, pour Ingrid, il voulait s'approprier le transistor et non pas bénéficier de l'information. Orlando a gagné sur tous les tableaux.

Ce genre de petit manège a lieu constamment à Caribe. Intrigues et luttes de pouvoir. J'ai l'impression d'assister à un cours de haute volée sur l'art de la négociation et la politique. J'aime bien Orlando, mais je viens de constater que c'est un as de la manipulation. Je l'ai vu dresser des gens les uns contre les autres. Plusieurs fois, il nous raconte qu'il a surpris Ingrid écrivant des messages à Sombra disant que nous sommes des agents de la CIA, ou que nous avons une influence dange-reuse et négative sur la vie du camp. Quand Clara a été emmenée pour accoucher, il nous a confié qu'Ingrid lui écri-vait des mots pour l'encourager à déclarer que Tom était le père de l'enfant. C'est lui qui a convaincu les autres que nous sommes des Américains sales et puants qui ne portent pas de sous-vêtements et que nous avons des mycoses conta-gieuses. Par nature, c'est un intrigant. Comme je sais que Keith et lui sont proches, je garde mes impressions pour moi. Keith jauge assez bien les gens en général, mais dans le cas présent, il semble avoir été aveuglé – défaut qu'il ne se prive pourtant pas d'ailleurs de nous reprocher, à Tom et à moi.

Grâce aux talents de manipulateur d'Orlando, je ne sais plus très bien sur quel pied danser, que penser des relations entre les détenus eux et avec les gardes. Deux mois après notre arrivée ici, l'un des chefs des gardes, Fabio, arrive dans notre enclos, accompagné d'un autre qui porte une petite télévision, un magnétoscope et un générateur. Ils branchent le tout et glissent une cassette dedans. C'est l'enregistrement de la preuve de vie des vingt-huit otages militaires de l'enclos voisin et de certains des politiques : Orlando, Consuelo, Jorge

193

et Gloria. Comme pour nous, c'est Botero qui a tourné. La cassette terminée, il en met une autre. Les premières images sont filmées depuis une voiture dans les environs de la maison de ma mère que je reconnais aussitôt. Nous comprenons que c'est notre cassette et nous supplions Fabio de nous la montrer. Orlando nous soutient et convainc Fabio qu'il n'y a pas de problème à nous la passer et que nous n'en parlerons à personne. Fabio cède.

Nous nous asseyons tous les trois devant l'écran, Keith à ma droite, Consuelo à ma gauche et Ingrid à la sienne. Les scènes suivantes montrent des membres de nos familles. Nous sommes tous les trois émus aux larmes de les voir après tant de temps. Quand je vois Shane, j'éclate en sanglots devant tout le monde. Puis je sens une main sur ma nuque qui me console. Je pense que c'est Consuelo, mais il se trouve que c'est Ingrid. Dans son regard, je lis du chagrin et une compassion sincère. Je me demande ce qu'est réellement cette femme, comment elle peut faire preuve à la fois d'autant de générosité et d'un tel égoïsme.

Tout cela m'amène à remettre en question ma confiance dans ce que l'on me raconte. Mon espagnol progresse, mais je peux comprendre de travers ou me laisser abuser par un mensonge. Je prends le parti de croire que tout le monde est honnête avec moi concernant le plan Patriota et ce qui peut changer notre sort. Je sais que personne ne va jouer avec les messages que nous envoient nos familles, car, s'il y a quelque chose de sacré, c'est bien cela. Nous savons que nous devons nous méfier de tout ce que les FARC nous racontent et il est hors de question de mettre en doute ce que nous disent nos codétenus.

Instinctivement, je me dis que je dois améliorer au plus vite mes connaissances en espagnol. Durant notre séjour dans le camp des politiques, je me mets enfin à lire un livre que l'on nous a donné : la traduction espagnole de *Harry Potter à l'école des Sorciers*. Je ne connais pas l'original ou le film ; pour moi, c'est pour les enfants, et donc facile à lire et idéal pour apprendre la langue.

À chaque page, je tombe sur une quinzaine de mots inconnus, que je note dans mon journal pour en chercher plus tard la traduction dans le dictionnaire de Gloria. Parfois je lis à haute voix et Tom m'aide à comprendre, mais il a parfois du mal. Au fur et à mesure des pages, nous sommes absorbés par l'histoire : moi qui avais décidé de le lire pour être mieux armé dans nos relations avec nos codétenus, j'en oublie l'objectif initial et je me contente de savourer ma lecture.

Au début de septembre 2004, j'apprends par la radio qu'Orlando et Ingrid ont fini par partager, que ma mère est en Colombie pour une semaine. Je découvre qu'Ingrid convoitait le transistor notamment parce qu'elle y recevait des messages de sa mère presque tous les jours. Toutes deux étaient très proches, comme en témoigne la fréquence de ces messages. Du coup, je suis un peu gêné par le drame que le transistor a provoqué. Ma mère comme celle d'Ingrid tient à maintenir le contact avec son enfant. D'ailleurs, elle m'envoie plus souvent des messages que celles de Keith et de Tom.

Savoir qu'elle est en Colombie m'inquiète, car ce n'est pas un endroit sûr pour elle. En même temps, sa présence dans ce pays me galvanise, et je suis fier qu'elle ait entrepris ce voyage pour rencontrer les membres du gouvernement et les familles des autres otages. Ingrid m'annonce la nouvelle à peine l'a-t-elle entendue. Elle a l'air sincèrement heureuse pour moi et je suis stupéfait quand elle m'invite à écouter avec elle la radio lors des diffusions de messages. Ce n'est plus l'Ingrid égoïste et dominatrice que j'ai côtoyée ces dix derniers mois. Elle s'est radoucie. Je me méfie tout de même de sa proposition ; qu'attend-elle de moi en échange ?

Si la radio est un appât, elle a choisi l'idéal. Qui pourrait résister à l'envie d'entendre la voix de sa mère ? Comme nous devons l'écouter à très faible volume, nous sommes assis l'un contre l'autre, chacun une oreille collée à l'appareil. La première nuit, nous attendons des heures ; je n'ai pas de message de ma mère, mais Ingrid en reçoit un de la sienne. À peine entend-elle sa voix qu'elle suspend son souffle comme si elle manquait d'air et je l'entends réprimer un sanglot. Je ne parle pas assez bien espagnol pour comprendre le message, mais, après tout, c'est aussi bien. Et de toute façon, Ingrid me chuchote la traduction. Nous passons le reste de la nuit ensemble à écouter le reste de l'émission en souriant de bonheur.

C'est seulement le lendemain que je prends vraiment le temps de repenser à l'intimité émotionnelle de ce moment. Cela m'est déjà arrivé avec Tom et Keith quand nous nous racontions des épisodes douloureux de notre passé. En apparence, cette nuit avec Ingrid n'est pas différente, mais, en même temps, je sens quelque chose. Tom, Keith et moi n'avions pas d'autre choix que de partager ces moments : nous n'avions personne d'autre durant les premiers mois. Quant à Ingrid, il me semble la connaître, elle a eu des attitudes que je réprouve. D'autres personnes en qui j'ai confiance la respectent nettement moins – ou pas du tout, dans le cas de Keith. Je me rappelle qu'il a déclaré que sa personnalité était en train de se révéler petit à petit. Je sais qu'il a déjà condamné Ingrid. Mais peut-être est-elle différente de ce que je pensais et plus complexe qu'elle ne le laisse paraître.

Cette nuit-là ne modifie pas complètement l'opinion que j'ai d'elle. Quelques heures à partager une radio ne suffisent pas à effacer des mois d'égoïsme et d'orgueil hautain. Nous n'avons pas oublié que, le premier jour, elle a voulu nous jeter dehors pour nous annoncer l'instant d'après que nous allions faire la fête pour marquer notre arrivée. Je ne sais pas laquelle des deux personnalités est la vraie Ingrid Betancourt – ni même s'il lui arrive d'être vraiment sincère.

Durant tout le séjour de ma mère, Ingrid et moi écoutons la radio blottis l'un contre l'autre. Soir après soir, j'attends vainement un message de ma mère et, quand l'émission s'achève, Ingrid me console de ma déception en me tapotant le bras. Finalement, la dernière nuit, un samedi, le présentateur prononce le nom de ma mère. Ingrid et moi sommes presque assoupis et nous sommes engourdis à force d'attendre dans l'obscurité pendant des heures.

J'oublie ma nuque ankylosée et je me réveille brusquement en entendant ma mère parler. Mes yeux s'embuent de larmes. Ingrid a dû sentir mon émotion, car elle glisse sa main dans la mienne et la serre. Le message de ma mère est bref, mais elle l'a a peine terminé que j'ai déjà tout oublié. Je demande à Ingrid de me le répéter. Elle me chuchote que ma mère m'aime, que je lui manque et qu'elle veut que je tienne bon. Je me mords les lèvres. Entendre à nouveau ces paroles dans la bouche d'Ingrid produit le même effet sur moi : j'ai l'impression que ma mère est là et je suis bouleversé. Je demande à Ingrid de répéter encore. Elle recommence. Finalement, toujours insatisfait malgré tout ce qu'elle vient de faire pour moi, je reste avec elle à écouter l'émission jusqu'au bout.

Je vais me coucher, mais je n'arrive pas à dormir. Je

remercie le ciel de m'avoir permis de voir Ingrid sous un autre jour. Le lendemain, je lui demande de me répéter de nouveau le message ; elle s'exécute en souriant, en me disant qu'elle comprend et que cela ne l'ennuie pas. J'en suis heureux.

9

RUINE ET RECONSTRUCTION
SEPTEMBRE 2004-MARS 2005

TOM

En cherchant avec le plan Patriota à forcer les FARC à fuir pour les éliminer, le président Uribe jette le bébé avec l'eau du bain : le 28 septembre 2004, après onze mois en compagnie des politiques, nous quittons Caribe.

Nous sommes angoissés de savoir que notre destin est à ce point lié à celui des FARC. Car une nouvelle phase a commencé dans le conflit entre FARC et autorités. Le gouvernement a perdu toute patience et exige des mesures. Uribe refuse de croire désormais que les FARC puissent négocier honorablement et il veut leur faire payer le prix de leurs illusions de grandeur et de puissance.

Les FARC répercutent généralement sur nous ce qu'ils subissent et notre départ précipité de Caribe n'augure rien de bon. La région commençant à connaître un redoublement d'activité, nous savons que nous devons partir, mais nous ne nous attendions pas à une telle rapidité. On nous informe à peine de ce qui se passe, comme toujours, et on nous ordonne de faire nos sacs, sans préciser pour combien de temps ni si nous reviendrons.

Les quarante jours de marche qui suivent sont aussi harassants que ce que nous avons connu jusqu'ici. Pendant les premiers mois de notre séjour à Caribe, nous avons réussi à reprendre du poil de la bête, mais, depuis juin 2004, date de l'annonce du plan Patriota, les FARC nous nourrissent si peu que nous sommes déjà épuisés avant même de commencer. Nous subissons le contrecoup de ce régime à base de maigres cuillerées de riz ou de haricots et d'une soupe à l'odeur putride où surnagent dans la graisse de répugnants bouts de viande.

En outre, nous crapahutons tous les trois avec une charge bien plus lourde qu'à notre arrivée en octobre 2003. Nous avons tellement accumulé que nous ne pouvons pas tout emporter. Nous renonçons à beaucoup de choses pour n'emporter que ce que nous estimons nécessaire. Je prends mon matelas, jugeant que cela me permettra de mieux supporter l'épreuve. Je me trompe. Se déplacer dans la jungle avec un énorme rouleau sur le dos exige des contorsions et des efforts. Je finis par l'abandonner ainsi que d'autres affaires pour alléger mon paquetage. Tout le monde en fait autant et notre charge diminue à mesure que passent les jours.

Nous devons remercier les prisonniers militaires pour leur générosité et leur endurance. Ils insistent pour nous aider, bien que nous ne soyons pas autorisés à parler avec eux. Nous bivouaquons pendant plusieurs jours à quelques kilomètres de Caribe et nous nous retrouvons tous les trois en leur compagnie. Je fais la connaissance d'un ancien policier, Jhon Jairo Dúran, la trentaine, mais qui paraît beaucoup plus jeune avec ses cheveux noirs en brosse. Il a été enlevé il y a six ans et la foi inébranlable qui l'anime semble lui insuffler toute son énergie et gouverner toutes ses actions. J'ignore pourquoi il prend le risque de me parler, mais il me procure un drap en coton et une sorte de parka. J'essaie de lui faire comprendre que je peux me débrouiller sans cela, mais il insiste, et y ajoute de la corde et de la ficelle qui se révéleront essentielles durant cette marche forcée.

Tout le monde souffre, FARC y compris. Une fois de plus, nous voyons les sous-fifres traités comme du bétail. Ce sont eux qui charrient les lourdes bouteilles de gaz, les fourneaux et d'énormes sacs de vivres. Notre jeune ami le Chanteur, déjà chargé d'une grosse marmite, porte aussi ses affaires et celles d'Ingrid, qui est affaiblie par ce qu'elle dit être une crise de dysenterie. Il titube et trébuche régulièrement, et Keith l'aide à se relever. Au bout d'un certain temps, Ingrid ne peut plus marcher du tout et est transportée dans un hamac comme Keith lors de notre première marche. Les FARC ne sont pas enchantés de devoir la porter et ne perdent pas une occasion de la cogner par mégarde contre les nombreux arbres épineux qui bordent les cours d'eau.

Il m'est déjà arrivé de me plaindre de « mourir de faim », mais c'est seulement lors de cette marche que je saurai vraiment ce que cela veut dire. Nous sommes pliés en deux par des crampes dans le ventre et tellement affaiblis que nous avons étourdissements et éblouissements. Marc et moi souffrons affreusement des genoux, et mes jambes enflent tellement qu'à un moment mes rotules ne sont même plus visibles. Keith est toujours accablé par son mal de dos, mais il s'en plaint peu, disant que son sort est moins pénible que celui des militaires, enchaînés par le cou durant la marche. Leur entraînement les aide, mais ils souffrent quand même.

Tout le monde s'efforce de s'entraider, mais les FARC en bavent tellement qu'ils passent leurs nerfs sur nous. Nous marchons encadrés par un garde devant et un autre derrière.

À un moment, Clara, qui porte comme elle peut son paquetage, s'affale dans la boue et perd une botte. Emanuel est porté par plusieurs *guerilleras*. Je veux aller la secourir, malgré les gardes qui me hurlent dessus, et j'entends derrière moi le bruit des AK-47 qu'on arme. Oubliant que ma femme m'a supplié de ne rien faire qui me mette en danger, je leur crie de m'abattre et c'est sous leur regard noir que je finis par aider Clara à se relever.

Quelques jours auparavant, une escadre de six Blackhawk nous a survolés et les gardes ont réagi comme nous nous en doutions : en nous encerclant et en nous mettant en joue. Ce cirque me fatigue et, bien que conscient qu'ils sont stressés et prêts à craquer, je ne supporte plus leur manque total d'humanité. Contrairement à la première fois dans le camp, nous sommes épuisés et vulnérables. Heureusement, les hélicos s'éloignent, et, au bout de quelques minutes tendues, les FARC baissent leurs armes et nous reprenons la marche.

Je suis particulièrement furieux parce que nous avons remarqué que, lorsque les gardes nous accordent notre maigre ration, c'est au compte-gouttes, afin qu'il en reste pour eux. Ils ont pourtant interdiction d'agir ainsi. Mais si nous nous plaignons, cela les énervera encore plus et Dieu sait comment ils se vengeront. Keith guette depuis des mois ce relâchement de la discipline. Il nous a maintes fois répété que les hommes et femmes des FARC ne sont pas de vrais soldats et que nous devons faire attention quand les choses se gâteront. Nous sommes tous à bout et nous passons aussi nos nerfs sur les gardes de plus en plus souvent.

Alors que les FARC se laissent aller, le comportement des militaires nous remplit d'admiration. L'un d'eux, Julian, souffre de graves problèmes de circulation du sang, depuis sa jambe gauche jusqu'à son torse. Au bout de deux semaines, les gardes étant trop fatigués pour nous interdire de communiquer entre nous, il nous raconte qu'il a reçu une balle dans le crâne lors d'une altercation à Bogotá quand il était policier. L'un des gardes, Mono, nous dit qu'il a assisté à la bataille au cours de laquelle Julian a été capturé : il s'est vaillamment battu et a tué plusieurs guérilleros.

Après plusieurs semaines de privations, Julian s'effondre en route. Ses gardes lui hurlent de continuer et il obéit. Incapable de se relever, il rampe, car il sait que s'il retarde la troupe, tout le monde va en pâtir. Le voir ainsi alors qu'une autre prisonnière est transportée dans un hamac est insupportable. Quand nous faisons halte, Jhon Jairo fait montre de l'humanité dont les FARC sont incapables. Il va supplier Guillermo, le médecin, d'enlever les chaînes de Julian. Par respect pour les deux hommes, Guillermo accepte et Julian fait le reste du trajet sans ses entraves.

Comme toujours, chaque bonne action des FARC est compensée par une mauvaise. Keith a besoin de Guillermo : il s'est enfoncé une épine sous l'ongle du gros orteil. Au lieu de lui administrer un analgésique ou même de nettoyer la plaie, Guillermo prend un bistouri et entreprend de le charcuter en marmonnant que les Américains sont des mauviettes. Un autre garde, Cereal Boy, voyant que Guillermo s'acharne, murmure muettement derrière le dos du médecin des encouragements à Keith. Guillermo n'aime pas Keith, pour Dieu sait quelle raison, et il donne l'ordre à celui-ci de poursuivre la marche enchaîné à un autre prisonnier.

Nous sommes au bout du rouleau. Nous mangeons même quelques bouchées de tortue terrestre qu'on nous propose. Lorsque nous arrivons à notre point de ravitaillement, nous recevons chacun un paquet de cigarettes et un pain de sucre. Nous sommes tellement carencés que, lorsque nous mangeons ce sucre, c'est un véritable coup de fouet. L'ayant presque entièrement avalé entre le soir et le lendemain matin, je suis littéralement dopé pendant le début de la journée.

Une centaine de FARC escortent trente-huit prisonniers. À mesure que nous avançons, ce nombre décroît. Les premiers à partir au bout de deux semaines sont Ingrid, Lucho et huit militaires, escortés d'un grand nombre de FARC. Dix jours plus tard, ce sont Consuelo et Gloria (qui marchent courageusement), Clara, Alan, Jorge et Orlando. Enfin, au bout d'une semaine, dix autres prisonniers nous quittent et nous ne sommes plus que tous les trois avec cinq détenus militaires : Javier Rodríguez, Jhon Jairo Durán, Erasmo Romero, Julian Guevera et Julio Caesar Buitrago.

Comme nous l'avons fait jusqu'ici, nous réussissons à tenir bon jour après jour. Nous nous affaiblissons physiquement, mais nous trouvons des ressources en nous pour tenir. Keith refuse de laisser les FARC l'emporter. Marc trouve sa force dans sa foi et dans la prière par laquelle il commence chaque journée. Moi, je me cramponne à ma famille et à l'espoir de revenir au pays. Une fois, je trébuche et je m'étale, et je suis tenté de ne plus me relever, mais je prends sur moi. Dans la boue jusqu'aux genoux, dans l'eau jusqu'au cou, montant et descendant des *cansa-perros* – littéralement : des collines assez raides pour épuiser des chiens –, grelottant la nuit, nous dépassons les limites de ce que nous pensions pouvoir endurer.

Ce qui nous soutient tous dans les pires moments, c'est l'espoir de retourner chez nous et recouvrer la liberté. Le désir d'échapper au joug de ces individus qui nous maltraitent et nous privent de nos droits. C'est un besoin quasi primaire enraciné en nous au cours de toute une vie où nous avons pu exercer notre libre-arbitre. C'est ce que nous voulons pour nous-mêmes et que, en tant que nation, ce que nous désirons pour les autres peuples. Beaucoup de FARC nous demandent comment sont les États-Unis, et, quand nous leur répondons que c'est le pays de la liberté, ils refusent de croire que ce soit aussi simple. Les guérilleros sont incapables de comprendre que ce qui nous est le plus précieux, c'est notre liberté.

KEITH

Quel soulagement quand, au bout de trente-huit jours de ce calvaire, les FARC nous font embarquer dans un bateau ! Durant tout ce temps, j'ai été écœuré de voir ce gros imbécile de Sombra marcher sans paquetage alors que sa dernière conquête, Spiderwoman, est chargée comme une mule. À chaque halte, quelques femmes papillonnent autour de lui, s'assurent qu'il a de l'eau, pas de caillou dans ses bottes et autres petites attentions. Lors d'une étape, les bonniches de Bouboule se précipitent pour lui apporter un petit banc afin qu'il n'ait pas à poser son gros cul par terre. En voyant cela, je songe à *La Ferme des animaux* de George Orwell, et au cochon Napoléon qui dit : « Tous les animaux sont égaux, mais certains animaux sont plus égaux que d'autres. » J'aimerais pouvoir infliger à Sombra la cruauté dont il fait preuve envers nous.

En attendant le bateau, nous restons assis sur la rive et nous nous assoupissons. Au loin, nous entendons de la disco qui résonne. Je sais que c'est bien réel, car jamais je me laisserais aller à rêver de disco. Quand le crépuscule arrive, nous embarquons enfin. Nous passons devant le bar d'où venait la musique. Ce n'est qu'une silhouette au bord de l'eau où se reflètent des lumières, mais cela fait un an que nous n'avons pas vu la civilisation. Des cigarettes à la main, nous remontons la rivière sous un ciel semé d'étoiles et, quand nous n'avons plus rien à fumer, nous nous blottissons les uns contre les autres sous une bâche en plastique pour conserver un peu de chaleur.

Au lever du jour, nous abordons près d'un débarcadère pourri qui mène à une clairière où se dressent les ruines d'un ancien camp des FARC. L'un des bâtiments a été bombardé et le reste est envahi par la végétation. Au beau milieu se dresse une construction en béton avec un toit en tôle. C'est ce qui reste d'un hôpital, à en juger par les deux blocs opératoires remplis d'appareils médicaux devant lesquels nous passons. Tout est couvert d'une épaisse couche de poussière. Cela fait longtemps que les occupants ont déserté les lieux. Nous nous écroulons et nous endormons aussitôt.

Nous nous reposons et nous restaurons durant la semaine qui suit. On nous sert du bœuf et des légumes pour la première fois depuis plus d'un an. Notre organisme a tellement perdu l'habitude d'une nourriture solide ou consistante qu'il l'évacue à peine ingurgitée. Le reste du temps, nous restons couchés ; on nous autorise rarement à nous promener, escortés par des gardes dans la demi-douzaine de pièces que comprend le site. J'ai l'impression que l'endroit est encore hanté par ceux qui y ont séjourné, mais comme bien des choses ici, il faut accepter la situation sans poser de questions.

Au milieu de la semaine, les cinq derniers militaires reçoivent l'ordre de faire leurs sacs et partent, emmenés par Ferney. Nous sommes peinés de les voir s'en aller, mais nous n'allons pas regretter le Français. C'est Milton, la mascotte de Sombra, qui reste pour s'occuper de nous. Les gardes sont bien plus détendus que d'ordinaire. Je pense qu'ils sont tout aussi soulagés que nous de ne plus crapahuter. À la fin de la semaine, nous partons en pirogue puis en camion jusque dans les montagnes de Macarena. En route, nous sommes tout excités de passer par une ville d'une centaine de bâtiments, Santo Domingo. Peu avant de partir, deux gardes, Rogelio et Costeño, nous ont confié avoir entendu dire qu'une rançon avait été payée et que nous allions être libérés. Cela corrobore une rumeur qui circulait pendant la marche : le gouvernement colombien aurait relâché unilatéralement quarante-cinq prisonniers. Nous pensons que cela a un rapport avec nous : pourquoi le gouvernement agirait-il ainsi s'il n'était pas certain que les FARC vont en faire autant ? Maintenant que nous sommes dans une ville, cela nous paraît logique. Une ville, ce sont des rues, de l'électricité, des moyens de transport et des moyens de communication.

Il existe aussi une autre possibilité. Nous avons entendu dire que l'armée colombienne avait capturé deux chefs des FARC, Simón Trinidad et une autre Sonia. Trinidad est le fils d'un riche propriétaire terrien. Ses parents sont de gauche, mais Trinidad a mal tourné. Il a été capturé en Équateur en janvier 2004 et presque immédiatement extradé en Colombie. Pendant notre détention avec les politiques, nous avons appris que les États-Unis espéraient le faire extrader pour le juger. Marc, Tom et moi convenons que ce n'est pas de bon augure pour nous : cela mettrait les FARC en fureur et ils risqueraient de se venger sur nous, mais c'est une bonne chose pour notre pays et pour le monde que ce type soit jeté en prison. Il est déprimant que le gouvernement américain ne négocie pas avec les terroristes, mais nous ne pouvons que l'approuver. Nous rêvons un instant que les États-Unis échangent Trinidad et Sonia contre nous, mais ce serait trop beau pour être vrai.

Notre optimisme fond lorsque notre camion traverse la ville sans s'arrêter pour continuer vers les montagnes. On nous entasse à l'arrière d'un pick-up. Nous sommes vingt sous une bâche dans trois mètres carrés. Marc et moi sommes secoués par les cahots et nos gardes, des femmes, Tatiana et Mona, se sont endormies la tête sur nos épaules. Nous aimerions bien pouvoir en faire autant, mais, à mesure que nos espoirs de libération diminuent, cette étrange proximité physique avec notre ennemi me donne la nausée.

Nous passons trois semaines dans un campement provisoire dans la montagne. Nous sommes encore assez proches de Santo Domingo pour être correctement ravitaillés et nous avons même des matelas en mousse. On nous donne des bottes neuves, des moustiquaires et quelques vêtements. On continue de nous engraisser et Milton se met même à chasser pour améliorer notre ordinaire. Un jour, nous le voyons revenir en traînant deux singes par la queue ; l'un respire encore et un nouveau-né se cramponne encore à l'autre. Nous nous détournons, dégoûtés. J'ai pas mal chassé dans ma vie et je n'irais pas tuer une femelle avec un petit ou laisser une proie sans l'achever, mais Milton n'a pas de tels scrupules. Cela dit, quand vient l'heure du dîner, nous avalons nos états d'âme en même temps que nos *marimbas* frites et notre généreuse portion de singe. Peu importe son origine, cela reste de la viande.

Se draper dans sa morale dans de telles circonstances est absurde et il n'y a que Marc qui rechigne à manger. Quelques jours plus tard, Milton abat un cerf, et Marc et moi ne sommes pas d'accord : pour lui, Bambi mérite de vivre. Mais il finit par admettre qu'une mignonne bestiole à la fourrure toute douce peut être aussi savoureuse que nourrissante quand il accepte de prendre une bouchée du cuissot rôti à la broche.

Milton s'intéresse bien plus à la chasse qu'à l'organisation du camp. Durant la marche, les militaires nous ont dit que nous aurions de la chance si nous l'avions pour *commandante*. Nous ne connaissons de Milton que son regard vide et son comportement servile avec Sombra, mais ils nous détrompent : c'est un garçon gentil et pas compliqué qui aime vivre dans la jungle. Il a l'air doué pour deux choses seulement : chasser et mendier des cigarettes. Quand on lui parle du temps, de nature ou de chasse, il est intarissable. Sinon, il se ferme et s'en va.

Les FARC campent plus bas sur la colline et montent plusieurs fois par jour pour nous ravitailler ou relever les sentinelles. Cela nous permet de mieux connaître certains de nos geôliers. Eliécer (Homme-oiseau) est un gentil garçon d'une trentaine d'années. Son nom de guerre, Jorge Eliécer Gaitán, est celui d'un politicien populiste de gauche du début du XXIe siècle, dont l'assassinat en 1948 ouvrit en Colombie *la violencia*, l'une des périodes les plus sanglantes.

Notre Eliécer est tout sauf partisan de la violence, mais il en a été victime. Cela fait un moment qu'il est avec les FARC et il a visiblement été endoctriné. Ses premiers mots sont : « Tous les Américains sont des gangsters et des criminels. On nous a prévenus de ne pas nous fier à vous. Vous n'avez aucune morale. »

– Nous sommes les premiers Américains que tu rencontres, Eliécer, lui dis-je. Comment peux-tu savoir comment sont les autres ?

– C'est ce qu'on m'a dit et je le crois. J'ai vu ce que votre gouvernement a fait à mon peuple.

Nous essayons de le raisonner, mais il reste inflexible. Une nuit, plusieurs mois plus tard, il vient me voir pour discuter. Il commence par me dire qu'il a été blessé dans un combat,

209

à l'arrière du crâne. Je lui réponds qu'il a beaucoup de chance d'être en vie.

— Je ne trouve pas que j'aie de la chance, répond-il. Je préférerais être comme vous.

— Comme nous ? demande Marc. Otage ? Tu plaisantes ?

— Pas otage, mais comme vous. Américain.

— Je croyais que nous n'étions qu'un ramassis de coupe-jarrets sans foi ni loi qui ravageaient la Colombie.

Eliécer me jette un regard penaud.

— Je me suis trompé. Je croyais ce qu'on me disait, mais maintenant, je crois ce que je vois. Vous êtes des hommes bien. Je vois comment vous vous traitez les uns les autres. Je ne crois pas que vous agiriez comme nous le faisons.

— Comment cela ?

— Je n'ai plus de copine, soupire-t-il. Elle est avec un autre.

— C'est dur. Les femmes sont parfois cruelles.

— À cause de ma blessure, parfois je n'arrive pas...

Il désigne son entrejambe. Je suis surpris qu'il nous fasse un tel aveu. Marc lui suggère d'évacuer son stress. Eliécer répond que ça ne changera rien et s'en va.

J'ai de la peine pour lui. Il dort tout seul, il a été blessé et il souffre de son handicap ; et en plus, il sait que sa petite copine se fait sauter par un autre. C'est lui que j'entends geindre la nuit, j'en suis sûr. Il lui faudrait des analgésiques, mais les FARC ne lui en donnent que rarement. N'importe où, un homme dans son état serait démobilisé, mais les FARC s'en fichent complètement. Il est lié à eux pour la vie et, comme il est costaud, comme ceux que Tom appelle les mules, c'est lui qui porte un énorme mortier à chaque déplacement. Cela nous hérisse de les voir ainsi exploités.

Eliécer n'est pas le seul qui se confie à nous, il y a aussi deux autres jeunes, Cereal Boy et le Plombier. Celui-ci nous apprend que les coups de feu et le cri de femme que nous avions entendus au Nouveau Camp étaient dus au suicide d'un garde. C'était celui qui se moquait de Marc chaque fois qu'il tombait lors de notre première marche. En tant qu'être humain, je suis consterné qu'il en ait été réduit à une telle extrémité, mais étant aussi otage je ne peux m'empêcher de penser qu'il y en a déjà un de moins. Le problème, c'est qu'il en reste des hordes.

Quand arrive Noël 2004, nous n'avons pas grand-chose à fêter sur notre bout de colline cinglé par le vent à part d'être encore ensemble, quand nous entendons les FARC faire une petite fête de leur côté. Peu après, Eliécer apparaît. Nous lui demandons pourquoi il n'est pas avec les autres.

– J'y étais, mais je suis venu vous souhaiter joyeux Noël. (Il me tend son énorme paluche. Je la serre.) Joyeux Noël, Keith, dit-il cérémonieusement. Je suis désolé que tu ne puisses pas être avec ta famille.

Je le remercie et l'interroge sur la sienne. Il préfère ne pas y penser. Il souhaite un joyeux Noël à Marc et Tom, puis il s'en va.

– Il n'est pas bête, Eliécer, dis-je. Il a compris ce que c'est que la liberté, ici. Je suis content qu'il se rende compte qu'il a le droit de choisir à quoi il pense.

MARC

Milton est chargé de nous surveiller, et aussi de diriger une équipe d'ouvriers. Depuis notre arrivée à ce campement provisoire, nous entendons des tronçonneuses au loin et nous voyons des FARC transporter du matériel de construction

211

depuis un demi-kilomètre. Nous nous doutons que tout cela est pour nous.

Après notre deuxième Noël en captivité et une fois le Nouvel An 2005 passé, le camp que son équipe construit est finalement prêt. Nous montons vers notre nouvelle résidence par un vent sec qui fait voleter des feuilles. Le soleil brille dans l'air frais. Je ferme les yeux et je songe à l'été indien dans le Connecticut. Cette vision agréable contraste singulièrement avec la réalité : à flanc de colline se dresse une très grande cage de barbelés soutenus par des piliers en bois. Si Caribe avait des airs de camp de prisonniers de guerre, là, nous sommes en plein cauchemar de Halloween. Seul un malade mental peut s'imaginer que trois êtres humains vont vivre là-dedans. Comme les montagnes où nous sommes portent le nom de cette danse idiote qui a été pendant un temps la folie en Amérique, tout ceci me paraît une mauvaise blague.

Milton nous conduit à la porte et nous pousse du canon de son AK-47 parce que nous refusons d'entrer. La cage mesure environ cinq mètres de côté pour deux mètres cinquante de haut, et le toit, également en barbelés, est recouvert d'une bâche en plastique noir. Les gardes y installent nos matelas en mousse. Nous gardons nos paquetages sur le dos, histoire de montrer maladroitement que nous n'avons aucune envie de rester ici. Nous demandons à Milton les raisons de ce traitement et, avec un mouvement de mâchoires éloquent, il répond qu'il y a des félins dans la montagne capables de passer par-dessus n'importe quelle clôture pour nous dévorer. Keith et Tom éclatent de rire et Milton s'en va, vexé. Nous savons qu'il ne ment pas : nous avons vu les FARC abattre une fois un jaguar, mais prétendre qu'on nous enferme dans cette chambre de torture pour nous protéger, c'est grotesque.

Nous nous installons sur nos matelas, Keith entre nous deux. Nous sommes séparés d'une vingtaine de centimètres et il nous reste un espace libre de deux mètres sur quatre. Nous qui espérions être libérés, nous nous retrouvons dans ce cube de barbelés et c'est un coup dur.

Comme pour les camps précédents, nous ignorons combien de temps nous allons rester ici, mais d'expérience nous savons que le séjour dure au moins aussi longtemps dans un endroit qu'il a pris de temps à être construit. L'équation n'est pas toujours exacte puisqu'il suffit d'une activité aérienne intense pour changer la donne, mais cette cage inaugure au moins notre troisième année de captivité. Nous avons encore moins d'espace et, comme naguère, nous devons appeler le garde pour pouvoir aller utiliser le *chaunto* – les latrines. Malgré tout, nous supportons ces conditions. C'est à croire que, pires elles sont, mieux nous nous en accommodons. C'est surtout parce que, cette fois, nous nous rendons compte que sommes hermétiquement enfermés et que nous n'avons aucun intérêt à faire des vagues.

Nous tirons aussi les leçons de nos vingt et quelques mois de captivité. Nous avons effectué plusieurs marches épuisantes et nous venons de quitter les tensions quotidiennes de Caribe, aussi sommes-nous résolus à ce que la vie dans la cage soit la moins stressante possible. La seule occasion qui nous est donnée de sortir, c'est pour nous laver, et l'eau mise à notre disposition est de nettement meilleure qualité que les cloaques boueux que nous avons connus ailleurs. Si la situation se tend, ce qui est inévitable, nous avons au moins la possibilité de nous rafraîchir et de rester propres.

C'est pourquoi nous nous confectionnons un équipement sportif de fortune. Avec de la sciure et des copeaux, Keith fabrique un coin où il court sur place une demi-heure chaque jour. J'ai une barre de tractions et, si les débuts sont difficiles, je progresse petit à petit. Je n'ai pas renoncé à me remettre en forme, et notre dernière marche m'a fait perdre, à vue de nez, une vingtaine de kilos superflus(j'en pesais quatre-vingt-six au moment du crash). À présent, je dois prendre des muscles et constater mes progrès me motive d'autant plus.

Tom s'entraîne un peu, mais ne pouvant faire ses habituels allées et venues, il reste plus volontiers dans son hamac à « travailler » mentalement : ayant déjà monté et démonté une moto et un avion, il s'essaie à la construction d'une maison. Il finit même par se bâtir un empire financier et immobilier qui pourrait rivaliser avec celui de Donald Trump.

Nous avons aussi la chance de récolter les dividendes de la confiance des gardes. Le Plombier devient le dénicheur de ce groupe de FARC. Il suffit de demander pour qu'il apporte. La monnaie de tous les camps, ce sont les cigarettes et conclure des affaires nous avait pris pas mal de temps à Caribe. Ici, nous ne sommes plus que trois et, faute de concurrence, notre économie pique du nez. Heureusement, le Plombier a une radio qu'il est disposé à nous prêter. À l'hôpital, Tom a ramassé un rouleau de fil de cuivre que nous pouvons utiliser comme antenne une fois tendue. Elle ressemble à une corde à linge, tout le monde n'y voit que du feu.

Nous reprenons notre écoute des émissions de messages, et Keith et moi alternons chaque nuit. Tom n'a pas l'oreille assez fine pour écouter à très faible volume. L'arrangement est le suivant : si l'un de nous entend un message pour l'un des deux qui dorment, il doit le mémoriser sans réveiller son destinataire afin de ne rien en manquer, et le lui répéter le lendemain.

Un samedi soir, c'est moi qui écoute la radio. On annonce qu'un journaliste de MTV News a un message pour l'un des trois Américains, sans préciser lequel. Je suis à moitié assoupi, mais quand j'entends sa voix je sursaute. Il dit qu'il a parlé à Lauren et à Kyle, et que Keith ne doit pas s'inquiéter. Qu'il espère que Keith va bien et qu'il ne comprend pas qu'on nous inflige un tel traitement. Il demande que les FARC libèrent les otages ; il a voyagé dans toute la Colombie et, partout, on lui a déclaré la même chose : il faut relâcher les otages. Puis Lauren parle à son tour et je me concentre pour ne pas en perdre un mot. Son « tu nous manques » est touchant et sincère. Elle l'aime et a hâte de le revoir. Quand elle a terminé, je récapitule mentalement. Nous sommes convenus d'attendre le lendemain matin pour transmettre les messages, mais là, c'est un vrai cadeau de Noël. Je vais discrètement réveiller Keith et je lui chuchote tout ce que je me rappelle. Il me remercie ; j'en ai les larmes aux yeux. Je suis si heureux pour lui, d'autant plus que le dernier message que Keith a reçu d'elle date de nos débuts à Caribe et que Lauren est la personne qui compte le plus pour lui. Durant les jours suivants, sa joie est encore visible. Chaque fois qu'il repense au message, cela lui donne un coup de fouet. Cela me fait le même effet, même si le message ne m'était pas destiné.

Que ce soit à dessein ou par simple coïncidence, les FARC sont diaboliquement astucieux. Chaque fois que nous reprenons du poil de la bête, ils trouvent quelque chose pour nous abattre. Quelques nuits plus tard, nous entendons aux infos que les États-Unis ont obtenu de la Colombie l'extradition de Simón Trinidad. Uribe déclare que, si les FARC ne veulent pas que cela se produise, il suffit qu'ils relâchent immédiatement tous leurs otages. Nous savons que ce n'est pas pour demain. Et nous apprenons que les FARC ont décidé de garder leurs prisonniers pour une durée égale à la peine dont Trinidad écopera à son procès. Nous ne savons pas quelles accusations ont été retenues contre lui, mais il risque probablement la prison à vie.

Une semaine après cette nouvelle, Mono, l'un de nos gardes les plus aimables, vient nous faire une proposition. Il a trouvé dans un autre camp abandonné des magazines espagnols. Keith lui dit qu'il aimerait bien les avoir. Nous avons jeté toutes nos lectures durant la marche et il ne nous reste qu'un exemplaire du *Général dans son labyrinthe* de Gabriel García Marquez, que Cereal Boy a ramassé et rendu à Tom. Mono accepte, à condition que nous les dissimulions.

Voyant que nous tenons parole, Mono commence à s'ouvrir à nous et nous raconte sa vie. Il a commencé comme voleur de bétail, puis il a rejoint la milice avant qu'elle devienne une armée de guérilleros. C'est un garçon intelligent, séduisant, avec des traits européens. Totalement macho, il ne se sépare jamais de son fusil et parle d'une voix qu'il rend grave à dessein. C'est drôle et pathétique en même temps, comme un gamin qui joue à l'homme dans la cour de récréation. Un soir qu'il est de garde, nous discutons des enlèvements et prises d'otages des FARC comme outil politique. Nous lui expliquons que, s'ils croient vraiment mener une guerre civile, ces pratiques violent la convention de Genève, et que le seul résultat est de causer du tort à leur pays à l'intérieur comme sur la scène internationale. Mono ne nous contredit pas. Il nous confie qu'il a même fait partie des unités spécialisées dans les enlèvements et le rançonnage. Les FARC appellent cela des otages économiques. Il nous explique que les FARC ont une loi, la Loi OO1, qui stipule que toute personne jouissant d'un certain capital et ne payant pas son « impôt » aux FARC doit être prise en otage jusqu'à ce qu'une rançon négociée ait été payée. Si la famille ne paie pas, l'otage est exécuté.

Je m'étonne qu'un être intelligent comme lui puisse penser qu'une loi demandant l'assassinat d'individus soit justifiée.

— Il y a ceux qui prennent et ceux à qui on prend, répond-il.

Tom lui demande s'il a participé à une exécution. Il se redresse et nous déclare qu'il a assisté à quelques-unes et qu'il a exécuté lui-même un otage. Keith lui demande comment il s'y est pris.

— Le prisonnier a été attaché et conduit devant un trou. Dès qu'il l'a vu, il a pleuré. Ils pleurent toujours. Je lui ai ordonné de descendre dans le trou et il a fait comme les autres, il a refusé. (À l'entendre, on croirait qu'il n'arrive pas à imaginer pourquoi un individu qui va être exécuté puisse agir ainsi.) Il a fini par descendre dedans, je lui ai braqué mon pistolet sur le crâne et j'ai tiré. Puis je l'ai enterré.

Après un silence, nous lui demandons ce qu'il a éprouvé. Il allume une cigarette.

— Je ne voulais pas, mais tous mes camarades me regardaient et j'aurais eu honte. Il fallait que je le tue dans l'esprit de la révolution, sinon c'est moi qu'on aurait tué.

Nous apprécions Mono et les attentions qu'il a pour nous, mais la froide indifférence de l'anecdote révèle, sinon sa nature profonde, du moins comment les FARC l'ont conditionné. Nous gardons le silence. Nous ne le voyions pas comme un assassin, mais c'est ce qu'il est. Et de mon côté, je sais maintenant de quelle manière je pourrais mourir.

Pour lutter contre mes angoisses, je regarde le Plombier tailler avec un couteau un bout de bois pendant ses tours de garde. Il façonne d'abord un cylindre, puis une toupie. Étant donné que je me considère comme pas trop mauvais en travaux manuels, je lui demande de me procurer un bout de bois ; c'est toujours cela qui m'occupera l'esprit. Le lendemain, il me l'apporte et me prête son couteau en me demandant de façonner un cylindre. Il surveille les opérations et se déclare satisfait du résultat.

Je ne m'estime pas assez doué pour des travaux minutieux, et je lui demande donc un morceau d'une trentaine de centimètres. Comme nous avons réclamé vainement un jeu d'échecs, je décide de fabriquer un pion. Je passe ma journée dessus, et, mon travail terminé, je rends le couteau et montre mon œuvre à Tom et Keith qui me regardent avec consternation. Je finis par me rendre compte que le résultat a moins l'air d'un pion que d'une déesse de la fertilité primitive.

J'entreprends donc de faire d'abord un dessin préalable à l'échelle en m'inspirant de la photo d'un échiquier dans l'un de nos magazines. Deux jours plus tard, mon œuvre achevée, je la montre à mes compagnons qui reconnaissent que là, oui, c'est un pion.

Au cours des trois mois suivants, je continue de sculpter des pions, tout en essayant ne pas trop penser à ce que cela a d'ironiquement symbolique. Mais, au cinquième, un incident vient me le rappeler. Une nuit, vers notre cinquième mois dans la cage, nous entendons un appareil décrire des cercles au-dessus de nous. On nous donne ordre d'évacuer le camp et de monter sur la colline avec interdiction d'allumer des lampes. Nous trouvons absurde d'aller se réfugier sur une éminence. Si l'appareil dispose de matériel infrarouge, nous serons d'autant plus facilement repérés, surtout si nous sommes ensemble. Mais les FARC n'entiennent aucun compte et nous obligent à rester dans la clairière. Du coup, nous essayons de nous écarter le plus possible les uns des autres.

Nous entendons au loin de violentes détonations. Puis un Fantasma tournant autour d'une cible. Le moteur d'un camion de ravitaillement. Et enfin une rafale tirée depuis l'appareil.

Les bruits ne se rapprochent pas : apparemment, la cible repérée par les pilotes n'est pas notre camp. Heureusement pour nous.

L'escadre repartie, nous redescendons de la colline et discutons de l'attaque. Nous sommes heureux que ce n'ait pas été des Blackhawk. Ce à quoi nous avons survécu n'est pas l'opération de sauvetage que nous redoutons tant : les Colombiens n'ont pas essayé de larguer des hommes à terre. Mais à présent, nous sommes conscients d'un nouveau risque qui s'ajoute à une liste déjà longue : être pris par erreur dans un raid aérien.

Milton, jugeant que l'alerte a été un peu trop chaude à son goût, nous ordonne de faire nos sacs. Nous partons en pleine nuit dans la jungle, sans un regard pour notre cage en barbelés.

10

REMISE EN FORME
MAI-NOVEMBRE 2005

KEITH

Après deux semaines de marche et de bivouacs, nous arrivons à la mi-mai dans un autre camp abandonné. Nous pouvons déduire que celui-ci remonte à la période glorieuse des FARC, simplement parce qu'il est encore debout. Quand les FARC avaient leur zone démilitarisée, ils n'étaient pas constamment obligés de se déplacer et leurs camps étaient plus ou moins permanents. Celui-ci est une variante de ce que nous avons vu jusqu'ici : une cuisine surmontée d'un toit en tôle, d'autres constructions en planches, la plupart à pans ouverts, de nombreux bancs et tables. Contrairement à Caribe, il n'y a pas de tours de guet ni de clôture, ce qui rend l'endroit moins menaçant. Mais cela change rapidement.

Après que nous avons quitté la cage, Milton y a renvoyé un petit groupe pour tout démonter. Il a ordre de ne rien laisser qui permette de nous repérer. Il ne voit aucun inconvénient à arpenter la jungle quand il part chasser, mais, si nous brisons une brindille ou laissons le moindre indice de notre passage, c'est le drame. En revanche, il n'a pas l'air de se rendre compte qu'abattre deux singes et les traîner dans la jungle laisse des traces.

Si prompt soit-il à donner de consignes, il n'est pas très vigilant concernant le suivi et c'est pour nous une occasion de remercier les FARC de leur paresse. L'équipe envoyée pour démonter la cage ne prend pas la peine de rapporter les rouleaux de barbelés dans le nouveau camp. Du coup, notre taule est en planche, tout comme la clôture. Bien que nous n'ayons qu'à peine plus de place, ne pas être entourés de barbelés est une bonne chose pour le mental comme pour le quotidien : tous nos vêtements sont déchirés à force de s'être accrochés dans les barbelés pendant des mois.

En revanche, cette fois encore, Milton place notre cabane sur une pente. Non seulement il est déplaisant de ne pas dormir à plat, mais, à la moindre averse, nous sommes inondés. Comme toujours, confrontés à l'idiotie et à la cruauté arbitraire des FARC, nous surmontons la situation. Au cours des premières semaines, nous déplaçons assez de terre pour mettre la cabane à niveau, avec des pelles qu'on a accepté de nous prêter, et cela nous fournit un peu d'exercice. Quand Milton s'en aperçoit, il est furieux – contre nous et les gardes qui nous ont aidés. Pour un camp qui n'est pas censé laisser de traces, un trou assez grand pour accueillir trois hommes ne peut qu'indiquer à ceux qui nous recherchent que nous sommes passés par là.

Cet incident est l'une des nombreuses occasions où se révèlent les tensions entre les gardes et Milton. C'est une faille que nous décidons d'exploiter. Comme nous, beaucoup de FARC considèrent Milton pour ce qu'il est : un simplet doublé d'un tyran mesquin. Ce n'est pas le seul qui soit obsédé par la chasse, mais le seul qui considère que, moins nous avons de matériel, mieux c'est. De temps en temps, le commandant du Front Efren passe nous voir pour demander si nous avons besoin de quoi que ce soit et, invariablement, Milton répond : « Rien ». À chaque fois, ses subordonnés fulminent : la liste d'articles indispensables ou agréables qu'ils aimeraient avoir est longue comme le bras. Peut-être que Milton pense que voyager léger est une bonne chose, puisque, au vu du redoublement d'activité aérienne, nous risquons de pas mal nous déplacer. Ce qu'il n'a pas l'air de comprendre, c'est qu'une armée pense avec son ventre : s'il soignait un peu mieux ses hommes, ils lui seraient plus dévoués.

Cela étant dit, rien n'indique jamais l'éventualité d'une mutinerie générale, mais en bien des occasions, dans leurs confidences, des guérilleros nous laissent percevoir le niveau de mécontentement dans les rangs. Au début, ces doléances ne sont que des remarques d'ordre général. L'un d'eux nous le résume en disant que Milton commande avec son pied au lieu de sa tête. Ce qui signifie d'une part que Milton passe son temps à leur botter les fesses et, d'autre part, que ces continuels déplacements commencent à les lasser. Au lieu de penser stratégiquement, Milton semble nous faire courir dans tous les sens. Peut-être y a-t-il une stratégie, mais elle n'est pas très visible ; et comme il n'est pas renommé pour son intelligence, il y a des chances pour qu'il ne la voie pas lui-même.

Dans toutes les armées, les soldats de base ont l'impression qu'on ne les tient pas au courant de ce qui se passe et que les chefs n'en ont pas la moindre idée. Quand on est un bon chef respecté de ses hommes, ce n'est pas bien grave. Il y a toujours des mécontents quoi qu'il arrive. Mais là, nous constatons que tout le monde s'interroge et rechigne à obéir. Durant notre fuite de Caribe, nous avons senti que les guérilleros n'apprécient pas plus les marches forcées que nous. À présent, la graine du mécontentement a germé.

Comme tous les chefs FARC anciens, Milton a une compagne. C'est une petite femme rondelette qui ne fait pas grand-chose à part veiller à le satisfaire. Nous entendons maintes fois les gardes grogner entre eux ou auprès de nous. Natalia possède ce qu'il y a de mieux en shampooing, bonbons et vêtements. Elle ne fait rien ; c'est une fainéante ; elle a les meilleurs horaires pour les tours de garde. Ce que la piétaille des FARC ne semble pas comprendre, mais que nous percevons dès le début, c'est que le numéro deux d'un camp ne l'est pas en réalité. C'est toujours la compagne du chef qui jouit de ce rôle. C'est elle qui s'occupe des communications radio, qui gère le quotidien et a deux personnes sous ses ordres, l'*economista*, qui est chargé de l'approvisionnement de la cuisine, et le *racionista*, qui distribue la nourriture. C'est le cas de Natalia, et, si personne ne respecte le chef, sa petite amie n'aura pas plus de succès. Et le fait que Natalia soit une garce et une vipère n'arrange pas les choses.

Parmi les guérilleros, il y a clairement des groupes. Les gardes « sympas » – le Plombier, Mono et Alfonso – ont aussi des compagnes et tiennent le haut du pavé ici. Un jour, ils ont le moral tellement bas qu'ils viennent nous confier ouvertement qu'ils ont l'intention de tuer Natalia. Ils veulent la noyer en prétendant que c'est un accident survenu alors qu'elle se baignait, ou qu'elle a été surprise par un félin. Nous sommes effarés devant ce projet de meurtre (cela dit, je m'en tiens tout de même à mon principe du « un de moins, c'est une bonne chose ») et stupéfaits qu'ils nous en fassent part. Nous savons déjà que les FARC n'ont que peu de considération pour la vie d'un être humain, mais ce complot souligne à quel point.

Plus important, nous savons désormais que nous pouvons exploiter ce conflit à notre avantage et nous ne nous en privons pas. Cependant, il nous arrive de renoncer à cet avantage stratégique par souci d'humanité. C'est le cas avec Eliécer. Un jour qu'il nous surveille, il nous déclare qu'il n'est pas d'accord avec les prises d'otages et que d'autres sont de son avis, mais qu'ils ne peuvent rien y changer. S'ils refusent d'obéir aux ordres, ils seront abattus.

Nous digérons ces paroles. Si les gardes nous disent parfois qu'ils n'approuvent pas notre situation, ils semblent rarement aussi sincères qu'Eliécer. Sans qu'il l'exprime, nous comprenons qu'il est disposé à nous aider à condition de ne pas avoir d'ennuis.

— Keith, je ne veux plus rester ici, finit-il par dire.

Marc et moi échangeons un regard entendu. Ce gars n'est pas en train de parler de déserter ; il envisage de se supprimer. C'est le seul type bien ici et il veut se suicider. Voilà l'effet que les FARC produisent sur leurs partisans. Quelqu'un qui a une conscience finit par comprendre que le seul moyen de sortir de cette folie est d'y mettre un terme une bonne fois pour toutes. Eliécer est suffisamment humain pour comprendre qu'on le force à mal agir, mais, malheureusement, il est aussi suffisamment intelligent pour savoir qu'il n'a guère le choix. Le pire est qu'il vient seulement de se rendre compte qu'il n'est qu'un esclave. Là, j'oublie mon sacro-saint principe. Je m'approche de la clôture.

— Qu'est-ce que tu racontes ? Regarde-nous, regarde ce que nous avons comme avenir. Ça ne nous empêche pas de ne pas renoncer à vivre.

C'est pénible de s'entendre dire à haute voix ce que l'on se refuse à penser — qu'il a plus de chances que nous de sortir d'ici et qu'il lui suffit de déserter. Nous sommes inquiets pour lui. Quelques jours plus tard, il est de service pour nous apporter à manger. Il a une sale mine, les yeux rouges et cernés comme s'il avait pris une cuite.

Il nous répète qu'il en a assez de se faire traiter comme une bête de somme et qu'il voudrait être démobilisé ou travailler dans une ferme au lieu d'être accablé de corvées. Il n'en peut plus. Le reste de notre séjour est à l'avenant : nous nous faisons de plus en plus de souci pour lui et j'espère qu'il va tenir le coup.

Un autre guérillero fatigué de la tyrannie de Milton se lie avec nous : Cereal Boy. C'est l'un des mieux dégrossis du lot. Il sait lire et écrire, et éduque un peu les autres. De tous les FARC à qui nous avons eu affaire, c'est le plus curieux de tout. Un matin qu'il est de garde, il lit un magazine espagnol, *Muy Interesante*. Il se met à nous poser des questions sur le programme spatial américain et notamment les missions Apollo. Nous nous rendons compte qu'il ne croit pas que les Américains ont envoyé des hommes sur la Lune. J'ai passé mon enfance en Floride et Tom a vécu près de Cap Canaveral : nous essayons de lui expliquer ce qu'est une fusée, de lui décrire les lanceurs et le carburant utilisés pour les missions lunaires, comment fonctionnent les satellites, etc. Il refuse de me croire quand je lui dis que j'ai vu des roches lunaires.

Nous passons une bonne heure tous les trois à essayer de lui faire comprendre à quoi sert le programme spatial. Il est stupéfait. Reconnaissons qu'au moins il essaie d'apprendre. Il adore écouter la radio et prend des notes constamment, en particulier sur tout ce qui a trait à l'histoire, et nous pose toutes sortes de questions.

Nous abordons des sujets plus contemporains et il me dit que nous sommes interventionnistes : il régurgite ce que les FARC lui ont martelé dans le crâne. Je tente de lui expliquer que le monde est nettement plus compliqué que cela, et, si je n'arrive pas à dissiper l'endoctrinement des FARC, au moins, Cereal Boy est disposé à connaître un point de vue différent. On ne pourrait pas en dire autant des autres gardes.

Si certains guérilleros ont moins de mal à nous parler désormais, c'est que nous sommes plus éloignés de leur campement que d'habitude. Un petit ravin assez encaissé nous sépare, enjambé par une passerelle en bois qu'ils ont construite. Nous sommes à quelques centaines de mètres de nous et assez peu visibles depuis leur camp. C'est une autre preuve de la bêtise de Milton et de l'incurie qui règne chez les FARC.

Malgré la distance, Milton remarque tout de même les liens qui se tissent. Quelques mois après notre arrivée dans ce camp que nous avons baptisé Camp Sport, Mono vient nous voir et nous déclare que s'il a jamais dit quoi que ce soit de mal sur nous, c'est parce qu'il y était obligé.

Nos conversations avec d'autres gardes nous permettent de déduire que Milton a réuni ses hommes pour discuter de la situation des prisonniers. Il a accusé certains de ses subordonnés de nous respecter plus que lui. Nous savons que c'est effectivement le cas et que même ceux qui ne nous respectent pas le détestent. Pour sauver leur peau, ces gars sont contraints de nous critiquer durant la réunion. Les liens se relâchent pendant un certain temps, mais au moins, personne ne dévoile que le Plombier nous a donné une radio.

Le second officiel de Milton est Rogelio, qui est lui aussi détesté des autres gardes et qui est, à nos yeux, juste un cinglé. Rogelio est aussi le *racionista*, celui à qui on doit s'adresser si on a besoin de quelque chose. Il est aussi imprévisible qu'ingérable et on ne sait jamais quelle requête il va exaucer ou pas. Un jour, on peut lui demander un supplément de pâtes et s'entendre répondre qu'on peut crever de faim et qu'il s'en

226

fiche, et le lendemain le voir arriver avec d'énormes steaks qu'il a préparés lui-même après avoir abattu une vache.

Comme si cela ne suffisait pas qu'il ait un comportement irrationnel, il est aussi difficile à comprendre. Il parle très vite et avale la moitié des mots. Même en anglais, ce serait difficile. Ajoutez à cela des yeux qui ont l'air montés sur roulement à billes et un rire suraigu, et le tableau est complet.

Marc et Tom décampant dès qu'il apparaît, c'est toujours moi qui me coltine Rogelio. Comme nous savons que c'est le numéro deux et le *racionista*, mieux vaut être dans ses petits papiers.

Après avoir reproché à ses hommes de nous parler, Milton instaure une nouvelle règle : partout où nous allons hors de notre enclos, un garde doit nous escorter, y compris aux latrines. Ni les gardes ni nous n'apprécions. Et comme Rogelio est le plus souvent dans les parages, c'est toujours lui qui nous accompagne en pareil cas. Ce n'est pas plaisant, mais nous faisons contre mauvaise fortune bon cœur. Ce n'est qu'une nouvelle absurdité à supporter si nous ne voulons pas envenimer notre situation.

MARC

Après avoir quitté la cage pour notre nouveau camp, nous devons prendre l'une des nombreuses pistes tortueuses que les FARC ont creusées dans la montagne. Sur celle-ci, nous passons devant des tas de déchets, dont certains sont là depuis très longtemps, vu leur état. Tom baptise cette piste la Route de la Misère et nous fait remarquer que chaque décharge provient probablement d'un ancien camp des FARC où étaient détenus des otages comme nous. C'est difficile de ne pas s'attrister à ce spectacle, surtout quand on songe aux centaines d'otages qui se trouvent en Colombie. Nous savons que nous ne sommes pas les seuls à crapahuter en ce moment ; ce n'est pas particulièrement rassurant, mais cela donne envie de tout faire pour ne pas finir abattu et pleuré par les siens.

Si nous voulons nous évader ou survivre à une opération de sauvetage et à la réaction des FARC, nous devons posséder la résistance mentale et physique nécessaire pour mettre notre plan en pratique. La planification est le seul aspect de la survie et de l'évasion que nous maîtrisons. Nous savons que nous ne pouvons contrôler les circonstances ou les réactions des autres, mais que nous avons tout pouvoir sur notre mental et notre physique. Nous devons avoir l'énergie suffisante pour agir vite et nous défendre. Nous n'envisageons pas un instant de vaincre tout un groupe de gardes, mais, si un seul nous fait obstacle, nous devons être prêts à l'affronter. En outre, si nous parvenons à nous échapper nous-mêmes ou à la faveur d'un sauvetage, nous devrons survivre dans la jungle et être assez résistants pour atteindre un endroit où nous pourrons être récupérés.

C'est avec cela à l'esprit que nous appelons notre camp actuel Camp Sport. Quand nous y arrivons, nous sommes en meilleure forme qu'immédiatement après nos quarante jours de marche, mais cela ne veut pas dire grand-chose. Nous étions tellement affaiblis que le peu d'exercice que nous avons pu faire dans notre cage nous a remis en forme, mais nous ne sommes pas pour autant au mieux de nos performances.

Pour compenser, nous installons notre petite salle de sport. Fabriquer une barre de tractions est très facile : il suffit d'un morceau de bois assez long pour l'accrocher entre deux arbres ou aux parois de la taule. Avec l'aide de gardes qui nous prêtent des outils et du matériel, nous fabriquons un double escalier pour faire du cardio. Comme Milton se plaint que nos séances de marche laissent une trace trop repérable, nous devons diminuer le rythme. L'escalier est un exercice plus dur et Tom et moi souffrons des genoux, du moins au début.

Mais au fur et à mesure que je me remuscle, la douleur s'atténue. C'est aussi un bon moyen de structurer la journée, de passer le temps et de libérer l'endorphine si prisée des joggeurs. Je crois que si nous ne pouvions bouger que lorsque les FARC nous trimballent d'un endroit à un autre, je deviendrais fou. Nous avons chacun notre manière de nous entraîner, seuls ou ensemble, mais au Camp Sport, nous nous y attachons plus sérieusement que jamais. Il est hors de question que nous soyons de nouveau aussi éprouvés par les prochaines marches. Évidemment, c'est difficile de s'y mettre, mais au bout d'un moment nous y prenons tellement goût que nous avons hâte de commencer chaque matin. Tom se met à lever des poids comme jamais. Keith se lance à l'escalier et progresse de trente à cinquante minutes durant notre séjour.

En plus de cela, fabriquer nous-mêmes notre petit matériel est gratifiant. Ainsi, nous construisons un banc pour le développé-couché. Cette activité nous force à nous remuer et nous donne un objectif quotidien. Pour fabriquer les haltères, nous prenons une bûche dont nous réduisons le milieu pour former la poignée tout en laissant les extrémités intactes. Cela nous prend deux semaines, mais nous nous y mettons tous les trois. Nous plaisantons car cela a un peu des allures de gym des Pierrafeu, mais nous sommes fiers de tout avoir fait par nous-mêmes.

Aucun de nous n'a jamais été un assidu des salles de sport, mais nous définissons un programme. Un jour, je travaille le haut – développé-couché, épaules et pompes. Le lendemain, je continue, mais avec des tractions et les biceps. Le jour suivant, je fais le bas : squats et abdos. Nous nous fixons tous des objectifs qui sont capitaux pour rester positifs. Nous avons un seul but à long terme – rentrer chez nous – mais nous devons aussi penser au court terme.

Et cela ne concerne pas que le physique : nous continuons à tenir notre journal, à apprendre l'espagnol et à lire. Le sergent César Augusto Lasso m'a donné une bible à Caribe et j'ai décidé de la lire de bout en bout. C'est seulement le Nouveau Testament, et il est en anglais et en espagnol. J'en lis un passage chaque jour et Keith s'y met aussi. Nous y trouvons du réconfort et une certaine évasion.

Avant d'être capturé, il m'est arrivé de considérer ma foi comme un fardeau en raison des devoirs (aller à l'église) et des interdits (ne pas mentir ni jurer) au lieu de voir ses avantages. Au Camp Sport, je me rends compte qu'elle me renforce. Jamais je ne pourrais effectuer autant d'exercices si je ne travaillais pas sur mon âme en même temps.

Nous faisons en sorte que notre comportement ne nous vaille pas d'être enchaînés. Nous savons combien c'était indigne et épuisant. Nous risquons d'être entravés en cas d'attaque ou de sauvetage et des chaînes nous ralentiraient considérablement ou compromettraient notre survie. C'est pourquoi nous nous répétons qu'il faut supporter certaines des absurdités des FARC pour pouvoir gagner leur confiance et éviter les chaînes.

À part les entraves, les FARC peuvent aussi nous punir en nous surveillant plus étroitement. Il faut l'éviter à tout prix. En cas de sauvetage, si les FARC veulent nous exécuter, moins nous avons de gardes déjà sur place, mieux c'est.

Le fait que certains guérilleros nous confient des informations compte beaucoup pour que nous nous préparions à toute éventualité. Grâce à eux, nous apprenons que le Camp Sport est proche de la ville de Santo Domingo, dans la municipalité de Vista Hermosa, située dans le département de Meta. Étant passés par Santo Domingo, nous savons que nous sommes sur le flanc est des Andes, tout près du centre du pays. D'après ce que nous avons entendu à la radio, la capitale du département, Villavicencio, est un refuge pour ceux qui ont déserté les FARC ou fui le conflit. Nous ne sommes pas certains de l'emplacement exact de la ville, mais nous avons une destination et c'est déjà beaucoup. Nous avons appris que de vastes régions du pays sont aux mains des FARC et, si nous nous évadons, il faut absolument éviter de nous jeter dans la gueule du loup.

Durant notre séjour à Camp Sport, nous sommes survolés presque toutes les nuits par les Fantasma. Un jour de mai 2005, nous en entendons un qui approche.

– Ça recommence, fait Keith.

Nous ramassons quelques affaires et nous attendons qu'on vienne nous chercher. Les gardes nous conduisent au fond du ravin dans un endroit que nous pensons être une cachette. Nous sommes difficilement repérables, mais fausser compagnie aux FARC est impossible. Nous sommes adossés à la paroi comme des GI's dans une tranchée. À côté de nous, le Plombier est à la radio et nous laisse écouter ce qu'il capte.

Nous entendons le pilote du Fantasma appeler sa base.

– Ils ont l'air de plus en plus pros, observe Keith.

– Encore une mission de routine, fait Tom.

Soudain, le pilote change de ton. Il a l'air excité par quelque chose.

– Il parle à quelqu'un d'autre, dis-je.

Quelques secondes plus tard, nous comprenons en entendant un Kfir en approche. La donne a changé. Nous essayons de scruter le ciel, mais, du fond du ravin, nous n'en voyons qu'une mince tranche.

– Il est en train de le guider, dit Tom. Il a intérêt à lui donner les bonnes coordonnées.

Il est inquiet car le Fantasma guide le Kfir vers une cible. Nous ignorons laquelle, mais ils sont tout proches et il suffit d'un rien pour que les bombes manquent leur objectif de plusieurs centaines de mètres.

– Tu vas comprendre dans deux secondes de quoi on parle, fait Tom au Plombier.

Celui-ci fronce les sourcils. Nous aimons lui montrer, à lui et aux autres, que nous comprenons mieux qu'eux ce qui se passe. Quelques secondes plus tard, nous ressentons l'impact et entendons une explosion.

Mon cœur s'emballe, mais plus d'enthousiasme que de peur. Savoir que les pilotes colombiens sont tout près et en train d'endommager les installations des FARC est un plaisir. Nous espérons tout de même qu'ils ont bien visé et que ce ne sont pas des innocents qui trinquent.

Je suis content que les efforts conjoints de deux équipes donnent des résultats. Nous entendons le Kfir annoncer que le pont est détruit. Nous sommes heureux que la cible n'ait pas été un autre groupe de FARC, car nous songeons aux autres éventuels otages.

La nuit venue, je me rends compte que je n'ai plus aussi peur qu'avant. Je comprends les risques et les options qui se présentent à nous ; nous nous préparons au mieux sur tous les plans – mental, physique, émotionnel – à toute éventualité. Et cela me réconforte. Je me rends également compte que la plupart des FARC ne possèdent pas les compétences pour évaluer les situations et réagir. Nous sentons qu'avec tout ce qui se passe — vols de reconnaissance, bombardements, mécontentement généralisé envers Milton — beaucoup de guérilleros ont autant soif de liberté que nous. Un soir où il est de garde, le Plombier nous en parle très indirectement. Keith a envie de lui proposer de s'évader avec nous. Nous ne courons pas grand risque à lui demander s'il nous laisserait filer si nous l'aidions à en faire autant. Il répond par l'affirmative, puis son visage s'assombrit. Il veut confirmation d'une rumeur qui court : est-il vrai que les États-Unis sont prêts à récompenser ceux qui se rendent ?

Tom lui répond que c'est ce qu'il a entendu dire. Qu'il pourra obtenir un visa et bénéficier du programme de protection des témoins. En tout cas, il ne lui arrivera rien de mal. Keith renchérit : nous ne sommes pas des experts en immigration, mais, s'il nous aide à nous enfuir, cela lui ouvrira beaucoup de portes.

D'après ce que nous savons, c'est une proposition officielle et beaucoup de guérilleros en discutent. Nous sommes optimistes, jusqu'au moment où le Plombier nous expose son plan : il faudra tuer tous les autres dans le camp, car, si un seul survit, on nous recherchera pour nous abattre, lui comme nous.

Nous échangeons un regard. L'expression de Keith est éloquente. Le Plombier n'a ni plan ni stratégie. Cela ne nous gêne pas moralement, mais stratégiquement, si. Le Plombier a un AK-47 et il y a dix-neuf autres FARC ici. Au début de notre séjour ici, nous avons appris des guérilleros les plus amicaux que, si nous essayons de fuir et qu'aucun FARC n'est attaqué, ils ont pour mission de nous traquer et nous retrouver, mais pas de nous tuer. En revanche, si nous tuons quelqu'un en nous évadant, nous serons exécutés si nous sommes repris.

Heureusement, maintenant que le Plombier nous a confié qu'il a envie de s'enfuir, nous pouvons utiliser cette information à notre avantage. Il nous indique aussi les gardes fiables et ceux qui ne le sont pas. Nous n'allons pas perdre du temps ou de l'énergie à nous occuper de ceux en qui nous ne pouvons avoir confiance.

Nous pouvons en revanche toujours compter sur Milton pour faire exactement ce qu'il ne faut pas. Après l'une des attaques de Fantasma les plus sérieuses – accompagnés d'avions, les hélicos viennent en plein jour et déclenchent un feu nourri –, nous sortons du ravin. Milton flippe complètement. Comme il a déjà été blessé lors d'un raid aérien, il a particulièrement peur des avions et il nous oblige simplement à nous enfoncer plus loin encore dans la jungle. Sans bagages : il renvoie des hommes au camp, car nous sommes loin de tout, même d'un point d'eau, et il veut faciliter les choses. Quand nous regagnons le camp, nous constatons qu'il a fait ce qu'il nous a promis si nous ne les respections pas, lui et ses hommes : il a réduit notre espace. Nous devons à nouveau niveler le terrain à peine rentrés, et, comme l'endroit est plus exigu et que nous avons repris des forces, cela nous prend moins de temps.

TOM

C'est à croire qu'à chaque nouveau camp nous devons nous coltiner un nouveau fléau. Au Camp Sport, c'est Rogelio. Nous sommes en revanche plus inquiets d'avoir contracté au bout de deux ans une espèce de maladie locale. Le tout contribue à nous épuiser.

Dans la jungle, il est facile de se couper ou de s'égratigner. Dans la cage, c'était encore plus fréquent. C'est là que Keith et moi avons attrapé la leishmaniose, une affection cutanée assez commune qui vous donne l'air d'un lépreux mais n'est pas mortelle – à condition d'être soignée. Elle est causée par un parasite transmis par des mouches qui sont attirées par les plaies. Le parasite provoque des ulcères qui s'étendent et, faute de soins, peuvent gagner les organes internes. Au bout de plusieurs mois à Camp Sport, peu après qu'Eliécer nous a parlé de suicide, j'ai un ulcère au pied et à la main, et Keith au coude.

Outre ses fonctions de *racionista*, Rogelio est, à l'encontre de toute logique et sens commun, notre médecin. C'est à ce psychopathe que nous devons nous adresser pour les soins. Il diagnostique aussitôt la leishmaniose et donne un traitement à Keith : une cinquantaine d'intramusculaires d'antimoniate de meglumine, médicament qu'ils se procurent facilement, le problème étant répandu.

Bien que je présente exactement les mêmes symptômes, Rogelio décrète que je n'ai pas la leishmaniose. Je n'ai donc pas le traitement et l'ulcère continue de s'étendre. On me dit que c'est juste un rash et on me donne des antibiotiques. À Caribe, les militaires nous ont dit qu'il faut parfois deux à trois cents intramusculaires pour venir à bout du parasite. Du coup, je commence à m'inquiéter et je réclame le traitement approprié. Finalement, quand la lésion de mon pied atteint la taille d'une pièce de deux euros, j'ai droit à mes piqûres, mais Rogelio ne cède pas totalement et ne me les fait que lorsque ça lui chante.

Nous ne sommes pas en bons termes et cela ne date pas d'hier. Son ignorance m'énerve et je ne me prive pas de la lui souligner. Chaque fois qu'il me sert la propagande des FARC, je la remets en question et cela n'arrange rien. Je joue la mouche du coche, je lui demande comment ils envisagent de s'emparer du pays. Je lui fais remarquer qu'il y a quarante ans que cela dure et qu'ils ne risquent pas d'y réussir maintenant, surtout que leurs effectifs déclinent. Et que nous garder en otages dans la jungle n'aide pas à promouvoir leur cause.

Du coup, il fait la sourde oreille chaque fois que je réclame mon traitement. Keith intervient parce qu'il s'entend mieux avec lui et j'obtiens gain de cause, jusqu'à ce que Rogelio décide de m'en priver à nouveau. C'est cyclique et cela dure un moment ; durant une dispute, il prend même Keith à témoin et lui dit : « Le vieux peut crever, je m'en fous. » Je sais qu'il le pense et j'en ai autant à son service.

Je n'aime pas que Keith soit obligé d'intervenir, mais c'est apparemment la seule solution. J'ai le même problème pour mon traitement contre l'hypertension et il est insupportable que ce type joue avec ma santé. J'ai vu sur Smiley ce que donne une leishmaniose mal soignée : des plaies ouvertes. Finalement, nous parvenons à un arrangement. Puisque Rogelio ne veut pas avoir affaire à moi, c'est Keith qui m'administre les piqûres.

À la même période, nous devons affronter une autre affection dont nous ne connaissons que l'appellation locale : *chuchorros*. Nous ignorons sa cause. Elle provoque des ulcères qui enflent et suintent, mais ce n'est qu'un symptôme externe. L'inflammation, très douloureuse, s'étend sous la peau et les tissus gonflent. Le seul remède consiste à presser la plaie et c'est parfois pire que le mal.

Bien évidemment, c'est Rogelio qui est chargé des soins. La première fois, c'est Keith qui y a droit : il a au bras une plaie qui ressemble à un point d'entrée de balle, bien net. Rogelio se met en devoir d'appuyer de toutes ses forces. Il en a les larmes aux yeux et il est à bout de souffle – et c'est lui qui soigne. Au bout d'un moment, un truc oblong sort de la blessure, mais ce n'est pas fini. Rogelio déclare qu'il doit trouver la « mère » et continue. Finalement, il extirpe une sorte de bille.

Il déclare Keith guéri. Comme les FARC n'ont aucun désinfectant, ils réduisent en poudre un antidiarrhéique qu'ils versent dans la plaie et y mettent un pansement. Nous avons l'impression que Rogelio prend un immense plaisir à cette opération ; c'est pourquoi Marc et moi ne nous adressons pas à lui quand nous contractons la même chose. Comme il ne nous aime pas, nous n'osons pas imaginer comment il nous traiterait, après sa démonstration sur Keith.

Nous contractons également une autre affection, la *nuche*, causée par la larve d'une mouche, qui provoque une plaie ressemblant à un furoncle qui s'infecte. J'ai déjà eu cela lorsque nous étions avec Sombra. Il m'avait soigné avec un remède de son cru. Cela consiste à recueillir de la nicotine en soufflant la fumée d'une cigarette dans la paume de la main, jusqu'à obtenir un petit résidu pâteux jaune que l'on introduit dans la plaie, laquelle est refermée avec un sparadrap jusqu'au lendemain. Après quoi on approche de la plaie le bout incandescent d'une cigarette, sans brûler, puis on appuie sur le bouton, qui expulse une larve de deux centimètres. Le procédé est simple : la nicotine empoisonne la larve, qui desserre ses mâchoires et est facilement expulsée.

À Camp Sport, nous utilisons le même remède, en prenant soin de mieux désinfecter la plaie ensuite. C'est Keith qui est chargé de l'opération, car j'ai trois *nuche* en même temps. Keith devient un tel expert en la matière que nous lui prédisons en riant qu'un jour il pourra ouvrir une clinique en Colombie et se faire beaucoup d'argent.

Plus les mois passent, plus je prends Rogelio en grippe, notamment à cause de la manière dont il traite Vanessa, sa compagne. C'est une très jeune fille qui n'a aucun amour-propre, ce qui peut expliquer qu'elle soit avec un personnage aussi méprisable que Rogelio. Le plus étonnant est que c'est la seule des FARC du camp qui ait suivi des études secondaires jusqu'au bout. La voir gâcher sa vie avec les FARC dans la jungle et auprès de Rogelio me révolte.

Les FARC contrôlent tous les aspects de la vie de leurs guérilleros, y compris ce qui tient lieu de relations amoureuses. Bien que, dans cette promiscuité, nous assistions à de nombreux changements de partenaires – n'oublions pas qu'ils sont pour la plupart adolescents ou jeunes adultes –, aucune relation ne peut s'officialiser sans l'approbation des chefs. Les FARC ne voient pas d'un bon œil les naissances qui compliquent la vie du camp. Toutes les femmes prennent la pilule et celles qui sont enceintes doivent avorter sans poser de question. Ce qui n'empêche pas les FARC de s'adonner ouvertement et fréquemment au sexe. Cela, les *comandantes* ne peuvent l'empêcher, mais pour le reste, ils n'accordent aux guérilleros qu'une liberté limitée dans le domaine affectif.

Les conditions de vie de nos gardes ont de sérieuses répercussions sur les nôtres. Comme les sous-fifres n'ont aucun contrôle sur leur propre existence et très peu de libertés, nous sommes à peu près les seuls sur qui ils peuvent exercer un pouvoir. Même s'ils ne peuvent nous contrôler totalement, ce besoin de s'affirmer est la principale cause des traitements arbitraires et cruels qu'ils nous infligent. Cela ne justifie en rien leurs actes, mais cela les explique.

Que je sois des trois Américains le plus difficile à gérer pour les FARC n'est un secret pour personne et cela ne me gêne pas, si garder mes distances est la seule manière de résister. Nous avons chacun notre façon de procéder avec ceux que Keith appelle les « crétins ». Parfois, cela se retourne contre moi. Tout comme Keith et Marc, je refuse de céder totalement. J'accepte de coopérer à mes conditions, mais nous nous laissons généralement faire parce que nous avons la conviction qu'au final nous serons victorieux : nous allons survivre.

C'est cette vision à long terme qui échappe aux FARC. Parfois, nos gardes profitent de nous, d'une manière ou d'une autre. Au lieu d'en faire un drame, il vaut mieux attendre. Les gardes savent bien quand ils se comportent injustement, et leur culpabilité nous sert en d'autres occasions. Durant les marches, quand nous avons vraiment besoin, par exemple d'une bâche pour protéger nos affaires d'une averse, il y en a toujours un pour nous la donner. Je crois que cela leur fait plaisir d'exercer de temps en temps sur nous une autre forme de pouvoir par un geste de bonté.

Si se faire avoir dans certaines circonstances nous permet à tous de bénéficier d'avantages quand c'est nécessaire, cela en vaut bien la chandelle. Même lorsqu'on me prive de ma part de nourriture ou d'autre chose, cela n'a pas d'importance : tous les trois, nous avons pour règle d'or tacite de tout partager équitablement. Si c'est moi qui dois jouer le vieux grincheux, peu importe. À long terme, plus ils ont confiance en Marc et en Keith, mieux nous nous en porterons tous les trois. Canaliser sur moi leur colère et leur méchanceté permet de faire parfois diversion. Je sais comment m'y prendre pour ne jamais aller trop loin et ne pas compromettre nos chances.

Ce que les FARC ne comprennent jamais, c'est que nous agissons rarement sans calcul. Même nos réactions, si brutes et impulsives soient-elles, ont encore quelque chose de pesé et mesuré. Il nous arrive de perdre notre sang-froid dans les pires moments, mais nous gardons toujours l'œil fixé sur l'objectif ultime : recouvrer notre liberté. Si quelque chose nous sépare des FARC, outre les clôtures et les barbelés, c'est que nous savons planifier à long terme. Nous avons beau être promenés dans toute la Colombie sans vraiment savoir où nous nous trouvons, nous sommes toujours capables de penser stratégie et de ne jamais perdre de vue notre position sur l'échiquier.

11

LA MORT
NOVEMBRE 2005-MAI 2006

TOM

Depuis notre cage au Camp Sport, nous avons du mal à voir si le plan Patriota est efficace, mais, vers novembre 2005, nous constatons qu'il est entièrement déployé. À l'automne, nous avons entendu les FARC entreprendre de gros travaux de creusement de routes et cette activité n'est pas passée inaperçue de l'armée colombienne. Dès lors, les attaques des OV-10 et des Fantasma s'intensifient nuit après nuit. Milton a particulièrement peur du Fantasma, qu'il appelle « Cochon », mais nous sommes mieux informés. Bien qu'il ne soit pas doté d'un arsenal redoutable comme le Cochon, l'appareil que les FARC appellent la « Croix » est beaucoup plus dangereux pour nous. Cet appareil, c'est en fait un avion de reconnaissance qui doit son surnom à son long fuselage et à ses minces ailes de planeur avec lequel il peut être confondu : il peut en effet rester en l'air, même une fois le moteur coupé. Un système diminue le bruit du moteur, le rendant quasiment silencieux. Comme il ne produit pas le bruit aigu du Cochon et n'est pas armé, les FARC sous-estiment le danger. Les gué-

241

rilleros craignent les bombardements. Nous, nous redoutons les informations que rapporte la Croix et les raids ou tentatives de sauvetages qui pourraient dès lors s'ensuivre.

En effet, nous savons que cet engin est équipé du meilleur système d'espionnage qui soit. Comme il peut croiser à faible allure et possède un système de thermographie infrarouge capable de percer le couvert des arbres, pilote et opérateur peuvent repérer plus précisément les cibles. Ils les transmettent aux Kfir et Cochons, qui procèdent alors aux bombardements. Les FARC n'ont pas compris que c'est grâce à la Croix que les attaques sont très précises. Uribe n'a pas l'intention de noyer la jungle sous un tapis de bombes. Il a déclaré qu'il allait régler le problème par le feu et par le sang, mais il se sert en fait d'un microscope et d'un bistouri.

Vers la fin de l'année 2005, nous quittons le Camp Sport pour les montagnes, mais une nouvelle nous parvient : Lucho et Ingrid se sont échappés. Du coup, les guérilleros renforcent la sécurité, nous reprennent nos torches et doublent nos gardes. Nous remarquons qu'ils ont maintenant des boussoles. Nous nous dirigeons vers le nord, mais nous faisons des haltes fréquentes pour que Milton et ses sbires les consultent : il est évident qu'ils ignorent totalement comme suivre le cap qui leur a été donné. Le Plombier nous confirme ce que nous soupçonnons : étant infichus d'utiliser une boussole, ils ont dévié durant les trois premiers jours de cette marche qui est censée en prendre cinq. Résultat : nous passons notre temps à zigzaguer.

Pour ne rien arranger, Milton reste égal à lui-même et déclare qu'il n'a pas besoin de boussole et peut s'orienter tout seul. Au bout du compte, nous sommes tellement perdus qu'il doit envoyer des éclaireurs. Deux jours après la fin prévue pour la marche, nous arrivons à un ancien camp où nous devons faire halte et nous ravitailler. Nous nous sommes déplacés, mais les raids des Fantasma nous ont suivis. Milton est désemparé et ne le cache pas. Une nuit, à l'approche d'un nouveau raid, nous évacuons le camp pour nous réfugier dans une tranchée. Nous traînons un peu les pieds pour rester près de la sortie afin de pouvoir nous enfuir si nécessaire. Pour le moment, les Fantasma ne tirent pas, ils sont en reconnaissance. Milton piaille qu'il ne comprend pas ce qui se passe. Personne ne moufte. Pourtant, la manœuvre est évidente. Pendant qu'il décrit des cercles, l'appareil reçoit des informations sur la cible éventuelle et attend l'arrivée des Kfir.

Une fois ravitaillés et les FARC calmés, nous nous mettons en route. Nous apprenons qu'Efren, le commandant du Front, nous a donné une semaine pour gagner un point de rendez-vous, mais Milton semble ne plus se soucier que nous arrivions à temps et à bon port. Il fait halte quand cela lui chante, et part chasser pendant des heures pendant que nous l'attendons.

Au début, nous croyons que c'est pour épargner ses hommes. Grâce à notre entraînement, nous sommes en forme, mais à présent ce sont les FARC qui sont à la traîne. Milton le remarque et houspille ses hommes à coups de pied au lieu d'essayer de les motiver. Comme cela ne donne rien, il change de tactique. Un beau jour, il repère une bande de singes araignées au-dessus de nous et en descend un du premier coup. Il le ramasse par la queue et le brandit, puis il prend la machette d'un de ses hommes. L'animal respire encore. Milton lui assène sur le crâne un coup du plat de la lame. Le sang gicle, mais l'animal n'est pas mort. Milton entreprend de lui trancher une patte. Plusieurs d'entre nous se détournent. Nous avons la nausée. La première patte tranchée, il s'attaque à la seconde. Je jette un coup d'œil, espérant que le singe a rendu le dernier soupir. Il respire encore. Marc, Keith et moi essayons d'ignorer Milton. Je repense à l'épisode de la césarienne de Clara pratiquée par Milton. Pas étonnant qu'Emanuel ait eu le bras cassé. J'ai de la peine pour le singe, mais c'est à Clara et à son fils que je songe en cet instant.

Le spectacle est absolument insoutenable. Oui, Milton est d'un milieu pauvre et sans éducation, il a vécu dans un environnement qui a fait de lui ce qu'il est, mais cela n'excuse pas ce qu'il fait subir au singe, le traitement qu'il a infligé à Clara et tout ce qu'il nous fait endurer.

Milton appelle l'une des filles et fait attacher la patte ensanglantée à son sac à dos. Elle est au bord des larmes et tremble de tout son corps. Il attache l'autre patte au sac d'un guérillero. Puis il donne l'ordre de reprendre la marche et nous passons devant le corps du singe qui tressaute.

MARC

Le temps que nous arrivions à notre nouveau camp, j'ai terminé le jeu d'échecs que j'ai commencé il y a presque un an. Nous passons le cap de la troisième année de captivité le 13 février 2006, dans une région voisine d'un ancien établissement des FARC qui devient notre camp. Tom et moi fabriquons un échiquier avec une planche et nous voici en possession du jeu que nous désirons depuis les premiers mois. Tout comme l'activité physique a occupé la majeure partie de notre temps au Camp Sport, au Camp que nous baptisons « Échecs », c'est ce jeu qui nous mobilise. Nous faisons des parties qui durent toute la journée. Parfois, les gardes viennent regarder et, quand ils en ont l'occasion, ils jouent avec nous.

Tom est excellent, c'est le meilleur de nous trois. C'est aussi un grand manipulateur : chaque fois qu'il prend une pièce, c'est avec un geste théâtral et un commentaire destiné à nous faire comprendre que nous n'avons aucune chance de le battre, et qu'il prend un immense plaisir à terrasser son adversaire. Comme je suis novice, je ne suis pas de taille au début, mais je me fixe pour objectif de réussir à le vaincre un jour. Je finis par être si absorbé par les échecs que je saute les repas si je suis en pleine partie. Les gardes viennent se tenir au courant de l'évolution du tournoi. Ces combats de titans entre le maître et le disciple impressionnent beaucoup tout le monde et je suis ravi de la distraction que cela nous procure. Cela me permet d'oublier Ingrid et les autres. Je prie pour elle tous les soirs et j'espère qu'elle va bien.

Le Plombier veut aussi défier Tom et, bien qu'il soit intelligent, ce n'est pas un joueur aussi expérimenté. Tom n'a aucune intention de céder à quiconque, et, à chaque pièce qu'il lui prend, le Plombier est de plus en plus énervé et perd sa concentration. Tom est à quelques coups de la victoire. Furieux que Tom vienne de lui prendre sa dernière tour, le Plombier se lève d'un bond en renversant pièces et échiquier et s'écrie : *« ¡ No hay violencia aquí ! »*

Tom répond par un geste d'apaisement. Tout le monde éclate de rire et les esprits s'apaisent rapidement, car nous savons que Milton va piquer une crise s'il s'aperçoit que les gardes fraternisent à ce point avec nous. Mais nous trouvons étrange que le Plombier réagisse avec une telle véhémence, tout en proclamant que la violence n'a pas sa place sur un échiquier. Nous avons suffisamment vu que tous les membres des FARC en sont capables. Ici, il s'agit d'un jeu, mais ces types commettent de véritables actes de violence. Cela ne nous empêche pas de continuer à jouer aux échecs, mais cet épisode me reste en mémoire, car il me rappelle la nature profonde du Plombier : c'est un terroriste, quoi qu'il arrive et quels que soient ses contacts avec nous. Ce serait dangereux de le considérer autrement.

Peu après cet incident, nous connaissons la violence réelle. Un matin, nous sommes réveillés par des bombes qui explosent plus près du camp que d'habitude. Une bataille est en cours, mais nous ne savons ni ou ni avec qui. En entendant finalement les mitrailleuses familières d'un Fantasma, nous comprenons que c'est du sérieux. Nous n'avons plus qu'à espérer que les FARC en prennent pour leur grade.

Le lendemain, le Plombier vient nous donner les nouvelles. Nous sommes dans une région où les FARC contrôlent de nombreux champs de coca. Au lieu d'utiliser un avion pour épandre des pesticides, le gouvernement a envoyé un détachement sur place pour arracher les plants. Les FARC lui ont tendu une embuscade et tué vingt-sept policiers, mais nous ignorons le nombre de blessés et de morts chez les guérilleros. Nous estimons qu'il doit être élevé, d'après la durée et la violence du combat.

Dans la journée, Mono arrive et chuchote à Keith que « la marchandise est là ». Il s'agit de cocaïne brute. Mono prétend que le Front en a livré cinq tonnes tout près d'ici.

Au cours de notre captivité, nous n'avons pas vu de très près les installations où les FARC traitent la drogue. Au cours d'une marche, nous sommes passés dans un labo, mais nous n'avons pas vu le produit fini. La nouvelle de cette énorme livraison explique pourquoi les rotations de nos gardes ont duré cinq heures au lieu des deux habituelles. Ceux qui ne sont pas avec nous doivent surveiller la cocaïne. En apprenant la quantité présente dans le camp, nous songeons que les missions que nous accomplissions ont contribué à la situation actuelle des FARC. La drogue est ici, mais ils peuvent la déplacer ailleurs à cause de la forte présence militaire. Nous sommes heureux de savoir que les efforts conjoints des Américains et des Colombiens dans le plan Patriota portent leurs fruits.

Si j'ai du mal à visualiser ce que représentent cinq tonnes de cocaïne cristal, je n'en ai aucun à me représenter les dégâts qu'une telle quantité de drogue peut provoquer aux États-Unis. J'ai fréquemment vu des photos de gamins abattus au cours de règlements de compte entre bandes à cause de la drogue dans presque toutes les grandes villes américaines. J'ai vu des photos de bébés du crack. De familles pleurant des morts directement – ou plus souvent indirectement – liées au trafic de drogue. J'ai l'habitude d'entendre la quantité scandaleuse de dollars provenant du commerce des stupéfiants.

Mais, en Colombie, je vois une toute nouvelle espèce de victimes de la drogue. Les policiers, les victimes d'enlèvements fréquemment exécutées parce que les familles sont incapables de payer une rançon ou refusent de céder au terrorisme. Je prie pour tout ce monde. Mais pas pour les FARC.

Notre séjour au Camp Échecs est marqué par l'un des problèmes récurrents de notre captivité : la pénurie de nourriture. Mais cette fois, la raison est différente. Selon le Plombier, l'armée a coupé notre réseau de ravitaillement. En fait, les Colombiens sont tellement actifs entre le quartier général du Front, les dépôts de vivres et notre camp qu'il se passe deux choses : Milton est obligé de passer en silence radio et nous ne sommes plus approvisionnés. Nous allons être contraints au rationnement, nous comme les FARC. Ils vont être encore plus affaiblis. Et nous sommes enchantés qu'ils ne puissent plus communiquer avec leurs chefs.

De son côté, Milton est trop bête pour prendre une décision sensée tout seul. Nous espérons qu'il va commettre une erreur qui augmentera les chances que les FARC tombent sous le feu de l'armée. Si l'étau se resserre et qu'il continue à traiter ses hommes comme des chiens, peut-être certains vont-ils décider de s'enfuir et de se rendre. Avec ces déserteurs comme guides et protection, nous avons une meilleure chance de survie.

Presque trois mois après notre arrivée au Camp Échecs, les vivres manquent toujours. Rogelio et Mono sont partis depuis plusieurs jours. Rogelio a été particulièrement cruel et irrationnel jusqu'ici. Il refusait une fois de plus de donner ses médicaments à Tom et nous avons dû les réclamer. En son absence, l'atmosphère du camp est nettement meilleure pour nous comme pour les autres FARC. Nous ne prêtons pas attention à cette absence, mais, quatre jours après notre dernier affrontement avec Rogelio, nous voyons sa petite amie Vanessa venir vers nous en pleurs. Peu après, c'est Tatiana, la compagne de Mono, qui arrive dans le même état. Nous demandons au Plombier ce qui se passe. Lui qui d'habitude est assez enjoué paraît bien abattu.

Il nous annonce ce qu'il juge être une très mauvaise nouvelle : Rogelio et Mono sont morts. Nous ne savons pas trop comment réagir devant lui. Nous apprenons que les deux hommes ont été pris dans une embuscade de l'armée alors qu'ils partaient au ravitaillement.

Je n'en suis pas fier, mais je suis ravi d'apprendre la nouvelle. Je suis immensément soulagé qu'un être aussi abject et vindicatif ne soit plus de ce monde. En tant que chrétien, je sais que ce n'est pas une réaction souhaitable, mais je n'y peux rien. Pour nous trois, c'est comme un cadeau.

Bien que Mono nous ait mieux traités que Rogelio, je n'avais pas d'affection particulière pour lui non plus. Il a tué des innocents et s'en vantait fréquemment. Qu'il ait ou non vraiment commis ces crimes et qu'il nous ait parfois aidés ne compte pas : il reste un assassin. Je ne le regrette pas, mais je déplore qu'une vie ait été gâchée. Je sais qu'il avait rejoint les FARC très jeune et n'avait pas eu le choix. C'est un triste destin, mais je ne vais pas verser de larmes pour lui.

Le Plombier parti, nous donnons libre cours à notre allégresse. Bien que nous ayons appris la mort ou la disparition d'autres FARC durant notre captivité, c'est la première fois qu'il s'agit de personnes que nous connaissons bien. Nous sommes un peu surpris d'être aussi satisfaits de la mort de Rogelio. Je ne sais pas si c'est la captivité qui m'a changé ou si elle a révélé ce que je suis au fond. Peut-être ai-je perdu un peu de mon humanité. Je ne m'attarde pas bien longtemps sur le sujet. Les FARC ne commémorent aucunement la disparition de leurs camarades. Vanessa et Tatiana se reprennent très vite et les autres guérilleros se disputent les affaires des deux morts.

KEITH

Une semaine après cette nouvelle, nous reprenons la marche. Au lieu de vivre une épreuve ou de nous perdre à cause de la sottise de Milton, nous avons de la chance : un nouveau guérillero se joint à nous. Ernesto. Cerise sur le gâteau : il est très proche du grand chef du Front.

Physiquement, Ernesto est très différent de ses camarades : il mesure près d'un mètre quatre-vingts, avec une large poitrine, des cheveux et une moustache poivre et sel. Comparé à Milton, il fait raffiné, plus caïd des villes que brigand des campagnes. Il ne se sépare jamais de son 9 Madonna et se

conduit en pro : il garde ses distances, tout en étant relativement calme et agréable.

Lui aussi est conquis par les échecs et, lors de son tournoi
avec Tom (qui gagne neuf parties sur onze), il se confie à
nous. Il est évident qu'il a fait des études et sait lire, mais il
a été abreuvé de la doctrine des FARC. Il vient d'une famille
pauvre, et à l'entendre, c'est aux FARC qu'il doit tout ce qu'il
sait. Pour lui, tout le monde bénéficie du trafic de cocaïne et
il ne comprend pas que nous essayions d'y mettre fin. Il croit
sincèrement que la révolution rendra tous les hommes égaux
et que c'est sa finalité.

Dès le début, nous l'étiquetons comme un idéaliste qui a
la foi chevillée au corps, mais, au moins, il met en pratique
son idée de partage des richesses. Il nous traite avec justice
et intervient pour que nos enclos soient plus vastes. Et il
rappelle à Milton que les prisonniers sont des êtres humains,
ce que beaucoup de geôliers ont tendance à oublier.

Durant cette marche, Rogelio mort et Milton n'étant plus
exclusivement chargé de s'occuper de nous, l'atmosphère se
détend considérablement. Chaque jour quand nous faisons
notre toilette, nous attirons de plus en plus l'attention des
femmes. Elles viennent se laver avec nous et nous sommes
de nouveau des animaux dans un zoo. Pour elles, tout ce que
font les gringos est étrange. Et comme les FARC, hommes
comme femmes, ont tendance à glousser quand ils sont mal
à l'aise, nous avons parfois l'impression d'être entourés de
gamines idiotes.

Un jour Vanessa se joint à nous et quand elle ôte son
tee-shirt, nous constatons que, même mort, Rogelio a trouvé
le moyen de nous poursuivre. Vanessa est enceinte jusqu'aux
yeux. Avoir un enfant est contraire au règlement des FARC,
mais Rogelio est forcément le père. Elle s'est remise de sa

mort, mais elle n'a pas trouvé à le remplacer. Nous ignorons ce qu'il va advenir de l'enfant, mais nous savons que son avenir est sombre.

Vanessa doit être enceinte de quatre à cinq mois quand arrive l'ordre d'avorter. C'est Tatiana, qui s'est liée avec Marc, qui nous expose la situation. Elle sait qu'il n'y a pas d'autre solution, mais elle est chagrinée que Vanessa ne puisse pas avoir le bébé, bien que celle-ci s'y soit résignée.

Il y a parmi nous une femme plus âgée, Gira, qui est un peu la mère poule. C'est aussi l'avorteuse. Le matin où elle vient administrer à Vanessa le médicament qui est censé la faire avorter « spontanément » est surréaliste. Étant père, je suis révolté de savoir qu'un fœtus aussi avancé soit mis à mort. Marc et moi rongeons notre frein. En entendant les protestations de Vanessa, puis ses cris et enfin ses pleurs, mon dégoût des FARC monte d'un cran. Autant nous détestions tous Rogelio et la perspective qu'il ait une descendance, autant nous pensons que cet enfant aurait pu surmonter un mauvais départ. Nous voulons croire que, si la chance lui avait été accordée, même dans un milieu aussi épouvantable que les FARC, cet enfant aurait pu devenir un être humain digne de ce nom.

Quand nous revoyons Vanessa, elle est brisée. Aucun endoctrinement ne peut éteindre en elle l'instinct maternel. Mais elle n'a pas eu le choix. Tout comme pour celui de Clara, les FARC n'ont pas vu un être humain dans cet enfant, mais seulement un risque. Pour eux, un enfant est une chose bruyante qui peut trahir leur position, une bouche de plus à nourrir et à trimballer dans la jungle.

Alors que nous nous éloignons du Camp Échecs et de l'armée pour gagner les montagnes, nous avons conscience que nous en avons encore pour longtemps et que de grands changements nous attendent. Outre Ernesto, nous faisons la connaissance d'un autre chef des FARC, Pidinolo, un jeune homme svelte et sportif qui semble bien différent du ramassis de dégénérés qui compose ce groupe. Il se comporte comme s'il était quelqu'un – et c'est le cas : c'est le bras droit du commandant du vingt-septième Front, Efren. Pidinolo est responsable de la planification tactique des opérations militaires.

Il est accompagné de trois jeunes garçons de pas plus de quinze ans. Ce sont vraiment des bleus, armés de neuf et clairement enthousiastes à l'idée d'être en pleine jungle avec les grands et de jouer à la guerre. Peu après leur arrivée, nous faisons halte et Pidinolo ordonne qu'on abatte un cochon pour faire un vrai repas. Pendant que l'animal embroché rôtit, quelques guérilleros apportent des noix de coco. Nous sommes dans une région agricole, entourés de fermes. Les FARC dévorent les noix et Eliécer nous en taille une grosse part.

Les mois qui ont passé depuis le Camp Sport ne l'ont pas apaisé. Il se sent toujours pris au piège. Il continue de nous dire qu'il est malheureux, qu'il se sent esclave, mais il réussit à se lever tous les matins et à marcher avec nous. Il nous confie qu'il a été dupé quand il a rejoint les FARC. Il se montre toujours généreux et humain, et le coup de la noix de coco n'est qu'un exemple.

Cette nuit-là, nous savourons notre cochon rôti et nous nous couchons. Comme nous sommes en déplacement, nous dormons entourés de gardes. À notre gauche sont couchés Eliécer et un des gamins de Pidinolo, Duber. Nous sommes endormis depuis longtemps quand je suis réveillé par le déclic d'un cran de sûreté. Un instant plus tard, j'entends une détonation et une balle siffle au-dessus de nous. Puis l'un des gamins hurle :

— ¡ *Duber se mató !*

Nous n'en revenons pas que ce gosse se soit tiré une balle. Tous les trois sont l'image même de l'innocence, ou du moins de l'innocence que l'on peut trouver chez les FARC. Dans le tumulte des cris, nous entendons le Plombier demander qui s'est tué, puis la phrase que nous redoutons depuis presque un an.

— *¡ Eliécer se mató !*

Mon cœur se serre. Je comprends qu'Eliécer a mis à exécution sa menace si souvent répétée.

Les guérilleros se rassemblent et on nous ordonne de ne pas bouger. Après un conciliabule, nous les entendons s'activer, puis une bêche creuse la terre non loin de nous. Peu après, on traîne une lourde masse. Je repense à Eliécer qui nous a offert de la noix de coco il y a quelques heures. Alors que tous ses camarades se goinfraient, il nous voyait comme des captifs, pris au piège comme lui et incapables de manger de la noix puisque nous n'avons pas de machettes. Son geste était tout à fait conforme à l'idée que nous nous faisions de lui.

La bêche cesse de creuser et nous entendons le bruit sourd du corps qu'on jette dans sa tombe. Puis le bruit des pelletées reprend.

Le lendemain matin, nous partons. Je n'ai pas beaucoup de temps pour contempler l'endroit que Milton et ses hommes ont recouvert de feuilles et de branches pour ne pas laisser de traces de notre passage. Je porte une chemise qu'il m'a donnée. J'ai dans le ventre la nourriture qu'il a partagée, tout comme il l'a fait maintes fois auparavant alors qu'il n'en avait guère plus que nous. Ce matin-là, je regrette de ne pas connaître son vrai nom et je me promets, si j'ai la chance de rentrer chez moi, de contacter sa famille. Je veux qu'ils sachent que leur fils, leur frère, leur ami s'est retrouvé entraîné dans un délire meurtrier mais qu'il ne s'est jamais départi de sa générosité et de son humanité. Des semaines plus tôt, j'ai dit à Marc et Tom que si nous le pouvons, une fois libérés, nous devrons trouver un moyen de faire quitter la Colombie à Eliécer. Je l'aurais bien volontiers accueilli chez moi et j'aurais partagé mon pain, ma bière ou autre chose. Je connais bien des gens qui l'auraient reçu à bras ouverts et auraient été heureux de connaître quelqu'un avec autant de cœur.

Alors que nous reprenons notre chemin, je suis aussi abattu qu'au début de notre captivité. J'ai une boule dans la gorge et je bouillonne de rage. Je peux supporter ma tristesse, mais je dois évacuer cette colère. C'est plus facile que je ne le pense. Il me suffit de penser à tout ce qu'Eliécer a fait pour nous. Il est mort, mais ce qu'il représente est encore avec nous. Nous renouvelons le vœu que nous avons fait naguère : quoi que nous fassent les FARC, jamais nous ne nous abaisserons à leur niveau. Nous sommes mis à l'épreuve quand Milton vient nous informer qu'il a perdu l'un de ses hommes, qu'Eliécer s'est accidentellement tiré une balle en nettoyant son pistolet à 2 heures du matin par une nuit d'encre en pleine jungle.

L'obscurité peut survenir sous bien des formes et j'ignore la nature de celle qui a enveloppé Eliécer et l'a finalement fait basculer. Peut-être la coupe était-elle pleine. Peut-être que voir les gamins de Pidinolo si enthousiastes lui a rappelé que les FARC sont une spirale. Au final, la raison importe peu, tout ce qui compte, c'est la lumière qu'il a été pour Marc, Tom et moi. Comme nous, Eliécer a choisi, dans la vie comme dans la mort, d'agir bien, même si c'est le plus difficile.

12

À VIDE
MAI-SEPTEMBRE 2006

MARC

Notre départ du Camp Échecs en mai 2006 inaugure des mois d'une existence de bohémiens allant de camp provisoire en camp provisoire. Le ravitaillement et les communications étant toujours suspendus à cause du plan Patriota, il est souvent difficile d'avoir la certitude que nous avons véritablement une destination.

Plus nous errons avec Milton, plus nos provisions diminuent. Nous sommes presque à court de savon et le papier hygiénique n'est plus qu'un souvenir. Les jours meilleurs promis par Ernesto se révèlent être une chimère. Nous sommes passés maîtres dans l'art de la frugalité : nous réussissons à faire durer six mois un tube de dentifrice et, chaque fois que nous pouvons chiper quelque chose aux FARC, nous n'hésitons pas un instant. Ils nous ont pris tellement de choses qu'un morceau de savon, ce n'est rien. Nous espérions que nous serions réapprovisionnés en quittant les montagnes pour les plaines, mais, une fois de plus, la réalité nous rattrape. Cette colonne de FARC arrive à peine à subsister.

De temps en temps, nous avons des miroirs pour nous raser. Les FARC les confisquent souvent parce qu'ils peuvent servir à envoyer des signaux aux avions ; chaque fois que j'en reçois un, je suis choqué de voir combien j'ai dépéri. Comme Tom et Keith, j'ai les joues creuses et les orbites enfoncées d'un bagnard. Nous ne mangeons pas assez de fruits et légumes. Faute de vitamine D et de calcium, mes dents et mes ongles sont fragiles, et je les ébrèche constamment.

Cette rude période ne nous plaît guère, mais nous la supportons mieux. Pour nous soutenir, nous évoquons ce que nous allons faire quand nous serons enfin rentrés. Je suis un fanatique de moto et j'ai sorti la mienne pour une dernière balade juste avant notre départ en mission. Me souvenir de la sensation enivrante quand le compteur de ma Yamaha R-6 atteint les 220 km/h me réconforte durant les marches ou quand nous sommes enfermés. Tom partage cette passion : il a plusieurs motos anglaises qui ne sont plus fabriquées, notamment une vieille BSA Golden Flash. Elle est un peu capricieuse, mais c'est un plaisir pour quelqu'un qui adore mettre les mains dans le cambouis.

Nous imaginons la balade que nous comptons faire ensemble et que nous appelons la Chevauchée de la Liberté. Ce sera un tour de la Floride par les petites routes et Keith tient à ce que nous nous arrêtions dans tous les restaurants traditionnels que nous trouverons. Tom ajoute qu'il tient à emmener sa femme.

Petit à petit, à mesure que nos espoirs de libération s'effondrent, nous nous mettons à rêver carrément. Plus de motos ordinaires, optons pour de vieilles Harley et faisons le tour de tout le sud-est des États-Unis. Comme nos rêves n'ont plus de limites, nous imaginons même nous présenter chez un concessionnaire Harley, raconter notre histoire et obtenir un prix avantageux sur trois motos flambant neuves. Et faire une traversée du pays d'est en ouest.

Même lorsque nous faisons une brève halte et que nous sentons le moral baisser, il y en a toujours un pour dire qu'il a entendu parler d'une route exceptionnelle dans tel ou tel État. Et quand nous repartons, nous nous imaginons rouler dessus.

Même dans les pires moments de disette, les FARC semblent toujours capables de trouver quelque chose à chasser. Ils nous servent toujours les pires morceaux, prétextant que la viande commence à pourrir près de l'os. Notre moral est au plus bas durant ces mois d'errance après le Camp Échecs. Peut-être parce que nous n'avons pas de contact radio ou parce que nous ne pouvons plus écouter de messages, nous commençons à désespérer : cela fait trois ans que nous avons été enlevés. Durant cette période, nous avons chacun reçu moins de trois ou quatre messages de nos épouses, et Keith et moi avons entendu Malia et Shane une seule fois.

Cela nous angoisse. Dans le vide produit par l'absence d'information, nous sommes assaillis de pensées négatives. Si nous voulons être réalistes, la probabilité est grande qu'elles aient refait leur vie avec quelqu'un d'autre. Cela ne nous plaît pas, mais nous comprenons. Nous nous doutons qu'elles doivent être tout aussi angoissées de ne pas savoir ce que nous sommes devenus. Et nous songeons qu'avec toutes les responsabilités qui leur sont tombées dessus en conséquence de notre absence, la vie est en un sens moins difficile pour elles : au moins, elles ont l'esprit plus occupé que nous et moins d'occasions dans la journée d'imaginer les pires scénarios.

Pour Keith, c'est pire, puisqu'il a deux « familles » : il est père de deux petits enfants nés en Colombie et de deux autres aux États-Unis. Je continue de penser à Ingrid et aux autres politiques, et j'espère que Clara et Emanuel vont bien.

À mesure que notre rêve de Chevauchée de la Liberté prend de l'ampleur, notre optimisme devant un retour à notre vie de famille décroît. Rentrer signifie probablement découvrir que nos vies vont être très différentes. Jusqu'à quel point, nous l'ignorons. Les mauvais jours, quand même la Chevauchée ne parvient pas à nous remonter le moral, nous sommes rongés par l'idée que nos vies ont été ruinées.

Entre rêveries et cauchemars éveillés, le ravitaillement promis par Ernesto se fait toujours désirer. Le seul point positif dans ces mois incertains, c'est que nous sommes mieux traités maintenant que nous ne sommes plus sous la coupe de Milton. Lors d'un bivouac, Ernesto nous donne des radios. Une autre fois, alors que nous dressons tous les trois notre *coleta*, il nous prête des machettes. Nous n'en croyons pas nos yeux. Il nous ordonne d'aller couper un arbre et secoue la tête comme si nous avions décidément un comportement incompréhensible. Nous avançons de quelques pas et nous l'interrogeons du regard. Avons-nous le droit d'aller aussi loin ? Nous sommes entourés de gardes armés.

— Mais qu'est-ce que vous avez, enfin ? soupire-t-il.

Il nous désigne du bois plus adapté à une quarantaine de mètres. Nous reprenons notre marche, lorgnant les gardes, mais tout excités de ce semblant de liberté.

— Incroyable, fait Keith. On a même le droit de marcher un peu sans attendre qu'on nous donne la permission. Ça fout presque les jetons.

Jusqu'à maintenant, nous ne nous étions pas rendu compte que la détention nous avait à ce point affectés psychologiquement. Nous avons appris à accepter comme « normales » des conditions que nous aurions trouvées intolérables ailleurs : attendre la permission de se laver, de manger, l'ordre de marcher et de s'arrêter. Tout cela nous a imprégnés imperceptiblement. Nous avions conscience des conséquences physiques de notre détention, mais l'incident des machettes nous fait comprendre que, comme le gibier abattu, c'est par l'intérieur que nous commençons à pourrir. Nous devons rester vigilants et guetter le moindre signe d'emprisonnement mental.

En revanche, nous n'éprouvons à aucun moment ce que l'on appelle le « syndrome de Stockholm » – lorsqu'un prisonnier commence à s'identifier à son geôlier et sympathise avec lui et sa cause. Comme nous savons de quoi il s'agit, nous sommes en mesure d'y résister. Mais le risque n'est pas bien grand, étant donné que les FARC nous traitent d'une manière inhumaine.

Nous espérons de moins en moins quelqu'un va nous aider, mû par l'appât du gain. En effet, nous avons entendu dire qu'une récompense était offerte pour notre libération. Nous avons vu des tracts lâchés sur les fermes demandant aux *campesinos* de coopérer avec les autorités qui cherchent à nous sauver. Au départ, nous avons trouvé cela merveilleux, car cela prouvait que, même si nous avions disparu depuis presque deux ans, quelqu'un se souciait de notre sort. La réalité a vite tempéré notre joie : nous avons croisé très peu de paysans et les gardes nous ont dit que, avant de passer dans une zone peuplée, les FARC menaçaient d'exécuter quiconque posait les yeux sur nous. Nous avons appris à la radio qu'une famille de cinq personnes avait été abattue par les guérilleros. Nous nous rappelons alors qu'une nuit, en débarquant de notre pirogue, nous sommes passés devant une cabane où se trouvaient cinq personnes. Les pièces du puzzle se mettent en place. Ces tracts nous rappellent la vie frugale que mènent les FARC et la majorité des paysans. La récompense promise est de treize milliards de pesos colombiens, soit environ quatre millions d'euros. Le gouvernement doit être conscient que cette somme est tellement hallucinante que la majorité des *campesinos* sont incapables de s'en représenter la valeur. C'est probablement pour cela que les tracts sont illustrés de dessins de Jeep, mules et vaches pour bien faire comprendre les bénéfices d'une éventuelle coopération.

L'offre est relayée à la radio et nos gardes FARC l'entendent. Le Plombier est l'un des rares qui semblent en comprendre la portée. Il nous confie qu'il y pense toutes les nuits et nous lui suggérons que cela lui permettrait de s'offrir tout ce qu'il désire et qu'il vivrait comme un roi. Quelques jours plus tard, il vient nous demander s'il pourrait trouver quelqu'un pour s'occuper de cet argent, car il ne se croit pas capable de le gérer intelligemment.

Nous l'admirons de poser une question aussi intelligente et nous nous félicitons d'avoir comme allié le fléau qui ronge tout individu : la cupidité. Malheureusement, le Plombier est victime d'une autre séduction : il est promu *oficial*. De simple garde, il devient notre geôlier en chef. Nous avons toujours pensé que, dans le monde des FARC, il était le seul qui ait le potentiel pour devenir une célébrité. Beau garçon, il se soucie encore plus de son apparence après cette promotion. Il abandonne jogging et tee-shirt pour arborer en permanence son uniforme camouflage, une chaîne en argent, un keffieh, un calepin et un stylo.

Durant notre période d'errance, nous constatons plusieurs fois la corruption des valeurs des FARC. En arrivant dans les plaines, nous voyons nettement plus de champs cultivés. Ce qui signifie encore plus de plantations de coca. Nous dormons de plus en plus souvent dans des labos abandonnés.

Les FARC se déplacent au fur et à mesure vers les zones où vient de se faire une récolte, abandonnant les champs qui viennent d'être moissonnés.

Tout cela nous confirme ce que nous avions déduit de nos observations aériennes. Les amoncellements que nous repérions sont bien les déchets du processus de fabrication de la cocaïne. Nous constatons en plus que nous ne nous trompions pas en identifiant depuis les airs les plants de coca par leur couleur vert acide, tranchant sur le reste de la végétation. En passant à côté, nous voyons que ce sont des plantations récentes, mais j'espère qu'elles figurent parmi les prochaines cibles et qu'elles seront rapidement détruites.

TOM

Pendant des mois, les FARC jouent une interminable partie d'échecs avec l'armée colombienne, déplaçant sur l'échiquier le peu de pièces qui leur restent. Je nourris l'espoir que le mat est imminent, mais seul mon optimisme me soutient. D'après ce que je constate, notre errance n'est plus la conséquence de l'incompétence de Milton mais une stratégie délibérée pour faire traîner les choses. Si je n'en vois pas la logique, pour moi, c'est positif : cela signifie que nous attendons quelque chose et j'espère que ce sera une amélioration. Mais après des mois de marche et de campements provisoires, la situation empire. Pourtant, si étrange que cela puisse paraître, plus cela se dégrade, plus nous avons de raisons d'espérer. Si les FARC sont réduits à de telles extrémités, peut-être vont-ils accepter de conclure un marché moyennant finances. Ou peut-être que le gouvernement leur accordera une zone démilitarisée s'ils relâchent quelques otages.

Un jour, une des filles nous annonce que nous allons être confiés à un nouveau groupe de gardes. Nous préférons vérifier auprès du Plombier, qui nous déclare qu'il est allé quelques jours plus tôt à cheval avec un guide rencontrer quelques grands chefs, dont Mono JoJoy et Joaquín Gómez. D'après ce qu'il a appris, JoJoy veut nous avoir auprès de lui et cela ne va pas tarder.

Chaque fois que nous entendons prononcer le nom de JoJoy accolé aux nôtres, nous sommes intéressés. Outre qu'il est responsable des opérations militaires, Mono JoJoy est chargé de tous les otages des FARC. Si nous lui sommes confiés, c'est que c'est important. Ayant entendu une forte activité aérienne et étant proches de plus grande villes, nous espérons pouvoir être relâchés bientôt. Cela fait vingt semaines que dure cette partie d'échecs démente et nous sommes heureux d'en voir la fin. Que ce soit notre libération ou simplement ne plus supporter Milton, ce sera de toute façon une grande victoire.

Il y a du changement dans l'air quand le Plombier vient donner à Keith la radio que nous convoitons depuis si longtemps, en ajoutant : « Ne m'oublie pas. »

Le Plombier ne fait jamais rien sans raison. Quelque temps plus tôt, lors d'une conversation, il m'a dit que, si nous étions libérés et qu'il parvenait à quitter les FARC, il voudrait pouvoir nous recontacter. Je lui ai répondu qu'il peut m'envoyer un email depuis un cybercafé de Villavicencio.

Pour moi, le Plombier est un magouilleur. Si j'ai le moindre respect pour lui, c'est parce qu'il semble l'un des rares parmi les FARC qui mesurent vraiment dans quelle situation il se trouve. Il n'aime pas devoir s'occuper de prisonniers, mais il sait qu'il est plus à l'abri que dans les autres unités. Il risque moins d'être tué en étant avec nous qu'en protégeant des labos de cocaïne. Il est très éprouvé d'avoir vu son meilleur ami tué lors d'une opération. Il a compris qu'en rejoignant les FARC il a finalement fait don de sa vie. Quand des guérilleros sont tués, les FARC recrutent d'autres jeunes pour les remplacer et, tôt ou tard, ce sera son tour. Qu'il ait donné une radio à Keith nous indique qu'il espère tout de même encore pouvoir changer le cours de son destin. C'est pour lui une manière de nous dire : « Si vous sortez de là, ne m'oubliez pas et faites-moi venir aux États-Unis. »

Nous sommes rapidement fixés sur la suite des événements. De nouveaux FARC se sont joints à nous et on nous donne l'ordre de faire nos sacs, à nous seuls. Milton et ses hommes nous disent au revoir. Tatiana offre un poussin à Marc pour qu'il puisse enfin avoir des œufs un jour. Je suis un peu ému par cette séparation après deux ans.

Je me ravise quand Milton nous prend à part et nous explique qu'il nous confie à un autre groupe. C'est Jair, un petit guérillero blond, arrivé deux jours plus tôt, qui va s'occuper de nous. Comme pour protéger ses arrières, il avoue qu'il a commis des erreurs en nous refusant ce que nous réclamions – radios et livres – et enjoint à Jair de nous donner tout cela. Il nous tend la main ; je me dis que cela ne sert à rien de le vexer et je la serre. Et sur ce salut, Milton retourne dans la jungle retrouver la vie qu'il a l'air de tant apprécier.

Jair nous emmène. Au bout de dix minutes, nous retrouvons un groupe plus nombreux. Il a l'air dynamique et intelligent. Avec ses cheveux blonds en brosse, on dirait un gringo parachuté dans la jungle. Nous sommes préoccupés de ne plus bénéficier des canaux d'information que nous avions eu tant de mal à construire avec les hommes de Milton. Le Plombier et les autres étaient essentiels et nous sommes angoissés de tout devoir reprendre de zéro.

Nous sentons un changement d'attitude dans ce nouveau groupe : une fois de plus, nous sommes l'attraction, alors que nous avions oublié cette sensation au bout de deux ans avec Milton. Mais il y a aussi du bon : Jair est un meilleur chef et il s'occupe mieux de nous. Je sens que c'est un grand progrès. Ils ont préparé un ponton pour que nous nous lavions dans la rivière, ce que n'auraient jamais fait les feignasses de Milton. Le savon et le papier hygiénique qu'on nous fournit indiquent que ce groupe est mieux ravitaillé. La nourriture est plus abondante et cela nous remonte le moral. Cependant, quand nous abordons la question des radios, Jair a l'air surpris. Milton nous a, une fois de plus, raconté des bobards.

Le lendemain soir, nous nous mettons en route. Jair et ses hommes sont en bien meilleure condition physique et mieux équipés que le groupe de Milton. Ils transportent de lourdes charges, mais ils marchent deux fois plus vite. Nous arrivons rapidement à une clairière où nous attend un guérillero que nous avons vu lors du tournage de notre preuve de vie. Il s'appelle César, c'est le chef du premier Front et l'un des combattants les plus redoutables de l'histoire des FARC. Il nous salue en anglais alors que nous passons devant lui.

Nous n'avons guère le temps de nous demander ce qu'il fait là : le groupe poursuit sa route, pressé de quitter cette zone dangereuse. Marc s'est blessé au genou, et le mien est encore douloureusement enflé, sans compter que j'ai mal au tendon d'Achille. Cependant, comme nous ne voulons pas faire de vagues avec ce nouveau groupe, nous essayons de maintenir l'allure. Parfois, on nous fait même courir et nous estimons parcourir jusqu'à vingt kilomètres quotidiens durant les trois premières de ces quatre journées. Le plus étrange, c'est que, malgré le rythme soutenu, ces guérilleros nous déclarent que ce n'est pas une marche forcée et qu'il suffit de leur demander si nous avons besoin de faire halte. Depuis trois ans et demi, personne ne m'a jamais dit une chose pareille. Savoir que je peux m'arrêter sans risquer de punition me redonne du courage. En plus, les FARC portent une grande partie de nos affaires pour alléger nos charges. Cela nous change du groupe de Milton. Arrivés à un point de ravitaillement, nous recevons des bottes et des vêtements neufs. La nourriture est plus abondante, mais elle est servie n'importe quand. Nous n'allons pas nous plaindre, mais recevoir du pain et de la bière à 8 heures du matin est un peu étrange. Cependant, nous avons appris à ne pas poser trop de questions. Nous prenons ce qu'on nous donne, ne sachant pas de quoi demain sera fait.

César réapparaît. Il nous parle sur un ton badin et, avant de repartir, il nous annonce que nous sommes en de très bonnes mains, que nous pourrons voir des films, lire et avoir des radios une fois à destination. Nous préférons ne pas nous faire d'illusions, mais, pour le moment, ce groupe tient ses promesses. Nous passons quelques jours sur ce point de ravitaillement et nous apprenons que ce nouveau groupe presse l'allure parce qu'il a été victime d'une attaque aérienne deux jours avant de venir nous prendre. On ne nous précise pas quelles sont les pertes, mais il est clair que tous veulent quitter la région au plus vite.

Nous repartons, et cette fois Marc et moi devons porter notre paquetage complet, car les FARC ont pris des vivres et du matériel. L'allure est toujours aussi rapide pendant quelques jours, puis nous ralentissons et nous arrivons à un camp au bord d'une large rivière. Sur l'autre rive attendent César et son camp. Au bout de nos trois ans avec les FARC, je ne suis toujours pas habitué à ce spectacle pourtant courant : comme tous les autres chefs des FARC, César a pour compagne une fille d'environ dix-huit ans, alors qu'il a passé la quarantaine. Étant donné ce que nous savons du dur quotidien des FARC, c'est probablement plus sage pour elle d'être avec quelqu'un d'aussi haut placé, mais je trouve quand même que ces jeunes filles se gâchent la vie.

Nous poursuivons la route par voie d'eau. Nous sommes au total une quarantaine et, comme les FARC n'ont que deux petites pirogues, elles effectuent des allers-retours pendant que les premiers arrivés dressent le bivouac et se reposent.

C'est ainsi que nous descendons petit à petit la rivière et, bien que toujours en mouvement, c'est moins pénible qu'avec Milton. Nous mangeons quantité de caribe, poisson que je trouve savoureux dès le début, mais que Marc et Keith mettent du temps à apprécier. Pour la première fois depuis longtemps, ces longues périodes de repos me permettent de contempler le paysage. Bien que j'y sois otage, je suis toujours sensible à la beauté de la Colombie. Alors que nous bivouaquons dans une vaste boucle de la rivière, en plein territoire vierge, s'étend devant nous jusqu'à l'horizon un immense panorama de vallées et collines couvertes d'arbres. Ce n'est pas seulement un magnifique spectacle, mais aussi le signe d'un changement de région. Au lieu d'être bordée de part et d'autre par une jungle épaisse, la rivière longe maintenant d'un côté d'abruptes falaises et coule entre d'énormes rochers. Les FARC, qui connaissent bien la région, ont baptisé certains de ces rochers : l'éléphant, la fenêtre, etc. Lorsque nous percevons le bruit caractéristique de rapides, nous débarquons et poursuivons la route par des sentiers manifestement utilisés depuis des années. Lorsqu'ils sont moins dangereux, quelques-uns d'entre nous restent dans les pirogues pendant que les autres continuent à pied. Parfois, nous abandonnons carrément les bateaux parce que l'eau est trop basse. Les

FARC ont l'air de connaître exactement les lieux et nous marchons des heures ou parfois des jours pour gagner d'autres pirogues qui nous attendent plus loin. Cette coordination est bien loin des approximations de Milton.

Étant pilote, j'admire quiconque manœuvre habilement un engin. Les premières fois que nous avons navigué, nos barreurs fonçaient sur les obstacles. C'est impossible avec les rochers et les rapides. Notre guide n'a pas l'air d'un membre des FARC : avec ses cheveux longs et sa barbichette, il a des allures de rock-star. C'est un costaud et, comme Rogelio, il est difficile à comprendre. Le peu que nous saisissons nous indique que c'est un vrai converti à la révolution. Son surnom est Mantequillo, ce que l'on pourrait traduire par « grassouillet », *mantequilla* signifiant « beurre ». Keith ne peut résister à l'envie de le taquiner en lui demandant pourquoi tous les barreurs sont enrobés : est-ce parce qu'ils chapardent dans les vivres qu'ils doivent livrer ? Cela ne fait pas rire Mantequillo : il prend son travail très au sérieux et ce qu'il avale en grandes quantités, c'est l'idéologie des FARC.

Malgré une meilleure organisation, ce nouveau groupe parvient tout de même à avoir un comportement surréaliste. Vers la fin de notre odyssée, un groupe de femmes nous donne un soir la sérénade avec des chants de propagande anti-américaine. Après quoi nous essayons de trouver l'entrée d'un camp en bordure de rivière. La végétation est si épaisse que, même avec leurs torches, les FARC ne repèrent pas l'embouchure du canal. Dans un autre campement, nous tombons sur un guérillero qui est le portrait craché d'un farfadet, fume cigarette sur cigarette et parle d'une voix suraiguë.

KEITH

Je ne sais pas si c'est parce que Mantequillo sent le fumet des petits plats de sa maman, mais il finit par trouver l'entrée du canal à 2 heures du matin. Nous n'y avançons que de quelques mètres avant de recevoir l'ordre de débarquer. Nous prenons un sentier bien dégagé pendant une heure et faisons halte. Après un rapide dîner – du riz et un œuf –, nous nous couchons. Nous dormons à peine quelques heures : nous sommes de nouveau réveillés. Tom et moi sommes vite prêts, puisque nous dormons dans des hamacs, mais Marc, ayant toujours mal au dos, doit plier sa tente.

Au bout de plusieurs heures de marche, nous arrivons dans un vaste camp. Comme beaucoup d'autres, l'endroit date de l'époque de la zone démilitarisée. Il ressemble à Caribe avec ses bâtiments en dur et ses caillebotis, le reste étant composé de simples toits sur des poteaux. La jungle a commencé à reconquérir les lieux, mais la plus grande partie est intacte. Au passage, je remarque un détail : sur les cordes à linge sèchent des vêtements civils. Malgré notre fatigue, nous comprenons que nous venons d'arriver dans un camp qui compte d'autres otages. En voyant l'un d'eux, j'éprouve un mélange de joie et de tristesse : je suis heureux de voir l'un des militaires qui nous ont accompagnés au début de notre marche de quarante jours après Caribe. Armando Castellanos saute de joie en m'apercevant et vient m'étreindre. En le serrant dans mes bras, j'ai l'impression d'avoir un sac de balais contre moi. Armando a toujours eu un physique sportif, mais il a énormément maigri et il est méconnaissable. Il me dit qu'il a eu une hépatite, mais malgré cela il est toujours aussi enjoué.

D'un côté, je suis ravi de voir ces visages familiers et, de l'autre, consterné que ces huit militaires soient toujours prisonniers. Ils sont détenus depuis bien plus longtemps que nous. Depuis notre départ de Caribe, nous avons spéculé sans fin sur ce qu'ils étaient devenus et nous nous demandions régulièrement si nous serions de nouveau réunis avec d'autres otages. Les huit militaires sont tout aussi heureux de nous retrouver et nous nous assaillons de questions les uns les autres. Mais ce que j'apprécie le plus, c'est d'être en compagnie de policiers et militaires, car, d'après mon expérience à Caribe, je sais qu'ils se comportent de manière honorable.

Après ces retrouvailles, j'aperçois deux autres personnes : Ingrid et Lucho. Eux non plus n'ont pas eu la vie facile ces deux dernières années ; leurs visages et leurs regards en témoignent. Ils semblent aussi diminués que tout le monde, mais c'est surtout leur attitude qui a changé : ils ont l'air sincèrement heureux de nous voir et leur accueil chaleureux contraste singulièrement avec leur comportement passé. Marc leur trouve un air *accablé*, et je suis d'accord, même si je juge que cette nouvelle humilité leur va bien. Je ne trouve pas qu'ils aient l'air d'avoir souffert plus que nous, mais ils ont un peu rabattu de leur superbe, et cela ne me gêne pas, au contraire.

Malheureusement, il ne me faut pas longtemps pour constater qu'ils n'ont pas changé autant que je l'escomptais. Dans ce camp que nous baptisons « Camp Réunion », nous rencontrons les problèmes de Caribe. Le couple me rappelle certaines personnes que l'on retrouve à une réunion d'anciens élèves. Ils sont physiquement changés, mais ils sont toujours aussi insupportables. Je leur fais aussi peu confiance qu'avant, mais je suis disposé à me montrer bienveillant du moment qu'ils ne me jouent pas les sales tours que nous avons connus deux ans plus tôt.

Nous apprenons que le couple a été mis à part des autres prisonniers et séparé à cause des problèmes qu'ils causent. On ne nous donne pas de détails, mais peu importe. La cabane d'Ingrid est à l'écart, le plus loin possible des autres détenus. D'ordinaire, elle n'a pas le droit de fréquenter les autres et ne peut parler que très peu de temps chaque jour avec Lucho. L'époque des inséparables est révolue.

Durant nos deux ans d'absence, nous avons entendu dire qu'ils ont tenté de s'évader. Sur le moment, nous n'avons pas accordé foi à cette rumeur, puisque nous la tenions d'une fille des FARC qui n'avait pas toute sa tête, mais, peu après notre arrivée à Camp Réunion, nous en avons eu la confirmation. Ils se sont enfuis par la rivière, mais Lucho étant affaibli par son diabète, ils n'ont pu progresser que quelques heures par jour dans l'eau glacée. Perdant chaque jour leurs forces, ils ont fini par être repris. J'ai un peu plus de respect pour eux en apprenant la nouvelle. S'ils ont été séparés des autres à cause de leur tentative d'évasion et si les FARC les enchaînent la nuit, au moins, c'est parce qu'ils ont accompli un acte courageux et pas parce qu'ils se chamaillent avec les autres prisonniers.

J'avoue que j'admire Ingrid et Lucho d'avoir eu les tripes de tenter le coup. Marc, Tom et moi parlons constamment de nos plans d'évasion, mais il est hors de question de risquer quoi que ce soit qui nous vaille une surveillance accrue. Si nous nous évadons, nous devons avoir pratiquement toutes les chances de notre côté, ou il faudrait que la situation devienne trop critique pour nous. J'ignore si Ingrid et Lucho ont été comme nous pris sous les tirs aériens, mais, s'ils ont entrepris leur tentative sans prendre en compte le risque de finir enchaînés, ils ont eu tort. Moi, je m'en tiens à un principe : ne jamais agir inconsidérément.

Quand nous nous mettons à échanger des nouvelles tous ensemble, je me rends compte que le contact humain m'a cruellement manqué pendant ces deux ans. Nous avions beau nous occuper, c'était difficile de remplir toute une journée à nous trois. Là, nous passons sans transition du désœuvrement quotidien à des journées très occupées : quand ce n'est pas l'un qui a une question à poser ou une histoire à raconter, c'est un autre qui veut des cours d'anglais.

Nous sommes plus ou moins au courant de la vie des uns et des autres grâce aux émissions qui diffusent les messages des familles. Comme nous n'avons toujours pas de radio, on nous raconte ce que nous avons manqué. Le pire concerne Gloria Polanco : les FARC ont exécuté son mari. Nous avons tous souffert, mais c'est elle qui a connu les extrêmes : elle est otage, ses deux fils l'ont été, et son mari a été assassiné par les mêmes terroristes. Je ne pourrais pas supporter un tel sort ; je regrette qu'elle ne soit pas avec nous et je déplore de ne pouvoir la soutenir d'une façon ou d'une autre.

Pour moi, les nouvelles ne sont pas trop mauvaises. Depuis le premier message de Patricia, je m'angoissais pour elle et les jumeaux. Au Camp Réunion, j'ai appris qu'elle avait pris la décision de me faire parvenir d'autres messages. Juancho me confirme qu'il l'a entendue à la radio : Keith Junior et Nick vont bien et sont encore avec elle en Colombie. Bien entendu, je m'inquiète qu'ils soient dans le pays, mais, au moins, ils sont avec leur mère.

En revanche, je n'ai toujours aucune nouvelle de Malia. C'est douloureux, mais j'en conclus que ce silence ne peut que signifier que notre relation est bel et bien terminée. J'aime Malia et je voulais l'épouser. C'est une femme merveilleuse, mais on en apprend beaucoup sur les gens dans l'adversité. Marc me fait remarquer qu'elle ne m'a pas quitté quand elle a appris ma liaison et je dois lui reconnaître ce mérite. Malheureusement, notre crash est survenu avant que Malia ait eu le temps de me pardonner totalement.

À côté de cela, Patricia a été capable de passer l'éponge sur tout ce que je lui ai fait endurer – la tromper, lui en vouloir d'être enceinte et lui dire de faire une croix sur notre avenir – pour m'annoncer que les jumeaux vont bien. Cela exige un certain courage et, en plus, elle m'a fait savoir qu'elle attendait mon retour et que les enfants avaient besoin de moi.

C'est ce qui me touche le plus. Quand on est longtemps prisonnier, on doit compter sur ses compagnons. J'ai Marc et Tom, et ils comptent eux aussi sur moi, mais je sais que si je disparais, ils s'en sortiront. Cela me réconforte, mais cela fait du bien aussi de savoir que quelqu'un a besoin de vous. Je ne cesse de penser à Kyle et à Lauren, et j'ai envie de les retrouver, mais en septembre 2007, je ne suis plus très sûr qu'ils aient besoin de moi. Ils ont douze et dix-sept ans ; j'en avais quatorze quand j'ai perdu ma mère. Je sais donc que c'est difficile de perdre un parent à un tel âge, mais je pense qu'ils tiendront le coup.

Concernant Patricia et les jumeaux, je n'en suis pas aussi certain. La Colombie est un pays assez instable. Leur mère est hôtesse de l'air et donc souvent absente. J'ignore comment sa famille a réagi en apprenant qu'elle avait des jumeaux à moitié gringos, et, qui plus est, hors des liens du mariage. J'ignore aussi ce que sera leur vie quand ils seront d'âge scolaire : de mon temps, les enfants qu'on qualifiait de « bâtards » n'avaient pas la vie facile, et, si cela a changé aux États-Unis, la Colombie est encore un pays très conservateur.

L'ironie est que Patricia tient encore à moi alors que nous nous sommes séparés en très mauvais termes, alors que ma fiancée ne prend pas la peine de décrocher son téléphone pour me faire passer des messages. Cela doit vouloir dire quelque chose, mais quoi ?

— J'espère que ce n'est pas une histoire d'argent, dis-je à Marc. Je lui ai promis que je veillerais sur les enfants, donc ce n'est pas pour l'argent qu'elle agit ainsi.

— Peu importent ses raisons, moi je trouve admirable qu'elle t'attende, me répond-il.

Je me rends alors compte que la femme de Marc ne lui a jamais envoyé de messages.

— Ça veut dire quelque chose, alors, non ? dis-je, répondant à la question autant pour moi-même que pour Marc.

Depuis que nous sommes otages, j'ai eu tout le temps de réfléchir au passé. Je me suis demandé pourquoi mon premier mariage a été un échec, pourquoi j'ai attendu six ans pour finalement promettre à Malia de l'épouser, pourquoi je cherche le réconfort dans les bras d'autres femmes. Je me rends compte que j'ai été un salaud égoïste, qu'étant un bon père pour mes gosses j'ai cru avoir le droit de faire des écarts et prendre du plaisir là où je le trouve.

C'est drôle, mais il a fallu que je sois prisonnier des FARC pour comprendre que j'étais prisonnier de mes choix avant le crash. Je me rends compte que l'on reçoit autant que ce que l'on donne. Qu'il faut que j'applique à ma vie privée les principes que l'on m'a inculqués chez les marines. Patricia me montre l'exemple. Quand on fait une ânerie, on ne s'enfuit pas : on reste pour arranger les choses.

Je ne sais pas si c'est à cause de Patricia, mais je retrouve espoir. Ce n'est pas le paradis, mais la situation s'améliore avec le nouveau groupe auquel nous sommes confiés. Le

camp est l'un des meilleurs que nous ayons eus. Psychologiquement, c'est un soulagement d'avoir seulement des sentinelles autour du camp et plus de clôtures, et savoir que l'armée
peut facilement y pénétrer me réconforte assez pour que je
supporte d'autres aspects de notre détention. Pouvoir aller se
laver quand on veut est aussi appréciable : notre emploi du
temps n'est plus aussi strict. Notre geôlier, Enrique, est un
comandante humain. Ses gardes sont beaucoup moins laxistes,
mais nous avons quelques libertés. Cela me fait du bien et
j'ai soif d'encore plus.

Les FARC ont installé deux terrains de volley à côté du
camp. L'un possède un vrai filet, l'autre une simple liane
tendue entre deux arbres. Je n'ai jamais été très fan de ce
sport, mais je décide de m'y mettre. Et que nous jouions
entre nous ou contre les FARC ne compte finalement pas
autant que je l'aurais cru.

À la première partie, je suis stupéfait. Au cours de ces trois
ans et demi, j'ai crapahuté comme un beau diable et fait du
sport, mais ça ne suffit pas. J'ai l'impression d'avoir les pieds
pris dans du béton. Pourtant je suis en bonne condition physique et assez vif pour sauter sur le ballon, mais mon esprit
manque encore d'agilité.

Cette nouvelle liberté au Camp Réunion me rappelle
combien nous en avons été privés. Au lieu d'user mon énergie
dans la colère, cela me rend plus déterminé que jamais à
mettre fin à cet autre match : celui que nous jouons contre
les FARC. Je veux gagner, les battre à plate couture et rentrer
chez moi.

13

RÉUNION

TOM

Nous arrivons au Camp Réunion remplis d'espoir, au moins parce que cet endroit a l'air d'un camp permanent. Nous avons tellement bougé depuis le Camp Échecs que nous aspirons à un quotidien plus régulier qui soit plus sécurisant. Bien que nous connaissions les risques d'être en compagnie d'autres prisonniers, nous sommes certains que la stabilité nous fera du bien.

Nous connaissons déjà les policiers et militaires depuis Caribe, mais nous nous familiarisons avec leurs personnalités et leur dynamique de groupe à Réunion. Quand nous y arrivons, en septembre 2006, ils entament pour la plupart leur neuvième année de captivité. L'année 1998 n'a pas été très bonne pour l'armée. C'est celle où trois de nos codétenus – José Miguel Arteaga (Miguel), William Pérez et Ricardo Marulanda (Richard) – ont été capturés durant une bataille où les FARC ont tué quatre-vingts soldats et pris quarante-trois otages.

Tous ont vu nombre de leurs compagnons être abattus ou pris en otages. Jhon Pinchao n'a pas eu de chance : durant un raid sur la ville de Mitú, il a été capturé en compagnie de soixante autres policiers. Lors du processus de paix, les FARC ont relâché presque tous les policiers otages, sauf six. Jhon est parmi eux.

Raimundo Malagón est l'un des personnages les plus inoubliables que nous ayons connus. Un mètre soixante, râblé et avec du caractère, il a un côté bouledogue. Dès notre arrivée, il insiste pour que nous lui enseignions l'anglais. De son côté, Juan Carlos Bermeo (Juancho), l'un des otages les plus gradés et capturé le plus récemment, se lie d'amitié avec Keith.

Dès le début, nous voyons clairement que ces hommes en ont beaucoup bavé, ne serait-ce que par la durée de leur captivité. Nos trois et quelques années ont été suffisamment pénibles. Aucun d'entre eux n'est vraiment délirant – loin de là – mais ils ont leurs petites manies à eux. Entre nous, nous trouvons qu'ils ressemblent aux personnages du feuilleton *Papa Schultz (Stalag 13)*. Au bout de quelques semaines, nous constatons que Miguel Arteaga est l'un des prisonniers les plus favorisés. Il travaille pour les FARC et est récompensé de sachets de lait en poudre, *fariña* (poudre de yucca séché) et de tout un tas d'autres avantages. Il possède un petit établi et des outils. Les FARC lui fournissent du tissu de camouflage avec lequel il fabrique des casquettes. Il est très doué et en offre une à Keith. Nous n'apprécions pas trop qu'il aide les FARC et bénéficie de leurs faveurs, mais, à ce stade de notre captivité, nous ne sommes pas là pour juger, n'ayant pas été prisonniers aussi longtemps que lui. Si fabriquer des casquettes et travailler un peu pour les FARC satisfait son besoin de s'occuper les mains, très bien. Il est comme nous, il s'adapte à son environnement et aux circonstances.

Ce n'est pas le seul dans ce cas. William Pérez travaille aussi pour les FARC. Les FARC ne leur donnent pas de titre officiel, mais, comme tout détenu privilégié par un directeur de prison ou des matons, Pérez et Arteaga mangent mieux, ont plus de liberté et sont en meilleurs termes avec les gardes que nous. Pérez passe la majeure partie de son temps à fabriquer les gilets en cuir que portent les FARC et à jouer les médecins – c'était sa fonction dans l'armée. Très taciturne, je ne le vois jamais se vanter de ses bonnes relations avec les FARC. Avec Arteaga, nous devons être plus prudents, ne connaissant pas la nature exacte de ses rapports avec les FARC, bien qu'il ne fasse aucun mystère des petits cadeaux dont il bénéficie.

Comme nous ne savons pas s'ils sont capables de nous mettre dans le pétrin, nous restons discrets. Pour nous, ce sont les FARC qui leur ont demandé de faire ce travail et qui leur témoignent simplement de la gratitude pour ce qu'ils font. Au départ, nous ne posons pas de question : du moment que nous n'en pâtissons pas, peu nous importe qu'ils jouissent de certains privilèges.

Nous sommes toujours sur la corde raide dans nos relations avec nos ravisseurs. Nous sommes satisfaits de ne jamais les avoir aidés à gagner leur guerre. Fabriquer des casquettes, des cartouchières, réparer des radios et soigner des patients nous paraît ne pas franchir la limite. Jamais nous ne nous y prêterions, mais nous n'allons pas critiquer trop durement Pérez et Arteaga. Eux-mêmes ne semblent pas très bien s'entendre : ils ont l'air d'être en concurrence.

La nouveauté de cette situation nous oblige à marcher sur des œufs avec nos codétenus comme avec les gardes. Comme avec Milton, nous évaluons comment profiter au mieux de nos relations avec les gardes. C'est vite réglé : ce groupe est beaucoup plus pro et moins disposé à aller au-delà de relations superficielles. C'est très évident dans les opérations de troc. Avec le penchant de Milton pour le tabac, nous traitions directement avec lui. Ici, la monnaie reste la même, mais la méthode est totalement différente. Nous devons en passer par Arteaga pour échanger des cigarettes contre ce que nous désirons. Il possède plus que nécessaire – piles, lait en poudre, biscuits salés – mais cela ne l'empêche pas de chercher à accumuler encore. Il utilise son rôle d'intermédiaire à son avantage. Il n'est pas cupide, c'est simplement qu'il s'ennuie et qu'il cherche à se distraire.

Nos codétenus ne sont pas les seuls à posséder des excédents de matériel et de nourriture. Les FARC de ce premier Front sont les mieux équipés que nous ayons vus. Ils ont des lecteurs de DVD portables et, l'un de nos premiers soirs ici, nous regardons un film de Jackie Chan. Nous sommes fascinés : après des mois sans voir la moindre image animée, c'est quasi hypnotisant. On nous passerait un film montrant des vaches ruminer pendant une heure et demie, nous le regarderions. La plupart des équipements – de l'ordinateur portable aux radios et lecteurs de DVD – sont alimentés par un générateur à essence portable ou par des batteries reliées en série rechargeables avec des panneaux solaires que nous apercevons dans une clairière.

Comme nous ne sommes plus dans les montagnes sous le couvert des arbres, nous bénéficions du soleil et, comme toujours, cela nous requinque. La fraîcheur de la jungle est agréable, mais la lumière nous remonte le moral. Nous sommes très optimistes devant ce rassemblement de plusieurs groupes d'otages. Pourquoi nous avoir séparés autant de temps si c'est pour nous réunir sans raison ? Peu après notre arrivée, nous allumons la radio qu'Enrique nous a donnée. Pour la première fois, nous avons les ondes courtes et la FM.

J'écoute distraitement avec les autres quand, soudain, le mot *despeje* attire mon attention. J'interroge Keith et Marc.

— Vous avez entendu comme moi ?

— Oui, monsieur, répondent-ils avec un grand sourire. Uribe vient d'annoncer qu'il a accepté une *despeje*. Il veut amener les FARC à la table des négociations et leur accorde leur zone démilitarisée.

Marc pousse un soupir de soulagement et remercie le ciel.

— Nous pourrions être rentrés pour Thanksgiving. Génial, non ?

Tout le monde se met à discuter. Les autres prisonniers se congratulent et s'étreignent ; ils ont rajeuni d'un coup. J'oublie parfois que la plupart d'entre eux ont été enlevés quand ils avaient vingt ans et quelques, et ont passé les années les plus agréables et les plus productive de la vie en captivité. En apprenant que l'intransigeant Uribe accorde leur zone aux FARC en échange de négociations de paix, nous sommes comme des gosses. Nous sommes pendus à la radio. Le pays est en grand émoi ; Uribe est resté si longtemps ferme vis-à-vis des FARC que les conservateurs n'en reviennent pas qu'il cède. Les modérés espèrent qu'un processus de paix va mettre fin aux combats et la gauche proclame la victoire des FARC. En cet instant, je ne songe pas à la politique : tout ce qui compte, c'est de rentrer retrouver ma femme et mon fils.

Deux jours plus tard, nous avons ordre de partir. Je suis si convaincu que nous allons être relâchés que je fais cadeau de quelques-unes de mes affaires. Nous marchons deux jours en bivouaquant en chemin. Le troisième, Enrique vient me voir :

— C'est quelque chose, hein ? J'arrive dans ce camp et je vois trois Américains souriants. Vous vous entendez bien avec les autres. C'est bien.

Je ne connais guère Enrique, mais je le sens plus détendu que d'habitude. Il a du mal à cacher sa bonne humeur.

— Vous en savez plus sur la *despeje* que nous ?

Il me répond qu'il a seulement ordre de nous amener ici en attendant l'arrivée des Catalina. Il ne sait rien de plus.

— Des Catalina vont atterrir ici ? Pour nous emmener où ?

Il repousse mes questions d'un geste et me dit que, si on lui a donné l'ordre de nous faire monter dans un Catalina, il s'exécutera.

J'ai du mal à le croire, mais ses paroles me font oublier ma méfiance habituelle. Là, c'est du concret, pas les âneries de Milton. Enrique est en contact direct avec les chefs des FARC. Nous ne le voyons pas depuis longtemps, mais jusqu'à présent il a toujours tenu parole. Je ne pense pas que quelqu'un puisse être assez bon comédien pour nous faire croire que notre liberté n'est qu'à quelques jours ou quelques heures d'ici.

Dès lors, nous marchons d'un pas plus léger, la nourriture nous semble plus savoureuse et la jungle plus belle. Nous rentrons chez nous. J'ai du mal à réaliser. De temps en temps, nous échangeons des regards et nous nous sourions. Un matin, après un bivouac, je vois que Marc est prêt en quelques minutes, ce qui n'a pas toujours été le cas. Je lui fais remarquer qu'il s'est drôlement amélioré en matière de rapidité.

— J'ai eu le temps de m'y entraîner, dit-il en chargeant son sac.

— Tu n'as même pas besoin qu'on t'aide.

— Je voyage léger, aujourd'hui.

Comme Keith et moi.

KEITH

Avant l'annonce de la *despeje*, je commence déjà à me séparer de quelques affaires dont je n'ai plus besoin. J'abandonne en même temps tout espoir concernant ma relation avec ma fiancée. Au Camp Réunion, j'entends parler de Patricia et moi plusieurs fois à la radio. Je suis l'otage gringo qui a eu deux fils avec une Colombienne. J'imagine que ce doit être pénible pour Malia de l'entendre. Quand je reçois des messages – de mes enfants, mes parents, mon frère, et même mon ex-femme – personne ne parle jamais de Malia. Nous étions ensemble depuis six ans quand j'ai été pris en otage et c'est à peu près la moitié de ce temps qu'il me faut pour renoncer à mes souvenirs et à mes projets d'avenir avec elle.

Le plus difficile à abandonner, c'est la maison que nous avions prévu de construire tous les deux. J'ai entendu Tom parler de celle qu'il projette de bâtir, mais je n'ai rien dit, car ce n'est qu'un espoir et un ensemble d'images. Le plus drôle, c'est qu'à la nouvelle de la *despeje*, lorsque je suis tout près de rentrer, j'ai aussi peu de mal à jeter tout ce dont j'ai rêvé – maison, meubles, écran plasma, moto, bateau – que mes vieux rasoirs et tee-shirts en loques, en me disant que je vais en avoir des neufs « à la maison ».

Quelques jours après notre arrivée à Camp Réunion, j'entends de mes propres oreilles un message de Patricia à la radio. Elle me dit que je lui manque et que les jumeaux ont besoin de leur père, et conclut que je suis *el hombre de su vida*, l'homme de sa vie.

La traduction ne rend pas justice à ce que signifient ces mots pour une Colombienne. C'est un peu cliché et mièvre, mais je sais toute la force qu'elle y a mise. Et puis c'est une chose quand Juancho me rapporte ses paroles, mais c'en est une autre de les entendre dans la bouche de Patricia : cela leur donne encore plus de sens. En l'écoutant, je la sens sincère et je doute beaucoup moins de ses motivations et de notre avenir.

Si heureux que je sois de la nouvelle de la *despeje* et d'avoir entendu Patricia, je ne peux pas laisser derrière moi tout ce que nous avons subi. Cela fait partie de moi et je vais rentrer avec aux États-Unis. Ce ne sera pas un fardeau, car j'estime que nous avons de quoi être fiers : les paroles d'Enrique à Tom nous le confirment. Nous nous sommes conduits aussi honorablement que le permettaient les circonstances. Nous avons supporté et triomphé. Et, durant ces cinq jours de marche depuis le Camp Réunion, je me sens bien, réconcilié avec moi-même.

Le cinquième jour, nous quittons la jungle et nous traversons un vaste champ de brûlis. Les FARC sont passés par là pour préparer l'endroit à la culture de la coca. Tom et Marc me rejoignent. Marc fait remarquer à Tom que nous sommes à découvert et que la réception doit être bonne. Tom allume la radio. Nous entendons la voix du président Uribe et le mot qui se détache immédiatement est *denuncie*. Cela ne présage rien de bon.

La veille, le 19 octobre, une voiture piégée a explosé devant l'Académie militaire de Bogotá, faisant vingt-trois blessés. Uribe est scandalisé. Tom et Marc sont comme moi : nous venons de prendre un coup. Nous pestons contre Uribe, contre les FARC, contre ce rameau d'olivier qui nous passe sous le nez.

Les militaires viennent nous rejoindre alors que nous sommes assis, la tête basse. Ils ont entendu et sont aussi abattus que nous. Juancho s'assoit près de moi. Je lui demande ce qu'il en pense.

— Uribe a été très clair : pas d'échange de prisonniers.

Marc murmure qu'il ne reste plus comme option qu'une opération de sauvetage de l'armée.

— On s'est fait avoir, dis-je à Marc.

— Pas que par les FARC, ajoute Tom. Par la France, la Suisse, l'Espagne. Uribe leur a demandé d'abandonner la voie diplomatique et d'envoyer des militaires.

Ingrid s'approche. Pour elle, il y a de l'espoir dans cet effort unifié. Peut-être que les Français arriveront à raisonner Uribe.

— C'est la faute des Américains, dit William Pérez. J'ai entendu les FARC dire que les États-Unis ont commis l'attentat afin d'avoir un prétexte pour attaquer les FARC.

Je n'en reviens pas. Je me tourne vers Ingrid, Lucho et les militaires. Ils évitent mon regard. Il est vrai que les FARC n'ont jamais commis d'attentats à la voiture piégée, mais nous avons entendu dire qu'ils avaient des contacts avec d'autres groupes rebelles et d'autres organisations terroristes. Je rappelle à tout le monde qu'une explosion dans un dépôt de munitions des FARC a tué tout un groupe de guérilleros. S'ils tripotaient une bombe, ce n'était pas pour se distraire.

— Les FARC n'ont jamais rien avoué, intervient Tom. Pourquoi revendiqueraient-ils cet attentat ? Bon sang, nous venons d'un camp où un type s'est volontairement tiré une balle dans le crâne et les FARC nous ont dit que c'était un accident. Ils ne disent jamais la vérité.

Nous finissons par reprendre la route. Nous marchons devant.

— Nous sommes déjà passés par là, dit Tom.

Je sais qu'il ne parle pas du chemin.

– C'est vrai, ce n'est pas la première fois qu'on nous fait le coup.

Marc assure qu'Uribe et les FARC vont reprendre les négociations. C'est forcé : la situation ne peut pas s'éterniser.

– La politique en Colombie, c'est comme le temps, ajoute Tom. Si ça ne vous plaît pas, il suffit d'attendre un jour ou deux pour que ça change.

Nous n'avons plus qu'à attendre.

Ce 20 octobre 2006 n'a peut-être pas laissé un souvenir inoubliable au reste du monde, mais pour nous il est marqué d'une pierre noire. Une fois de plus, nous avons touché le fond et nous devons remonter. Nous avons l'habitude. Cela ne nous plaît pas, mais nous devons nous ressaisir. Le jour suivant, Uribe révèle que l'armée a intercepté un message téléphonique de Mono JoJoy prouvant que les FARC sont impliqués dans l'attentat ; cela lave les États-Unis de tout soupçon.

Un malheur n'arrivant jamais seul, nous nous retrouvons dans la même situation qu'avant notre arrivée au Camp Réunion : nous marchons dans la jungle sans destination en vue. Pour nous remettre, nous reprenons la routine. Les FARC édifient un camp provisoire à quelques kilomètres et installent un terrain de volley. Nous vivons toujours une lune de miel avec Enrique, que nous surnommons *Gafas* à cause de la grosse paire de lunettes qu'il arbore. Pour nous, c'est l'un des rares FARC qui sachent comment on doit traiter des otages.

Nous recevons des planches pour installer nos couchettes. Marc a toujours mal au dos et il dort généralement au-dessous de l'endroit où j'installe mon hamac, ce qui économise de l'espace pour les autres. Nous dormons sur deux rangées séparées par une allée. Ingrid est toujours à un bout et Lucho à l'autre. Leurs heures de visite sont strictes et les quatre gardes en poste à toute heure interdisent pratiquement toute communication avec eux.

Malgré la mauvaise nouvelle de l'attentat, nous continuons de passer le temps comme au Camp Réunion. Nous donnons toujours nos cours d'anglais à quelques militaires. Cela prend des allures de séjour linguistique. Nous avons chacun notre groupe d'élèves et notre méthode. À force de n'entendre que de l'espagnol, nous le parlons suffisamment bien pour nous passer de l'aide des Colombiens.

Avec les cours, le sport, la lecture et les échecs, la radio est un facteur crucial de notre survie. Bien que nous comprenions maintenant les émissions en espagnol, nous aimons bien écouter les stations en anglais. La radio à ondes courtes d'Enrique permet de les capter, et, avec la BBC et Voice of America, nous avons un point de vue différent sur l'actualité. Nous nous tenons au courant de tout, mais ce sont les nouvelles d'autres otages dans le monde qui attirent notre attention. Nous sommes horrifiés d'apprendre qu'un homme d'affaires américain, Nicholas Berg, a été décapité en Irak. Nous savons qu'un journaliste américain a été kidnappé au Pakistan avant lui et a connu le même sort. Ce genre de nouvelles nous rappelle que notre situation pourrait être bien pire.

La radio nous fournit des sujets de conversation qui peuvent durer des heures et parfois des jours. Nous sommes choqués d'apprendre que le baril de brut a atteint 75 dollars. Du coup, nous parlons géopolitique du pétrole et carburants alternatifs. Nous apprenons un jour qu'Apple a sorti un nouvel appareil appelé iPod pouvant contenir cinq mille chansons. Cela nous amène à dresser la liste de ce que nous mettrions sur le nôtre.

À la même période, Marc et moi nous mettons à écouter une émission de la radio colombienne qui programme du jazz et du blues. Je suis fan de blues, pas connaisseur, mais je sais ce que j'aime. Marc finit par y prendre goût à son tour. Quand nous écoutons cette station, allongés dans le noir, c'est comme si un peu de notre pays natal surgissait dans la jungle. Parfois, dans la journée, il nous suffit de mentionner le titre d'une chanson pour recouvrer notre bonne humeur.

Un soir que nous écoutons Radio Netherlands en anglais en attendant notre émission favorite, nous entendons parler des FARC et de la Colombie. Il est question d'une jeune Hollandaise de vingt-deux ans qui a quitté sa famille pour aller enseigner aux enfants démunis de Colombie. Depuis deux ans, plus personne n'a eu de nouvelles. Elle est d'une famille aisée et parle couramment espagnol, anglais, allemand et bien sûr néerlandais.

Marc et moi échangeons un regard.

– Je sais où tu veux en venir. La jolie fille à l'enregistrement de la preuve de vie. Je savais qu'elle n'était pas d'ici. J'ai cru qu'elle était cubaine, mais qui sait ?

– C'était elle. Combien de femmes d'allure européenne fréquentent les FARC ?

– Mais comment une jeune Hollandaise peut-elle se retrouver avec ces gens ?

Je repense à Lauren et je sais qu'elle ne risque pas d'avoir rejoint une organisation terroriste. Ou alors c'est qu'elle a beaucoup changé.

Nous apprenons que la jeune fille s'appelle Tanja Nijmeijer. Le signalement donné correspond, mais nous avons du mal à imaginer comment elle a fini chez les FARC. Nous l'avons entendue déclamer des âneries conformes à l'idéologie des FARC et elle affichait un anti-américanisme forcené. Cela s'accorde avec la jeune idéaliste que décrivent sa famille et ses amis. Elle a été tellement bouleversée par l'injustice sociale et économique qu'elle a constatée en Colombie qu'elle y est retournée pour que justice soit faite.

À la fin de l'année 2006, nous ne sommes pas totalement remis de la déception d'octobre, mais l'écoute de la radio et notre soutien mutuel nous aident à ne pas sombrer. Nous ne sommes pas fous de joie d'être de nouveau sur les chemins, mais nous parvenons à vivre de bons moments. Le jour de Noël, les FARC nous autorisent à nous reposer dans notre camp provisoire. On nous offre un peu de l'alcool maison à base de fruits. C'est plutôt bon et ces quelques gorgées sont bienvenues. Les FARC font la fête toute la journée entre volley et beuveries.

À un moment, l'un des plus jeunes, un brave garçon, va reprendre son poste en titubant. Il est ivre mort et parvient à peine à garder la tête levée quand il s'assoit. Ses compagnons viennent régulièrement le redresser, mais il s'affaisse à chaque fois. Finalement, ils renoncent et le ramènent sur le terrain de volley. Je fais signe à Marc qui est en train de lire et à Tom qui joue aux échecs.

— Joyeux Noël, dis-je en désignant le terrain.
— Et Bonne Année. C'est Ferney. Qu'est-ce qu'il fait là ?
— Regarde qui est avec lui.
— 2,5 ? Ce doit être un rassemblement familial.
— Peut-être que ce que nous avons entendu dire est vrai.

Dans l'un de nos camps, des militaires nous ont dit avoir aperçu au loin un groupe de quatre prisonniers. Nous pensons que ce sont peut-être ceux dont nous avons été séparés à l'hôpital. Et là, en voyant leurs gardes retrouver les hommes d'Enrique, il est possible qu'il s'agisse d'autres otages venus de Caribe.

Marc espère qu'ils sont cinq. Moi aussi. Juste avant de quitter le groupe de Milton, nous avons appris de Tatiana que

Julian Guevera, le militaire qui avait été forcé de ramper durant la marche de quarante jours, était mort en captivité. Julian est l'un des otages les plus héroïques que j'aie connus. Il souffrait de tuberculose et les FARC refusaient de le soigner. Je n'ai pas voulu croire Tatiana. Quand je souffrais durant la marche, je pensais à lui et à tout ce qu'il avait subi – tuberculose, une grave blessure au crâne, enchaîné du matin au soir. Je n'étais pas à plaindre, en comparaison.

MARC

Alors que commence l'année 2007, nous pouvons nous estimer heureux au moins pour une chose. À part les harnais en corde de nylon qu'on nous a fait porter un certain temps, nous n'avons jamais été enchaînés, contrairement à nos codétenus colombiens. Nous ne savons pas pourquoi, mais c'est sans doute parce que Enrique trouve que nous nous comportons bien. Après l'annulation de la *despeje* en octobre 2006, le président Uribe rappelle une fois de plus au monde que la seule option viable pour les otages est une opération militaire. Il est donc crucial que nous ne soyons pas enchaînés. Les Colombiens acceptent cette différence de traitement et ne réclament jamais aux FARC que nous soyons entravés comme eux. Se plaindre de ses souffrances, c'est une chose ; agir en sorte qu'autrui subisse les mêmes, c'en est une autre.

Peu après le Nouvel An, William Pérez et moi jouons aux échecs dans ma *coleta*. Il est un peu imprévisible et je le soupçonne d'être maniaco-dépressif, tantôt enjoué, tantôt prostré. Ce jour-là, il est dans un de ses bons moments. C'est un excellent joueur qui me flanque ma dérouillée à chaque fois, mais j'aime relever les défis. Pendant que nous jouons, Moster,

288

notre nouvel *oficial* chargé de nous surveiller, vient parler à Richard Marulanda. Nous remarquons qu'il a l'air fâché et qu'ils nous jettent des regards noirs. Richard et William partagent une *coleta* et sont enchaînés ensemble la nuit. D'après ce que je comprends, ils se sont querellés et Moster intervient.

Ensuite, il vient voir William.

— Comment ça va, camarade ? demande-t-il en souriant.

Je sais que William joue un rôle d'intermédiaire entre les otages et les gardes, mais la différence entre la manière dont Moster nous parle et s'adresse à lui est frappante. Ils ont plus l'air de deux copains que d'un garde et un otage. Je demande ce qu'a fait Marulanda. Je suis étonné que Moster ait déjà tiré ses conclusions sans chercher plus loin. William met tout sur le dos de Richard, mais il se donne du mal pour rien : Moster lui dit de ne pas s'inquiéter et ajoute qu'il s'occupera de tout.

Le lendemain matin, quand les gardes viennent détacher les Colombiens, ils laissent Marulanda entravé. Un autre garde vient creuser une tranchée à côté de son lit et attache la chaîne de William à celle de Richard.

Tout le monde se demande ce qui se passe. Je raconte ce dont j'ai été témoin. Marulanda est crispant et ce n'est pas le meilleur ami de Keith, mais tout cela est injustifié.

— C'est écœurant. Le pauvre va être obligé de pisser et chier juste à côté de lui, à cause des accusations de Pérez, s'indigne Keith.

Je sens qu'il a envie de demander des comptes à William, qui continue de manger comme si de rien n'était. Keith se lève, je redoute le pire, mais il va se servir un bol de soupe qu'il apporte à Marulanda. Pendant toute la semaine, celui-ci reste enchaîné. Il ne se plaint pas. C'est un coriace, capable de supporter beaucoup de choses. C'est seulement avec réticence qu'il finit par nous dire qu'ils se sont disputés parce qu'il bougeait beaucoup la nuit et que le bruit de sa chaîne réveillait William.

Depuis que nous sommes ici, nous savons que William est un intermédiaire, mais en voyant ce qu'Enrique et Moster font subir à Richard, nous comprenons de quoi William est capable. Nous détestons que quelqu'un soit enchaîné et savoir qu'un autre otage est responsable de cette mesure vexatoire nous écœure. Du coup, je cesse de jouer aux échecs avec William, qui sombre dans la morosité, peut-être parce qu'il se sent coupable.

C'est à cause de tels incidents qu'il est difficile de prévoir les changements incessants de dynamique entre otages. Les alliances et les statuts changent, et nous devons nous contenter de rester spectateurs. De tous, c'est Jhon Pinchao qui semble le moins intégré. Il est otage depuis 1998, comme les autres militaires, mais, bien que nous ayons passé un peu de temps avec lui, nous ne le connaissons pas vraiment. Mon espagnol s'améliorant, je m'efforce de trouver un terrain d'entente avec lui. Je l'apprécie, il a bon cœur, mais on ne peut pas dire que j'aie noué avec lui une amitié. La seule personne avec qui il semble communiquer est Ingrid et j'apprécie qu'elle se soit donné cette peine.

Jhon semble toujours en marge et a en permanence une expression concentrée qui donne l'impression qu'il réfléchit intensément ou qu'il a l'esprit totalement vide. Dans l'un de nos camps du printemps 2007, nous avons accès à une portion de la rivière assez profonde pour pouvoir nager. À l'époque de sa capture, Jhon ne savait pas nager, mais les autres otages commencent à lui apprendre et cela finit par devenir son obsession. De nous trois, Tom est probablement le plus à l'aise dans l'eau et le voir donner des leçons de natations à Jhon nous fait sourire : Jhon s'agite et se débat sans beaucoup avancer malgré toute l'énergie dépensée, mais, comme dit Tom, il a un moteur inefficace : beaucoup de puissance mais mal exploitée. Ce qui ne l'empêche pas de persévérer. Comme les joueurs d'échecs ou de cartes, il a trouvé de quoi occuper son temps.

Dans ce domaine, il arrive que les FARC nous assignent à des tâches « pour notre bien ». Les FARC ont pour politique de ne pas faire travailler pour eux les otages. Enrique a trouvé le moyen de contourner cette règle en nous disant que nous n'avons qu'à aider à fabriquer ce dont nous avons besoin. C'est ainsi qu'en avril 2007 il nous annonce que, si nous voulons un terrain de volley, nous n'avons qu'à apporter le sable. Nous nous rassemblons donc pour charrier des sacs de sable depuis la rivière. Tout le monde s'y met, même Tom, qui est malade depuis quelques semaines, ravi de se remuer un peu après tout ce temps passé dans son hamac.

Voir que tous contribuent, même Lucho et Ingrid, remonte le moral. Mais, bien qu'elle travaille comme les autres, nous n'avons toujours pas le droit de lui parler, consigne que Moster répète de nombreuses fois durant les travaux. Tout en portant mes sacs, je tente d'imaginer l'effet que cela fait d'être ainsi mis à l'écart. Cette interdiction de parler avec le reste du groupe me paraît aussi cruel que le châtiment de Richard, mais, au lieu d'une semaine, le sien dure des mois. Après des années de captivité, je sais combien l'humeur et le dynamisme d'un individu peut affecter les autres. En la voyant frémir sous les réprimandes de Moster, je sens qu'elle a du mal.

Comme Tom, je combats une maladie tropicale à cette même période. Bien que cela ne m'empêche pas de nager et de transporter les sacs, cette maladie me force à réfléchir longuement sur ma captivité et ses séquelles. Je me rends compte que je n'ai pas de nouvelles de ma femme, Shane, depuis des années. Les messages de ma mère sont diffusés régulièrement, j'ai également entendu mes enfants, mon père et mon père. Mais pas Shane. Je me réfugie dans ma foi et me dis que ce qui devait arriver est arrivé. Je refuse de croire que Shane a refait sa vie, mais je n'ai guère de preuve du contraire. Keith et moi en parlons constamment et je finis par conclure que je suis de nouveau célibataire. Je suis déterminé a rester un bon père pour Destiney, Cody et Joey, mais je ne peux pas me cacher plus longtemps la vérité : ma femme m'a quitté.

Au cours des trois dernières années de captivité, j'ai scrupuleusement entrepris de me réformer comme je l'avais décidé au Nouveau Camp. Accepter la fin de ma relation avec Shane me semble une étape nécessaire de ce processus. Je ne peux pas vivre avec des illusions. Je dois également revoir mes préjugés. Les nuits qu'Ingrid et moi avons passées à écouter la radio ensemble m'ont fait prendre conscience que je l'ai jugée un peu hâtivement et je suis prêt à reconnaître que ma première impression était fausse.

Comme elle est en isolement depuis que nous sommes arrivés au Camp Réunion, je n'ai pas eu la possibilité de lui donner cette deuxième chance. Je veux croire que la personne avec qui j'ai partagé cette radio, celle qui m'a réconforté quand j'ai vu cette vidéo de Shane, c'est la véritable Ingrid. D'une certaine manière, j'ai besoin de croire que les gens ont un bon fond, mais qu'il leur arrive de commettre des erreurs. C'est ce que j'ai conclu à propos de ma femme et, si je peux avoir cette indulgence vis-à-vis de quelqu'un avec qui j'ai vécu vingt ans, je peux l'avoir pour quelqu'un avec qui je n'ai passé que quelques mois.

Quelques jours après la construction du terrain de volley, je décide d'aborder la question de front et je vais voir Enrique. Il me répond, sans surprise, qu'il a ordre d'interdire aux autres prisonniers de parler avec Ingrid.

Je ne renonce pas. Je propose de lui parler en espagnol pour que tout le monde sache de quoi il s'agit. Je lui rappelle que nous estimons que ce traitement cruel risque de provoquer des problèmes pour l'ensemble du groupe.

Enrique enlève ses lunettes.

— Les ordres sont les suivants : vous êtes d'un côté du camp, Ingrid de l'autre. Et vous ne communiquez pas.

Et il me plante là.

Le 15 avril, je suis dans ma *coleta* en train de rafistoler un jogging avec un bistouri que j'ai emprunté quand j'aperçois du coin de l'œil des mains de femme. Ingrid s'assoit à côté de moi pour m'aider. Nous vérifions que les gardes ne nous ont pas vus et nous commençons à bavarder à mi-voix, surtout pour prendre des nouvelles l'un de l'autre et savoir comment nous tenons le coup. Soudain, elle s'arrête de tirer sur les fils et ses yeux s'emplissent de larmes.

— Je suis tellement inquiète pour ma mère ! Elle ne va pas bien. Elle est découragée. J'ai appris aux infos que, lorsque Uribe a interrompu les négociations, elle a déclaré que c'était une condamnation à mort pour les otages.

— Je suis sûr qu'elle essaie de maintenir la pression sur le gouvernement. Il ne faut pas tout prendre au pied de la lettre.

— J'ai quand même peur qu'elle n'ait raison.

— Nous allons sortir d'ici, dis-je en lui prenant la main.

Notre conversation reste brève et je ne lui reparle que quelques jours plus tard quand elle vient m'emprunter mon bistouri. Je suis heureux de le lui prêter. Je voulais avoir l'occasion de lui reparler afin de voir de plus près comment elle tient le coup. Au cours des semaines suivantes, elle me l'emprunte plusieurs fois et nous échangeons subrepticement des paroles d'encouragement. Quand elle me le rend définitivement, je remarque qu'elle a quelque chose de changé, sans savoir vraiment quoi. Je me lance dans une partie d'échecs avec Tom et je n'y pense plus.

Le lendemain matin, nous sommes réveillés sans ménagement par les gardes. Moster arrive en trombe, suivi d'Enrique, l'un et l'autre harnachés de pied en cap. Tous se postent devant la cabane de Jhon Pinchao.

Nous nous demandons ce qui se passe. Ce n'est probablement pas parce qu'il s'est enfui : il ne risque pas, étant enchaîné la nuit à Juancho. Entre-temps, Enrique ressort de la *coleta* et ordonne à ses hommes d'une voix tremblante de colère :

— Si vous le voyez, tirez-lui une balle dans le pied, il ne recommencera plus.

— J'espère vraiment qu'il s'est enfui, soufflé-je à Keith.

— Désespéré, dingue ou plus malin que nous, répond-il, admiratif.

Peu après, Ingrid vient me voir :

— Incroyable, non ?

— Oui, vraiment. Comment a-t-il fait pour quitter ses chaînes ? Ils ont dû mal les cadenasser.

Ingrid regarde les gardes qui partent à la poursuite du fugitif, puis elle se tourne vers moi avec un sourire de Joconde.

— Oui, peut-être que c'est ça.

Je me rends compte qu'elle en sait plus qu'elle ne veut bien le dire. Le bistouri n'est plus aussi tranchant et savoir que cela a aidé Jhon à s'enfuir me rend heureux de l'avoir prêté à Ingrid. Tout comme de voir de nouveau son regard s'éclairer.

14

LE MARÉCAGE
AVRIL-AOÛT 2007

KEITH

Les jours qui suivent la disparition de Pinchao, le camp est sens dessus dessous. Les gardes sont tendus et cette petite ordure de Moster dans tous ses états. Tous les trois, nous sommes ravis. Nous ne savons pas vraiment comment Jhon a pu se libérer de ses chaînes et filer du camp, mais nous sommes heureux pour lui, quoi que cela augure pour nous.

Dans l'immédiat, cela signifie que, le 1ᵉʳ mai 2007, trois jours après son évasion, nous déménageons. Nous ne savons pas si c'est prévu de longue date ou dû à cet incident, mais nous recevons ordre de faire nos sacs et de nous rassembler sur le terrain de volley. Nous voyons les FARC démanteler tout le camp. Le spectacle des gardes qui répandent feuilles et branches sur le sentier est devenu familier. Notre petit coin devient risqué car ils doivent craindre que Jhon ait déjà rejoint la civilisation et signalé notre position.

— Rappelez-vous à quel point il tenait à apprendre à nager, ajoute Tom. On ne s'est douté de rien. Incroyable. Il a filé à la nage en pleine nuit. Il en faut, du courage.

Si nous ne connaissions pas les plans de Jhon, j'avais senti qu'il mijotait quelque chose depuis un moment. Cela faisait des semaines qu'il s'entraînait physiquement et mentalement. Tom lui avait donné des leçons de natation et un briquet, moi des leçons d'orientation. Il m'avait demandé si nous voulions partir avec lui. J'y avais songé un instant, mais les risques étaient trop grands et cela ne me paraissait pas prudent. Il avait compris, mais cela n'avait pas entamé sa détermination. La veille de son départ, il m'a demandé d'oublier tout ce que nous nous étions dit et c'est là que j'ai compris qu'il allait essayer de s'enfuir.

Des coups de feu nous interrompent. Nous sommes tous surpris, mais Moster encore plus. Les gardes s'agitent, puis un instant plus tard, l'un d'eux revient et nous dit qu'il a une mauvaise nouvelle : alors qu'ils étaient à la recherche de Pinchao, ils ont entendu des cris dans la rivière et l'ont vu se faire entraîner par un anaconda.

Nous comprenons immédiatement que c'est un mensonge. En revanche, nous ignorons s'ils ont capturé et abattu Jhon. Cela semble improbable qu'il soit resté dans les parages du camp durant les soixante-dix heures suivant son évasion. Marc ramasse son sac ; il ne sait pas quoi penser. De mon côté, j'espère que Jhon s'est rappelé ce que je lui ai enseigné. S'orienter sur la terre ferme, c'est une chose, mais dans cette région de marais...

Encore remué par l'évasion de Jhon, tout le monde, prisonniers et gardes, embarque dans les grandes pirogues, les *bongos*. Il est évident qu'Enrique s'inquiète de cet incident et craint que nous ne soyons repérés. Pendant les premiers jours, nous nous déplaçons surtout de nuit. Comme les FARC veulent que nous soyons le plus possible en mouvement, nous bivouaquons souvent dans les pirogues ou dans les hamacs en bordure de rivière. C'est la saison des pluies et la rivière est en crue : autour de nous, tout est pratiquement inondé. Nous zigzaguons entre les arbres et nous en bavons.

Chaque fois que nous arrivons dans une région habitée, Enrique nous fait débarquer et nous continuons à pied dans une boue gluante pour contourner la ville et retrouver la pirogue plus loin. J'ai du mal à me repérer, mais apparemment nous nous dirigeons en aval vers le sud. Je commence à me demander si nous pouvons continuer longtemps comme cela sans quitter la Colombie.

Cela fait longtemps que je soupçonne le Venezuela d'abriter les FARC. S'ils admirent Hugo Chávez, ce n'est pas seulement parce qu'ils apprécient sa politique et qu'il se sert des réserves pétrolières du pays comme levier. Les guérilleros n'ont pas une vision assez sophistiquée de la politique de la région pour cela. Il me semble qu'il y a un lien plus direct entre le Venezuela et les FARC.

Il est aussi facile de soupçonner le soutien direct à un groupe terroriste qu'il est difficile de le prouver. Nous savons depuis longtemps que nos uniformes proviennent du Venezuela et nous pensons que les armes et munitions ont la même origine. Avant même d'avoir constaté cela, nous estimions que Chávez, s'il n'est pas un sympathisant des FARC, les utilise à son profit : pendant que l'armée colombienne est mobilisée contre les FARC, elle ne peut s'occuper d'autres choses.

Depuis que je suis en Colombie, j'ai la nette impression que Chávez a une volonté d'hégémonie. Nos discussions avec les politiques et ce que nous entendons à la radio n'ont fait que corroborer ce point de vue. J'en veux beaucoup à Chávez de présenter les États-Unis comme une puissance étrangère corruptrice. Les FARC débitent les mêmes âneries et je ne vois pas grande différence entre les deux. Comme me l'ont expliqué les politiques, Chávez s'ingénie à brasser de l'air pour que son pays ne remarque pas l'échec de sa politique intérieure. Il joue les matamores et fait son cinéma pour bâtir une union nationale au prix de vies innocentes comme les nôtres.

Plus nous descendons la rivière, plus il paraît clair que les FARC tirent parti de l'apparente sympathie de Chávez pour leur cause en traversant la frontière poreuse entre Venezuela et Colombie. Nous finissons par capter des radios vénézuéliennes, ce qui n'était encore jamais arrivé. La réception est très nette et s'améliore à mesure que nous progressons vers le sud. Je suis convaincu que nous avons passé la frontière et qu'un simple coup d'œil au GPS d'Enrique me le confirmerait. Je remarque que les guérilleros ont l'air d'aussi bien connaître la région que leurs places fortes du centre de la Colombie.

Au but d'une vingtaine de jours, alors que nous sommes endormis, la voix de Lucho perce l'obscurité :

— ¡ Marc ! Pinchao est vivo. ¡ Esta en Bogotá !

Marc étant le plus près de lui, il se lève pour écouter. Un grand sourire se peint sur ses lèvres. Tout le monde le regarde. Il confirme la nouvelle à Ingrid : Jhon a réussi. D'après la radio, il a erré pendant dix-sept jours avant de tomber sur des paysans colombiens, qui l'ont amené aux commandos de la police chargés de la destruction des champs et labos de cocaïne. Jhon est arrivé à Bogotá, déshydraté et affamé, mais vivant.

Sans prêter attention aux ordres des gardes, je quitte mon hamac pour rejoindre les autres. Tom et Marc viennent s'asseoir avec nous, savourant ce grand moment. Nous sommes au bord de la rivière, la brise est fraîche et un parfum de liberté flotte dans l'air. Peu importe que nous vivions cette liberté par procuration, c'est ce que nous avons vécu de mieux dans le genre depuis quatre ans. Selon la radio, il a été découvert dans la municipalité de Pachoa, près de la rivière Papurí. Bien que nous filions vers le sud depuis son évasion, nous songeons que Jhon va pouvoir donner aux autorités des indications un peu plus précises sur notre position.

Enrique est aussi contrarié de cette affaire que nous en sommes heureux. Le lendemain matin, il ordonne que nous soyons tous fouillés. Ces *requisas* sont pénibles : il faut balancer tout ce que nous avons accumulé pendant des années pour prouver aux FARC que nous sommes pauvres comme Job. Pour ne rien arranger, il pleut et, du coup, tout est trempé et souillé de boue. Nous protestons vainement. Les FARC nous dépouillent de tout ce qui pourrait favoriser une évasion, y compris nourriture, médicaments, couteaux, limes.

Nous remontons dans les pirogues. Les gardes sont un peu plus agressifs. Au lieu de nous laisser nous étendre un peu, on nous force à nous tasser sous une bâche qui nous protège peut-être de la pluie, mais qui recueille les gaz d'échappement du moteur et les vapeurs du baril d'essence de deux cents litres que nous transportons. Nous avons la migraine et l'estomac retourné, mais on ne nous laisse pas sortir. Heureusement, nous pouvons légèrement soulever le bord pour respirer un peu d'air frais.

À présent, nous naviguons jusqu'à 3 heures du matin. À chaque halte, il est interdit de déballer quoi que ce soit ou de monter nos tentes. On ne défriche plus les alentours et nous devons dormir en pleine jungle pendant une heure avant de repartir. Une fois, nous tuons deux serpents corail, qui sont parmi les plus venimeux de la région malgré leur petite taille. Aucun de nous n'apprécie de dormir à même le sol et la menace des serpents, tarentules et compagnie nous empêche de fermer l'œil malgré notre état de fatigue.

Les FARC ont beau nous faire endurer le pire, aucun de nous ne se plaint qu'on nous serre la vis à cause de l'évasion de Jhon. Si nous avions entendu la moindre récrimination de ce genre, nous y aurions aussitôt mis un terme. Nous sommes particulièrement fiers de la manière dont nous nous sommes comportés avant, pendant et après la fuite de Jhon. Nous ne nous en sommes jamais ouverts les uns aux autres, mais je crois que nous avions tous l'impression qu'un peu de nous s'était évadé avec lui.

MARC

Durant le trajet en bateau, nous sommes plus que jamais les uns sur les autres. Il nous arrive même de dormir dans les pirogues. Une nuit que je me plains à Tom de mon mal au dos, Moster nous interrompt et me donne l'ordre d'aller dormir à la proue. Tom proteste, mais je lui dis de ne pas se donner cette peine et j'obéis. Je vois que Moster m'a placé à côté d'Ingrid. Normalement, elle est mise à l'écart des autres, mais, puisqu'il m'a désigné cet endroit, je me dis que nous pourrons bavarder. Au bout d'un moment, il est question de Jhon.

— Je suis contente qu'il ait pu partir et je remercie Dieu qu'il ait réussi, dit-elle. (Je sens un regret dans sa voix. Elle me regarde en hésitant.) J'aurais voulu partir avec lui. J'aimerais tellement ne plus être ici !

Je suis frappé par sa franchise, car, comme elle, même si je suis heureux qu'il se soit échappé, il n'en reste pas moins que lui est libre et que nous sommes cloués ici.

— J'ai du mal à croire que mon heure viendra, ajoute-t-elle.

Je lui demande si c'est difficile d'être à l'écart constamment.

— Oui, ce n'est pas facile, surtout quand on n'a pas fait grand-chose pour le mériter.

— Tu veux dire parce que vous avez été deux à chercher à vous évader et que Lucho, lui, n'est pas mis à l'écart.

— En partie, oui. Mais comme je suis la seule femme ici, les FARC en profitent.

Je ne suis pas très sûr de comprendre. J'hésite avant de lui demander si les FARC redoutent un autre incident à la Clara : se retrouver avec une autre otage enceinte.

— Ce n'est pas tellement ça. C'est difficile à expliquer.

Je perçois moins d'enthousiasme dans sa voix. J'ai essayé quelquefois de me mettre à sa place, mais, étant un homme, je ne peux pas vraiment savoir ce qu'est la captivité pour elle.

— La présence d'autres femmes te manque ? Tu aurais besoin de parler à quelqu'un qui puisse comprendre ?

— Pas vraiment. Certaines. J'ai été entourée d'hommes presque toute ma vie. Des hommes ambitieux, puissants, qui voulaient avoir la mainmise sur moi. Les FARC sont plus frustes, mais ils pensent tout autant que je dois être remise à ma place puisque je n'ai pas l'air de savoir moi-même où elle est. Mes enfants me manquent. Ma mère, aussi. C'est surtout d'eux que je suis proche.

Notre conversation dévie vers nos familles. Je suis surpris qu'elle ait vécu un peu en Californie et qu'elle ait accouché de son fils dans l'eau.

— Je trouve ça assez hippie et excentrique.

— Hippie ? (Elle se met à rire et son regard s'éclaire de nouveau.) C'est la méthode la plus naturelle qui soit de venir au monde. On passe de l'eau à l'eau.

Elle m'interroge sur Destiney et Shane, et je me laisse un peu aller aux confidences. Sans doute est-ce plus naturel pour un homme de parler à une femme de ce genre de choses. Je lui redis que je souffre que ma femme n'ait pas fait l'effort de garder le contact.

— Je comprends, c'est compliqué, mais je sais de quoi tu parles et ce que tu ressens.

Je suis frappé non seulement qu'elle comprenne, mais que ce soit si facile de lui parler et de lui confier des pensées que j'ai gardées pour moi si longtemps. J'apprécie que lorsque nous bavardons, tout le reste semble disparaître. Pour un otage, les moments où l'on ne se sent pas captif sont rares. J'ai envie de vivre avec Ingrid d'autres instants où la dureté de la réalité s'estompe et où se lèvent des perspectives plus radieuses.

Par la suite, Ingrid et moi discutons plus fréquemment. Se retrouver sur cette pirogue nous donne l'impression d'être loin de tout. Le grondement du moteur et l'eau qui éclabousse la proue nous isolent comme dans un cocon. On ne peut parler sans hurler qu'à son voisin. Je sais qu'Ingrid et Lucho sont très proches, mais qu'ils ne peuvent communiquer. Jhon parti, j'ai envie et besoin de remplir le vide laissé dans la vie d'Ingrid. S'il faut à Ingrid quelqu'un qui l'aide à traverser les horreurs et la tristesse de la captivité, je vais essayer de jouer ce rôle.

En plus, j'apprécie vraiment nos conversations. Cela me fait tellement plaisir de la voir sourire quand je dis quelque chose qui l'amuse ! C'est comme si je réussissais à balayer son chagrin et sa souffrance. Nous passons des heures à simplement parler. Elle me raconte ses voyages et ses études en pension. Je suis fasciné qu'elle ait été envoyée à l'étranger si jeune. J'ai fait des études secondaires, et, bien que m'étant engagé dans l'armée de l'air, je n'ai pas beaucoup voyagé. Marié à dix-neuf ans, je me suis surtout consacré aux devoirs et aux responsabilités d'un père de famille. Je n'ai aucun regret, mais cela ne veut pas dire que je ne peux pas savourer le récit d'une existence aussi différente de la mienne.

Après vingt-huit jours de bateau et de crapahutage dans la boue, notre périple touche à sa fin. Ce dernier mois nous a épuisés et nous sommes soulagés de pouvoir rester dans un camp permanent. Quand on attribue nos emplacements, Ingrid est au bout, mais pas aussi éloignée de moi qu'avant. Nous en profitons pour parler encore plus.

Lucho et Ingrid ne sont pas autorisés à communiquer du tout et il est facile de deviner qu'il est irrité que je passe du temps avec elle. Tom, Keith et moi avons vu à Caribe à quel point il est jaloux. Je m'efforce d'éviter que se renouvelle ce genre de conflit, mais je trouve cela injuste pour Ingrid comme pour moi. Nous sommes des adultes qui se lient d'amitié. Nous avons partagé des moments d'intimité et avons des intérêts communs. Un après-midi, je passe devant sa cabane et je la salue.

Elle sursaute et rosit, puis elle se ressaisit et me dit bonjour en souriant. Je la sens mal à l'aise et je suis flatté qu'une femme de pouvoir soit légèrement décontenancée en ma présence.

Nous bavardons un peu et notre discussion arrive sur la Bible. Je suis ravi d'avoir enfin trouvé quelqu'un avec qui en parler. Nous nous rendons rapidement compte que tout le monde a vu que nous étions plus proches et souvent ensemble. Ingrid est vraiment en marge du groupe et il est tout à fait logique que quelqu'un comme moi, qui se donne autant de mal pour s'entendre avec tout le monde, lui ait tendu la main. D'après le comportement d'Ingrid dans les camps précédents, je vois que les autres pensent que nous ne sommes pas faits pour nous entendre, mais nous sommes beaucoup plus complémentaires qu'il n'y paraît.

Que Lucho et les autres Colombiens soient jaloux nous paraît ridicule. J'essaie de ne pas trop leur prêter attention, mais c'est parfois difficile. Quand Ingrid vient m'aider à raccommoder ma tente (c'est une excellente couturière et moi je me débrouille à peine), Lucho ou un autre s'approche et nous observe. Ingrid ne me dit pas ce qui s'est passé entre eux, mais il est clair que leur relation n'est plus la même. Et comme cela ne me regarde pas, je ne pose pas de questions. Je déteste les ragots et les alliances changeantes.

Sans doute les autres éprouvent-ils de l'envie en nous voyant prendre autant de plaisir à être ensemble. Pouvoir rire avec quelqu'un, partager ses inquiétudes et ses craintes et avoir une connexion profonde, c'est quelque chose que nous voulons tous et qui est nécessaire pour survivre. Malheureusement, les FARC remarquent, eux aussi, que nous sommes souvent ensemble et absorbés dans nos conversations. C'est difficile, mais nous décidons de limiter le temps que nous passons ensemble.

— Ce n'est pas ce que je veux, me dit-elle, mais je ne souhaite pas que nous ayons des ennuis.

Elle a raison, mais c'est une injustice supplémentaire, déjà que notre existence n'est pas rose. Je vois qu'elle réprime des larmes et je lui prends la main. Moster passe devant nous et lui crie qu'il va l'enchaîner à un arbre si elle continue à parler aux gringos. À moi, il ne dit rien.

— Mais qu'est-ce qu'ils ont ? dit-elle en levant les yeux au ciel. Pourquoi me trouvent-ils aussi menaçante ?

— Je ne comprends pas non plus. Nous ne faisons que

parler. Je leur ai même dit que je pouvais parler en espagnol si cela les rassure.

Elle secoue la tête et me dit que c'était déjà comme cela, même avant qu'elle essaie de s'enfuir.

— Ils ne savent pas quoi faire de moi. Si j'étais faible et soumise, cela leur conviendrait, mais je ne me laisse pas faire.

Je vois à nouveau combien elle est vulnérable : elle a besoin de donner l'impression de pouvoir tout supporter. Elle est en colère et je comprends pourquoi les gardes la considèrent comme une menace. C'est quelqu'un qui ne se laisse pas faire ; moi non plus, mais je ne veux pas qu'elle soit punie encore par ma faute. Je lui explique que j'en parle constamment avec Keith et Tom. Nous détestons Moster et les autres, mais nous savons que nous ne pouvons pas leur tenir tête. Il ne faut pas perdre de vue l'objectif ultime. Nous serons vainqueurs quand nous aurons quitté cet endroit et retrouvé nos familles.

Elle ferme les yeux et s'efforce de sourire.

— Je te remercie de m'avoir rappelé cela. Si je n'avais pas quelqu'un qui veille sur moi...

Elle n'achève pas. J'accepterais peut-être la décision arbitraire des FARC de l'isoler et de lui interdire de me parler si je représentais une menace pour leur sécurité. Si Moster ne m'a pas aboyé dessus, c'est que je ne lui ai jamais posé le moindre problème. Même si les gardes essaient de nous séparer, ils ne peuvent pas. C'est comme s'ils ne comprenaient pas qu'Ingrid et moi sommes en train de nouer une relation qui transcende les circonstances et les dures conditions qu'on nous impose, une relation semblable à celle que j'ai avec Keith et Tom.

Je lui envoie un petit mot après notre séparation pour lui rappeler ce que je lui ai dit, et je conclus ainsi : *Merci pour toutes ces agréables conversations. Tiens le coup. Nous nous en sortirons.*

Ingrid écrit très bien et sa réponse me donne de nouveau l'impression de ne plus être un otage qui s'efforce tout seul de comprendre l'absurdité de sa situation. Je me rends compte que l'on peut nouer une relation profonde avec un autre être humain et combien les circonstances peuvent révéler ce qu'il y a de meilleur et de pire en nous. J'ai entrevu le meilleur et je refuse de lâcher prise aussi facilement.

Le lendemain, je sors de notre cabane et je vois Ingrid assise dans le coin qui lui été assigné. Nos regards se croisent et cela suffit : nous n'avons pas besoin de parler pour nous comprendre. Je vois combien elle souffre et tient à maintenir entre nous le lien que, même dans le silence, les FARC ne peuvent briser.

Dès lors, nous devons prendre garde aux personnes devant qui nous parlons. Le reste du temps, nous nous faisons de petits signes. Parfois, un simple regard suffit à nous redonner le moral. Nous nous glissons des lettres en passant, selon les méthodes que Keith, Tom et moi avons utilisées durant nos mois de silence forcé. Elles sont importantes pour nous, pas seulement parce que c'est une bouée de sauvetage, mais parce qu'elles nous permettent de communiquer à l'insu des gardes, d'exprimer nos sentiments l'un sur l'autre et sur la vie en captivité. Nous ne nous dissimulons rien.

Ce qui me trouble, c'est qu'il n'y a pas que les gardes qui ne veulent pas que nous communiquions : il y a aussi d'autres détenus. Chaque fois que je parle à Ingrid ou qu'elle s'assoit près de moi, l'un des militaires, Amahón Flores, se met à côté. Il essaie de nous épier pour tout rapporter à Lucho. Au début, c'est un peu amusant : nous sommes tellement confinés qu'il a du mal à être discret, mais l'amusement tourne à l'écœurement quand Moster vient me voir un soir pour me reprocher d'avoir bavardé avec Ingrid alors que je sais que c'est interdit.

Le problème, c'est que Moster était absent du camp toute la journée. La seule fois où je l'ai vu, c'est lorsqu'il a parlé à Amahón aux abords du camp. Ce ne sera pas la dernière fois que le militaire nous dénoncera, loin de là. Au bout du compte, Ingrid est reléguée encore plus loin, à une trentaine de mètres de nous. Je m'amuse à de petites expériences : je flâne dans les parages d'Ingrid pour voir combien de temps il faut à Amahón pour me dénoncer. Généralement pas beaucoup.

Une fois de plus, je ne comprends pas pourquoi Ingrid est punie et pas moi. Certes, Tom, Keith et moi nous sommes toujours bien conduits, mais le traitement qu'elle subit est injuste. Quelques jours plus tard, je demande à Enrique pourquoi Ingrid et moi n'avons plus le droit de nous parler alors que nous y étions autorisés avant. Il me répond que ce sont les règles. Je demande pourquoi elles ont changé. Il croise les bras et me répond que cela vient d'en haut.

Je suis écœuré d'entendre cela et je préfère m'en aller plutôt que d'avoir un geste que je vais regretter. C'est odieux d'avoir l'impression de parler à un mur.

Le lendemain matin, après avoir fait un peu de sport, je prends une pause et je mange un peu. Soudain, j'entends des cris un peu plus loin. Je vais voir et je trouve Malagón qui a plaqué Lucho au sol et lui tient les bras. Lucho se débat comme un beau diable. Sans réfléchir, je me précipite pour empoigner Malagón et je libère Lucho. Je vois celui-ci se relever en titubant comme s'il voulait se jeter sur Malagón. Du coin de l'œil, j'aperçois Ingrid qui pleure. Elle froisse des papiers qu'elle jette à Malagón et s'éloigne à grands pas. Keith me crie de revenir et je retourne à notre cabane. Il me fait asseoir dans son hamac. Je n'ai rien, mais je suis tellement abasourdi par ce qui vient de se passer que je ne sais quoi penser. Il attend que je me calme, puis il me conseille de ne pas me mêler de ces histoires. C'est un marécage dont on ne peut pas sortir propre.

— Je ne voulais pas que Lucho se fasse rouer de coups.

— Je sais, mais Lucho est un grand garçon. S'il veut se bagarrer avec quelqu'un, c'est lui qui voit. Il a une grande gueule, peut-être qu'il avait besoin d'une bonne leçon.

— Mais il répète constamment qu'il est malade.

— Ce sont tous des malades, Marc. C'est malsain, ici. Ils sont tous emmêlés comme un nœud de vipères qui se mordent la queue. Mais je ne sais pas pour Amahón, mon vieux. Il passe son temps à vous épier, dernièrement. Et Malagón, il a dépassé les limites.

— Qu'est-ce que tu racontes ?

Au même moment, je me rappelle un incident qui s'est produit durant notre voyage. Malagón a mis la main aux fesses d'Ingrid une ou deux fois, prétendant que c'était pour rire, mais Ingrid était furieuse. J'ai toujours pensé que c'était ce genre de chose qui avait amené Ingrid à m'envoyer un mot pour me remercier de la traiter décemment. Peut-être que cette fois, Malagón était allé trop loin.

— Armando est venu me voir ce matin, continue Keith. Il se fait du souci à propos de Malagón : il m'a montré les lettres qu'il a écrites à Ingrid. C'est vraiment répugnant et irrespectueux. Il tourne autour d'Ingrid depuis un moment, tu sais bien. Il a perdu les pédales. Je lui ai dit qu'étant officier il ferait bien de se comporter comme tel.

— Il ne t'a pas écouté. Ingrid les a reçues, dis-je en la revoyant déchirer les lettres en pleurant.

Quand ce n'est pas Lucho qui feint la maladie, c'est Amahón qui se mêle de ses relations ou Malagón qui se tient mal. C'est à croire qu'elle se fait avoir par tous les hommes à qui elle a affaire.

– Mon vieux, tu sais que je ne peux pas saquer Ingrid. En l'occurrence, elle ne mérite pas d'être traitée comme ça, mais écoute-moi. Nous sommes simplement dans un marécage fétide avec ces mecs et elle. Tu risques juste de te faire entraîner au fond et ça va te retomber dessus. Je sais que tu essaies d'agir au mieux, mais ça ne sert à rien ici.

Je me lève pour m'éclaircir les idées. Je me suis donné tellement de mal pour changer ma vie que je me demande si je peux simplement laisser faire sans réagir. Je ne m'imagine pas que je suis un chevalier blanc qui vient à l'aide d'une damoiselle en détresse. Ingrid me l'a dit : ici, tout dans les relations entre otages est compliqué. Moi, je préfère que ce soit tout noir ou tout blanc. Je veux que ce soit d'un côté les gardes et les FARC, nous de l'autre. Pas que nous nous chamaillions entre nous.

Je me rends compte que mon comportement met en danger Keith et Tom aussi. Chaque nuit, le cliquetis des chaînes des Colombiens est là pour nous rappeler ce qui nous pend au du nez si nous désobéissons. En plus d'être enchaînés, les militaires que nous considérions comme des exemples commencent à se quereller entre eux.

Ingrid et moi sommes pris malgré nous dans cette tourmente, alors que nous sommes simplement deux êtres qui essaient de nouer une relation difficile. Si troublant que ce soit, je comprends que les FARC veuillent nous séparer, mais pourquoi mes compagnons d'infortune voient-ils ces liens d'un mauvais œil ? J'ai l'impression que personne ne comprend ce qui se passe et j'ai envie de rassembler tout le monde pour le clamer : Ingrid et moi sommes attirés l'un par l'autre et nous apprécions énormément d'être ensemble. Ce devrait être évident, tout comme il est évident pour tout le monde qu'à aucun moment nous n'avons exprimé physiquement ces sentiments autrement que par un bref frôlement ou en nous tenant la main. Nous essayons de réprimer notre désir pour ne faire de tort à personne. Seulement, nous ignorons si nous sommes capables de maintenir cet équilibre.

Le lendemain de la bagarre entre Lucho et Malagón, je médite sur la situation. J'ai envie de parler à Ingrid, à quelqu'un qui me comprenne. Normalement, à cette heure, les Colombiens ont déjà été libérés, mais, soudain, j'entends un cliquetis de chaînes qui traînent par terre. Je saute du hamac de Keith.

– Mon Dieu ! Ingrid !

Je me précipite vers l'endroit où elle a été reléguée et ce que je vois me donne envie de vomir. Ingrid sanglote, assise par terre, la chaîne qui enserre son cou serpentant jusqu'à un arbre. Moster a mis sa menace à exécution. Si je pouvais le tenir, je l'étranglerais, cet animal !

J'ai le cœur brisé de voir quelqu'un pour qui j'ai tant d'affection souffrir autant. Je me sens impuissant et je sais que la vision d'Ingrid prostrée et enchaînée va me hanter encore longtemps.

Quelques jours plus tard, en pleine nuit, Keith, Tom et moi sommes allongés dans le noir quand notre attention est éveillée par la lueur de torches et un tintement de chaînes inhabituel. Celui-ci est plus sourd. Nous avons été si longtemps menacés d'être enchaînés que je crois notre heure venue. Mais elles ne sont pas pour nous. Quelques semaines plus tôt, Enrique, qui s'est pris de bec avec Juancho, a menacé d'enchaîner jour et nuit les militaires et policiers, et de dire haut et fort que c'est la faute de Juancho. Ce soir, il vient de tenir parole. Asprilla, un garde, vient dire à Keith que nous devons continuer à bien nous comporter et que nous ne serons pas enchaînés. Les ordres d'en haut sont de nous éviter ce sort sauf absolue nécessité. Si nous respectons les gardes et nous respectons mutuellement, nous serons épargnés.

Keith réplique que nous n'avons aucune intention de changer et demande si c'est vraiment nécessaire d'infliger ce châtiment aux autres. Il n'obtient pas de réponse.

Un matin, Tom entend Amahón et Lucho discuter dans leur *coleta*. La conversation semble absurde : il est question de *los diputados*, de balles tirées et de corps à réclamer. Lucho est très agité et Amahón s'efforce de le calmer, mais il n'est pas en meilleur état lui-même.

Tom vient nous raconter ce qu'il a entendu. Nous allumons la radio et apprenons rapidement ce qui agite Lucho. En 2002, douze politiciens locaux de Valle del Cauca ont été pris en otages. Ce sont eux que l'on appelle *los diputados*. Nous connaissons l'affaire depuis longtemps, mais elle a pris un tour affreux : onze d'entre eux ont été abattus.

Les FARC publient un communiqué déclarant qu'ils ont subi une attaque d'un groupe inconnu et que les députés sont tombés sous les tirs croisés. Nous nous demandons comment il se fait qu'un seul ait survécu, mais nous sommes sûrs que c'est encore un mensonge. Le gouvernement réagit aux allégations de FARC en déclarant qu'il n'y a pas eu d'opération de sauvetage. Les FARC sont sur les dents depuis un moment et nous pensons qu'ils sont peut-être tombés dans la jungle sur un autre groupe qu'ils ont pris pour l'armée colombienne. Dans la confusion, les prisonniers ont été exécutés. Les familles demandent que les corps leur soient rendus, mais il paraît peu probable que les FARC cèdent : ce serait donner la preuve qu'ils ont commis des meurtres.

Nous n'avons pas le temps de réfléchir à la question, car, le lendemain, on nous donne ordre de faire nos sacs. Nous portons nos *equipos* jusqu'au bateau et nous nous plaçons à gauche ou à droite selon l'ordre que donne un garde. Tom, Keith, moi, Lucho, Juancho et Miguel Arteaga sommes d'un côté, et le reste, avec Ingrid, de l'autre. Ingrid et moi échangeons un regard : cela ne peut signifier qu'une chose, que nous sommes séparés. Je m'approche d'elle et lui dis que les FARC font deux groupes parce qu'ils ne veulent pas nous voir tous les deux ensemble. Elle hoche la tête. Nous nous indignons : ils ont fait cela pour nous séparer. Nous décidons d'écrire une lettre de protestation à Mono JoJoy exigeant d'être placés dans le même camp, que nous refusons ce traitement abusif, que nous voulons rester ensemble et qu'on ne peut nous refuser cette liberté.

Quand nous embarquons, les FARC entassent tous les *equipos* au milieu. Ingrid est d'un côté de cette barrière, moi de l'autre. Nous glissons sous le clair de lune, certains que nos chemins vont se séparer. Je pose la main sur les *equipos* et je sens celle d'Ingrid.

— Nous n'allons pas les laisser nous faire ça, dis-je.

— Ils ne peuvent pas nous empêcher de nous parler et de communiquer d'une manière ou d'une autre.

Nous passons une bonne partie de la nuit à naviguer avant d'arriver à un petit bivouac préparé par les FARC. Après quelques heures de sommeil, nous nous réveillons et nous dressons nos tentes, tous les six, pendant que les autres nous regardent. Puis vient le moment des adieux.

Au cours des quatre dernières années, j'ai pris l'habitude de ces départs précipités, mais celui-ci est particulièrement dur. Je ne sais pas quand je reverrai Ingrid, si je la revois un jour, mais nous savons que cela ne compte pas. Nous nous étreignons et nous promettons d'écrire chacun de notre côté une lettre de protestation. Peu après, le groupe d'Ingrid remonte dans le *bongo* et je les regarde s'éloigner comme si une partie de moi s'en allait.

TOM

Je ne suis pas heureux du départ des autres, mais je m'y résigne. Au final, c'est pour la paix que je vote. Si nous pouvons nous débarrasser de certaines tensions dans le camp, je suis d'accord. Comme le dit l'un des FARC : « Les compliqués s'en vont et les pas compliqués restent. Nous ne voulons plus de problèmes. »

Nous sommes installés dans un camp situé à quatre heures du lieu de la séparation. Dans l'après-midi, Asprilla vient nous voir et nous annonce que nous allons être enchaînés. Nous protestons qu'il nous a promis que cela n'arriverait pas si nous nous tenions bien. Il allègue qu'il est venu nous prévenir pour que nous ne soyons pas surpris, que ce ne sera que la nuit et que nous serons libres le jour. Cela ne semble lui faire ni chaud ni froid d'être porteur d'une mauvaise nouvelle.

— Et voilà, dit Keith.

— Espérons qu'on nous en débarrassera demain matin, ajoute Marc.

Keith nous rappelle que nous nous sommes promis de ne jamais nous laisser abattre, quoi qu'on nous fasse. Si les militaires ont subi les chaînes pendant des années, nous pouvons les supporter à notre tour, même si c'est horrible.

Marc répond que nous n'allons rien changer à nos habitudes, même si nous sommes enchaînés demain matin. Keith et lui donneront son cours d'anglais à Juancho et ils feront du sport comme d'habitude. Le tout est de se serrer les coudes.

Je renchéris. Nous ne pouvons pas nous laisser diviser. Nous ne sommes pas ravis de cette déplaisante nouveauté, mais savoir que d'autres personnes que nous respectons sont dans la même situation rend la situation moins pénible.

La première fois que je sens le métal froid autour de mon cou, je trouve les chaînes lourdes, mais moins que je ne le pensais. Le plus désagréable n'est pas qu'elles pèsent, mais qu'elles serrent. Chaque fois que je déglutis, ma pomme d'Adam racle l'acier. Keith et Marc sont enchaînés ensemble et moi à Lucho. À partir de ce jour, je partage une cabane avec lui à côté de celle de Marc et Keith. Au moins, nous sommes encore proches.

Peu après, Lucho et moi convenons que nous devons nous entendre quoi qu'il arrive. Nous avons de bonnes raisons de penser que nous en serons capables. Tout le temps que nous avons été ensemble – six mois depuis la réunion –, nous n'avons jamais eu un mot plus haut que l'autre. Maintenant qu'Ingrid n'est plus là pour susciter sa jalousie, c'est le meilleur compagnon que je puisse avoir en dehors de Keith et de Marc.

Comme nous le prévoyions, on ne nous enlève pas les chaînes le lendemain matin ni de toute la journée. Même lorsque nous nous lavons. Nous expliquons à Asprilla que les cadenas chinois bon marché risquent de rouiller et de se bloquer avec l'eau. C'est inattendu, mais il juge plus sage de ne pas les abîmer et nous sommes donc libres de nous baigner sans chaînes.

En tout cas, ces entraves nous obligent à nous adapter. L'intimité est toujours un problème, mais les chaînes sont assez longues pour permettre de nous éloigner de cinq mètres l'un de l'autre. Des bâtons fourchus permettent de nous soulager de leur charge : le premier matin, je vois Keith et Marc en train de s'entraîner chacun sur leur escalier, leur chaîne commodément posée sur le bâton. Marc leur trouve même un côté positif en disant que le poids va lui permettre de s'entraîner encore mieux. Il a perdu une vingtaine de kilos et nous paraît en excellente forme, même si j'imagine que quelqu'un qui n'a pas vu cette transformation progressive serait choqué de le voir aussi maigre.

Durant les premières semaines de chaînes, nous apprenons tous de petites astuces pour les rendre supportables. Dormir avec une chaîne autour du cou exige un certain apprentissage. Comme il me reste un morceau de corde de parachute que m'a donnée Jhon Jairo Durán, je l'enroule autour de la chaîne et de ma taille en la tendant suffisamment pour que les maillons ne pèsent pas trop sur mon cou.

Heureusement, en plus de Keith et Marc, j'ai quelqu'un d'autre sur qui compter pour m'aider à supporter la cruauté des FARC. Juste avant notre arrivée à Camp Réunion, un petit chien a débarqué dans l'un de nos bivouacs. Je me suis aussitôt identifié à lui : comme nous, il est infesté de *nuches* et accablé par les insectes. Il me fait penser à un labrador sable court sur pattes avec son bon caractère et son air « rigolard ». Il est maigre, tout pelé et empeste, mais je le trouve sympa. Je le baptise Tula (« sac de toile ») à cause de sa couleur et de son poil rugueux et clairsemé. Je refuse d'admettre qu'il reste avec moi parce que je le nourris, mais au bout d'un moment je crois qu'il apprécie ma compagnie autant que moi la sienne. Il dort sur une bâche à côté de moi. Quand nous arrivons à Camp Réunion, tout le monde s'entiche de ce chien que je considère désormais comme le mien. Tula est un goinfre comme tous les chiens, mais jamais il ne vole de nourriture et attend patiemment les restes que je lui jette. Arteaga, qui adore aussi les chiens, m'aide à le retaper un peu. Il le débarrasse de ses *nuches* et les FARC nous donnent de l'huile de moteur usagée pour soigner sa gale. En quelques semaines, il n'empeste plus et commence à se remplumer. Il nous divertit agréablement du stress de la vie au camp.

Tula est un vrai randonneur qui adore nos équipées en *bongo*, où il se poste à la proue, le museau en l'air. Finalement, Enrique juge que le chien sera mieux avec lui et, comme il a plus de nourriture que moi, il réussit à l'attirer à lui. Tula continue d'aller et venir entre les camps et nous deux, mais il ne dort plus avec moi. Apparemment, il est comme nous, il s'arrange au mieux pour survivre.

Au début, s'occuper de Tula et poursuivre notre petite routine facilite les choses, mais, au bout de quelques semaines, je me rends compte que les chaînes ont peut-être plus d'impact sur moi que je ne l'aurais cru. Au bout d'un mois, vers le 4 juillet, je suis en train de lire *Don Quichote*. Peut-être est-ce l'ironie redoublée de la situation, mais LJ, un garde, et Arteaga, l'intermédiaire, parlent des FARC, et disent que, malgré la diminution de leurs effectifs, ils sont encore capables de vaincre les militaires et conquérir le pays. Je suis plongé dans un livre sur un idéaliste admirable mais qui se berce d'illusions, et ces deux types s'extasient sur les futurs exploits des FARC. Que l'un d'eux soit un prisonnier et qu'il ne détrompe pas le garde me dérange carrément.

— Vous n'êtes qu'une bande d'assassins. Vous capturez des innocents et, au premier problème, vous les abattez. Voilà ce qui tient lieu d'actions militaires chez vous.

— Qu'est-ce que tu dis ? Tu sais ce que tu dis ? me rétorque LJ en jouant tellement les machos qu'il me hérisse.

— Oui, je sais ce que je dis et tu peux aller débiter tes conneries de communiste à l'autre bout du camp, je n'ai pas envie de les entendre.

— Tu dois être plus respectueux, Tom. Mieux vaut pour toi que je n'aille pas répéter ça à Enrique.

— Je m'en tape. Va lui dire.

Il s'en va, et revient quelques minutes plus tard avec Enrique qui me demande de quitter mon hamac et de sortir de ma *coleta* pour parler.

— Pas question. Si tu veux me parler, tu n'as qu'à entrer.

À mes yeux, chacun de ces *comandantes*, que ce soit Sombra, Enrique ou Milton, est un mini-dictateur. Enrique est le pire de tous. Il en a plein la bouche de l'égalité, mais je le vois se prélasser dans un fauteuil comme un prince, une jeune fille vautrée à côté de lui. Il ne se sépare jamais de son portable et tous ses hommes se bousculent pour entrapercevoir un bout de la collection de films du *jefe*.

En n'obéissant pas à son ordre, je veux le vexer devant ses hommes. Il n'a pas l'habitude qu'on lui parle comme cela et j'y éprouve un malin plaisir. Il s'en va à grands pas et revient avec son 22 long rifle, arme que les FARC utilisent pour chasser. Il m'envoie son *oficial*, Mario. Je ne bouge pas du hamac.

— Sors, m'ordonne-t-il.

— Non, si Enrique veut me parler, il n'a qu'à entrer.

Je vois qu'Enrique a également apporté d'autres chaînes. Keith et Marc arrive et il leur parle. Cela m'irrite encore plus et je me mets à lui beugler tout ce que j'ai sur le cœur depuis qu'il est avec nous. Malgré cela, j'entends qu'il demande à

Keith de me raisonner. Keith lui répond immédiatement qu'il n'a pas à dire à moi ni à personne comment se tenir.

— S'il ne se calme pas et continue de crier sur mes gardes, je vais devoir lui tirer une balle dans le pied. Et si ça ne suffit pas à le faire taire, je lui ferai creuser un trou et il habitera dedans.

Je ne pense pas qu'Enrique me tirerait dessus, mais on ne sait jamais. Je sais que j'ai perdu mon sang-froid, mais je m'en fiche. J'en ai assez d'être traité comme plus bas que terre et de voir des Arteaga bénéficier de faveurs. J'en ai marre qu'on me mente, qu'on me dise qu'on va m'enchaîner seulement la nuit et me retrouver entravé vingt-quatre heures sur vingt-quatre. J'ai tellement accumulé que j'explose.

Au final, c'est une victoire à la Pyrrhus. Je tiens tête à Enrique et je suis puni. Pendant quelques semaines, je ne suis plus attaché à Lucho mais à un poteau ou à un arbre, partout où je dois aller. Quand je me baigne, j'enroule la chaîne autour de mon cou. Je m'en fiche, car j'ai réussi à tenir bon. Marc et Keith attendent quelques jours que je me calme avant de me parler. Ils me disent que, si je ne coopère pas, les FARC vont creuser un trou, me jeter dedans et le recouvrir de planches.

— Tom, je ne veux pas te voir dans un trou. Si l'armée débarque, tu seras un rat pris au piège et tu seras abattu comme un rien. C'est absurde de persister.

Marc me dit qu'il comprend ce que je ressens et qu'il prie pour moi, même s'il sait que je n'en ai pas besoin.

Je les remercie, mais c'est fini, je vais purger ma peine et passer à autre chose.

15

POLITIQUES ET PIONS
AOÛT 2007-MARS 2008

TOM

Troisième semaine d'août, peu après la dispute avec Enrique, nous écoutons Voice of America et nous apprenons que la mère d'Ingrid et plusieurs membres de familles d'otages sont allés à Caracas voir le président Chávez, qui a déclaré être disposé à servir d'intermédiaire entre les FARC et le gouvernement colombien.

– Pourquoi ce salaud de gauchiste se mêle-t-il de ça ? s'indigne Keith. Je veux bien que quelqu'un intervienne, mais pourquoi ce type ? Si Uribe le rencontre, ce sera juste pour lui chier dans les bottes et le renvoyer chez lui.

Keith a raison d'être sceptique. Mettre ensemble Chávez et Uribe, c'est approcher une allumette d'un bidon d'essence. Un socialiste et un conservateur, présidents de deux pays qui sont en mauvais termes depuis des décennies, cela ne présage guère d'un résultat productif.

– Peut-être qu'il leur a fallu deux ans pour digérer l'arrestation de Granda, dit Marc. J'ai beau détester les FARC, comment crois-tu que Chávez et le Venezuela peuvent réagir en voyant leurs frontières violées pour arrêter quelqu'un ? On ne peut pas agir comme ça impunément.

– C'est l'arrogance d'Uribe, opine Lucho. Granda a été avec les FARC à un moment, c'est certain, mais cela ne veut pas dire que le gouvernement peut ignorer la souveraineté d'une autre nation. Si Chávez est disposé à passer l'éponge, c'est tant mieux, Keith. Même si je doute que ça débouche sur grand-chose.

La réaction perspicace mais contradictoire de Lucho est conforme à son caractère. Avec lui, c'est tout l'un ou tout l'autre – parfois les deux ensemble – mais il ne cache jamais ses opinions, même s'il en change souvent.

– Arrête, Lucho, dit Keith. Uribe a laissé Chávez croire qu'il était vainqueur dans cette affaire. Uribe a eu ce qu'il voulait et a baissé pavillon. Chávez cherche autre chose.

– Prenons un peu de distance, dis-je. Il y a une possibilité qu'ils réussissent à réunir tout le monde pour envisager un échange humanitaire. On se fiche bien du reste.

Marc est d'accord avec moi et suggère d'attendre.

Notre crainte de voir la situation dégénérer diminue quand nous apprenons que Chávez doit venir s'entretenir avec Uribe à Bogotá dans les prochaines semaines. Si Uribe a accepté la proposition, nous avons des raisons d'espérer que notre captivité ne dépassera pas les cinq ans. J'ai toujours considéré cette durée comme une sorte de cap au-delà duquel je ne pourrais plus tenir. C'est peut-être pour cela que je me suis emporté devant Enrique.

Dix jours plus tard, le 31 août 2007, nos espoirs redoublent quand Uribe annonce qu'il autorise Chávez à négocier un échange de prisonniers avec les FARC pour le compte du gouvernement colombien. Chávez déclare qu'il a reçu une lettre d'un important chef des FARC lui demandant sa participation. En témoignage de bonne foi, les FARC laissent une délégation de la Croix-Rouge accéder au lieu où sont enterrés les cadavres des onze députés assassinés. Les corps doivent être rendus aux familles après autopsie. Plusieurs jours après cette promesse, Raúl Reyes, numéro deux des FARC, déclare que la participation de Chávez est un bon début ; cependant, tout échange de prisonniers doit avoir lieu en Colombie. Chávez annonce que, si nécessaire, il se rendra dans le tréfonds de la jungle pour rencontrer les chefs des FARC. Comme la rumeur court que Marulanda ne va pas bien et qu'il est incapable de se déplacer, quels que soient l'endroit et la date où Chávez procède à l'entrevue, c'est une bonne nouvelle pour nous.

Dans le camp, tout le monde est ragaillardi par la nouvelle. Même Lucho est prudemment optimiste.

– C'est la première fois en vingt ans que je vois les relations entre nous et le Venezuela aussi bonnes. Cela aura pris du temps. Je suis circonspect sur les raisons de Chávez, mais je serais prêt à laisser le diable lui-même me prendre par la main si ça pouvait nous faire sortir de cet enfer.

La radio rapporte que Chávez est resté douze heures de plus que prévu, et qu'Uribe et lui ont discuté d'un large éventail de questions intéressant les deux pays. Si le président vénézuélien a une idée derrière la tête, comme le pense Keith, je m'en moque. Je veux quitter cette jungle, même si on se sert de moi comme d'un pion sur un échiquier pour une partie qui me dépasse.

À la même époque que celle de l'intervention de Chávez, nous apprenons qu'un nouvel ambassadeur américain a été nommé en Colombie. William Brownfield remplace William Wood, ce qui ne peut qu'être avantageux pour nous. Durant son mandat, Wood ne s'est occupé que de drogue et de lutte contre les narcotrafiquants sans jamais se soucier de nous, les otages. Brownfield est différent. Dans son discours d'arrivée, il déclare clairement qu'il connaît notre situation et qu'il espère qu'une solution sera trouvée.

L'arrivée d'un nouvel ambassadeur est encourageante, mais les retards pris dans le lancement des négociations nous désespèrent. Septembre est bientôt passé que les deux parties en présence en sont toujours à pinailler comme à leur habitude. Les FARC demandent une zone démilitarisée dans le sud, à peu près vers l'endroit où nous sommes, le long de la frontière entre Venezuela, Colombie et Brésil. Uribe refuse. La Colombie exige une preuve de vie avant de poursuivre toute négociation, mais, en ce qui nous concerne, les FARC n'ont encore rien fait.

Alors que les arguties continuent, Uribe nous choque de nouveau en nommant Piedad Córdoba, membre de l'un des partis les plus à gauche du pays et très critique de l'action du président, comme médiatrice dans les négociations pour la libération des otages. Elle ne fait pas mystère de ses sympathies envers les FARC, mais personne ne sait jusqu'où vont ses liens avec eux. Un parfum de suspicion semble l'entourer dans certains milieux de Bogotá. Lucho est de ses amis et la défend, disant que c'est une femme sérieuse, charismatique et acharnée, animée de bonnes intentions. Pour lui, elle est la mieux placée : elle a été otage d'un groupe paramilitaire d'extrême-droite et ne peut que comprendre notre situation. Aussi douteux que soit le personnage de Chávez, et dans une moindre mesure, celui de Córdoba, au final, nous nous soucions bien peu des protagonistes, du moment qu'il y a vraiment des pourparlers. Même Keith, qui déteste le Vénézuélien et tout ce qu'il représente, se dit prêt à l'embrasser s'il parvient à nous libérer.

Le matin du 20 octobre, nous sommes en train de nous baigner dans la rivière quand Enrique arrive sur le ponton.

– Vous avez cinq minutes. Habillez-vous le mieux possible. J'ai reçu l'ordre de tourner une preuve de vie pour chacun de vous.

Nous échangeons un regard. Nous attendions cela avec impatience. Le tout est de savoir maintenant comment nous allons réagir.

Pour Keith, tout indique que quelque chose est en route. Il est d'avis de ne pas se compliquer la vie et de se concentrer sur cet espoir.

Marc aussi pense qu'il faut aller au plus simple, mais il demande si nous avons vraiment envie de tourner cette preuve de vie.

Je pense que oui. Je n'étais pas prêt la dernière fois et j'ai envie que ma famille voie que je vais bien. Tout le reste importe peu.

Nous restons un moment silencieux.

Marc émet des réserves. Il veut que sa famille sache qu'il va bien, mais, après ce que Botero a fait, il hésite à laisser les FARC l'utiliser comme la dernière fois.

Nous ruminons le souvenir de Botero qui nous a manipulés en nous parlant de la mort de nos camarades. Nous débattons encore un moment en attendant le retour d'Enrique, qui nous annonce que Marc sera le premier à être filmé.

– Je refuse, répond Marc en le regardant droit dans les yeux. Je ne serai pas filmé et je ne répondrai à aucune question.

– Très bien, répond Enrique après un silence. Mais sache que j'aurai une vidéo de toi, que tu le veuilles ou pas. Tu peux aller t'accroupir sur le *chaunto*, ou être en train de te baigner comme tout de suite, je te filmerai comme ça. Sinon, tu peux toujours coopérer.

Enrique s'en va.

– Je sais qu'il peut me filmer comme il veut, dit Marc. Je ne vais pas lui laisser ce plaisir. Je me laisserai filmer, mais je ne parlerai pas.

Nous sortons de l'eau. Marc enfile un tee-shirt noir et un jogging, ce qui n'est pas vraiment bien s'habiller comme le demande Enrique. Il tient à montrer dans la vidéo comment nous sommes réellement traités et pas comme les FARC veulent le faire croire. Enrique le filme quelques minutes pendant que Marc chasse les mouches avec un bout de tee-shirt déchiré, sans jamais sourire ni regarder l'objectif.

Pendant que Keith est filmé, je discute avec Marc.

Il m'avoue qu'il mourait d'envie de parler à sa famille et qu'il a souffert de se retenir.

Keith et Lucho font comme Marc. Moi, je veux que mon mariage tienne le coup, pas que quelqu'un soit forcé de m'attendre par pitié. Je n'ai pas de nouvelles de Mariana depuis un moment et je ne sais pas où nous en sommes, mais je veux qu'elle et mes fils sachent ce que j'éprouve pour eux.

C'est surréaliste d'être assis devant ce type que je déteste et qui m'a fait enchaîner tout en déclarant mon amour à ma femme et en essayant d'oublier qu'il est derrière l'objectif. Je lui tends une lettre destinée à ma femme. C'est en fait un testament pour que ma famille n'ait pas de difficultés si je ne reviens jamais. J'ai besoin de savoir que tout est réglé et qu'il y a le moins d'imprévus possibles. Ayant l'esprit pratique, je la garde sur moi. je ne suis pas particulièrement inquiet de mourir, mais avoir tout préparé me facilite les choses. Il y a aussi dans la lettre quelques recommandations pratiques. Je sais que ma femme comprendra et, en un sens, cela lui donnera la preuve que ce n'est pas un faux.

La vidéo tournée, le camp retrouve son rythme durant l'automne 2007. Enrique n'est pas content que je n'aie pas dit à la caméra que nous ne voulons pas d'opération de sauvetage, mais il ne me serre pas la vis pour autant. Il nous enlève même parfois les chaînes pour nous laisser jouer au volley. Nous écoutons régulièrement la radio. Le gouvernement français est aux côtés de Chávez en raison de la double nationalité d'Ingrid. Nicolas Sarkozy s'efforce d'encourager les négociations. De leur côté, les FARC annoncent une libération d'otages unilatérale en témoignage de leur bonne volonté.

D'après ce que nous constatons, il y a beaucoup de discussions, voyages et visites, mais cela n'avance pas tellement. Chávez a promis d'apporter lors de son voyage en France une preuve de vie très attendue du gouvernement français, mais il arrive les mains vides. Nous ignorons pourquoi les FARC la gardent et nous sommes encore plus agacés de la lenteur du processus. Nous commençons également à voir que Chávez agit pour son profit et joue sur les deux tableaux. Dans un discours retransmis à la radio, il fait l'éloge du fondateur des FARC, Marulanda, qu'il qualifie de grand révolutionnaire, alors que nous le voyons, nous, pour ce qu'il est : le chef d'une organisation terroriste.

Cet automne, on dirait que toutes les informations en Colombie sont concentrées sur les otages et les FARC. Nous avons d'autres raisons de garder espoir. La campagne présidentielle américaine bat son plein. Avec Hillary Clinton et Barack Obama d'un côté et John McCain de l'autre, nous avons toutes les chances dans un cas comme dans l'autre. Les républicains seront plus réceptifs à notre cause, et McCain, ayant été prisonnier de guerre lui même, ne peut que s'intéresser à notre situation. Un député américain, Jim McGovern, a appelé les FARC à la négociation et nous espérons que d'autres le rejoindront.

Le 20 novembre, Enrique nous informe que nous devons tourner une autre vidéo. Il prétexte que l'autre a été égarée. C'est bien des FARC de perdre un objet que réclament plusieurs chefs de gouvernement. Cela dit, étant donné tout ce qu'ont essuyé les FARC ces dernières années, tout est possible. Cette fois, nous convenons que nos familles ont besoin d'être rassurées. Si nous ne savions pas que les gouvernements français et colombien réclament la preuve que nous sommes encore en vie, nous rejetterions la demande d'Enrique.

Pour ma part, je suis content de bénéficier d'un deuxième essai. Je trouve que le précédent était un peu précipité et je me prépare mieux. Je cite mon auteur favori, Gabriel García Márquez, en espagnol : *La quiero resueltamente* – « Je t'aime résolument ». Je l'ajoute à ma lettre, à la place de mes recommandations pour la maison, surtout que je ne suis pas sûr d'avoir une maison à mon retour.

KEITH

Je n'ai jamais eu confiance en Chávez. Pour moi, tout militaire capable de fuir à Cuba ne vaut pas grand-chose. Quand il arrive les mains vides à Paris pour rencontrer Sarkozy, je sais que les négociations sont enterrées. Évidemment, les FARC n'y mettent pas du leur. Mais je suis sûr d'une chose : entre Chávez et les demeurés des FARC, c'est à qui réussira à faire tout capoter le premier. Il leur faut du temps, mais ils y arrivent.

Cette nouvelle manque presque de prendre le pas sur une autre. Parmi les familles venues à Caracas se trouvait Patricia. Même si je n'étais pas à la conférence de presse de Chávez, mes jumeaux y ont assisté. Apparemment, elle a emmené les *tigres*, comme elle dit. Ils ont chahuté dans le palais présidentiel et interrompu la conférence, au point que Chávez leur a même couru après. La presse a adoré, et les jumeaux ont permis de rappeler que *los americanos* sont toujours en captivité, même si l'un d'eux a des jumeaux qui restent indomptables.

Je suis remonté en entendant cela à la radio : tel père, tels fils. Je suis également heureux que les Colombiens aient adopté Patricia et les enfants. Moi qui craignais qu'ils paient pour les péchés de leur père, je suis tranquillisé. Il ne me reste plus qu'à racheter les péchés en question.

Le 22 novembre, deux jours après le second tournage, nous apprenons à la radio qu'Uribe a officiellement démis Chávez et Córdoba de leurs fonctions d'intermédiaires avec les FARC. Et allez, joyeux Thanksgiving à vous. Je suis effondré.

Nous écoutons tous les trois cette pathétique histoire de querelle de personnalités. Apparemment, Chávez et Córdoba ont pris la grosse tête. Ils s'étaient mis dans le crâne qu'ils pouvaient tout régler par eux-mêmes. Ils ont appelé le commandant en chef de l'armée colombienne, le général Montoya, pour organiser une réunion à propos des otages et des FARC. Ils ont juste oublié que l'une des conditions de leur nomination était de ne contacter personne et de n'organiser aucune réunion sans demander l'accord préalable d'Uribe. En attendant, moi, je reste otage.

Lucho est aussi furieux contre Chávez que contre Uribe.

— Uribe cherchait juste un prétexte pour rompre l'accord. Il voulait discréditer Chávez depuis le début.

Il est écarlate et nous le sentons prêt à se lancer dans une de ses diatribes contre la droite. Heureusement, Marc intervient :

— Lucho, ce type est président du Venezuela. Comment veux-tu qu'Uribe reste les bras croisés alors qu'il prend contact avec le chef des armées colombiennes sans passer par lui ? Ça ne se fait pas.

— Dans ce cas, il fallait le réprimander en privé et lui laisser la possibilité de continuer à agir, au lieu de publier un communiqué le démettant de ses fonctions. Il essaie seulement de ruiner l'image de Córdoba et de Chávez aux yeux de l'opinion publique colombienne, et il se sert de nous pour ses manigances.

Les jours suivants, Chávez et Uribe s'accusent mutuellement pendant que les commentateurs s'en donnent à cœur joie. Nous sommes fatigués de ces discours ; ce qu'oublient ces politiciens, c'est que nous sommes toujours enchaînés pendant qu'ils se chamaillent. Malgré notre colère, nous savons que le vent peut encore tourner comme c'est arrivé si souvent pendant ces cinq ans. Au moins, on parle des otages et d'échanges : il y a du progrès.

À la mi-décembre, un garde nous annonce que nous allons fêter Noël en avance car nous devons nous remettre en route le 25. À ce stade, n'étant pas avec nos familles, toutes les fêtes ne sont plus pour nous que des noms sur le calendrier. Les FARC ont l'air de partager ce point de vue, même s'ils se réunissent habituellement au moment de Noël.

Un garde nous apporte une bouteille d'aguardiente, un alcool colombien très fort parfumé à la réglisse. Par politesse, j'en bois un verre, Tom et Marc deux ou trois. Puis on nous apporte à manger et, au lieu de nous laisser la marmite comme d'habitude, les cuisiniers nous servent. Pour les FARC, le poulet, c'est le summum de la gastronomie. Il est un peu sec, mais nous n'avons rien mangé de meilleur depuis longtemps.

C'est alors qu'Enrique arrive tout guilleret, une main cachée dans le dos. Il ordonne au garde de nous détacher pour que nous puissions nous asseoir confortablement pour manger. Nous sentons anguille sous roche. Bien vu : il sort sa caméra. Après tout, s'il veut montrer au monde entier que nous sommes bien nourris et libres de nos mouvements, qu'il le fasse. Cela ne nous plaît pas et Tom ne se prive pas pour lui dire.

— Tu crois qu'il suffit de nous apporter à boire et à manger pour qu'on te fasse des courbettes ? Qu'est-ce qui t'est arrivé pour être devenu le *corazón negro* que tu es ? Tu devais pourtant être un gosse normal ?

Enrique continue de filmer comme si de rien n'était. Je savoure cet instant quand je vois Marc se lever, enrouler ses chaînes autour de son cou et passer dans le champ pour gâcher le beau tableau d'Enrique, qui essaie vainement de l'éviter en changeant d'axe de prise de vues.

Tom ne fait qu'exprimer pour nous trois toutes nos frustrations rentrées et accumulées et finalement, Enrique est forcé de laisser tomber et s'en va dépité. Bien entendu, il se venge, mais injustement : Marc et moi ne sommes pas punis, mais Tom reçoit une deuxième chaîne. Enrique s'en prend toujours à lui.

Le 25, il vient nous annoncer que nous partons.

— Vous savez combien ces marches peuvent être pénibles. Je suis sûr que vous vous inquiétez pour votre bien-être. Vous serez responsables de vous-mêmes comme nous le serons de nous-mêmes.

Indirectement, il nous fait comprendre que nous devons porter une partie des vivres. Nous connaissons la chanson. Théoriquement, en tant qu'otages, nous ne sommes pas responsables de nous-mêmes. Ce sont les FARC qui sont censés nous nourrir et s'occuper de nous. Mais là, le message est clair : si vous ne portez pas votre part de vivres en plus de votre paquetage, vous ne mangerez pas. Nous n'avons pas le choix. Nous sommes enchaînés et emmenés. Les chaînes pèsent cinq kilos, nos *equipos* sont beaucoup plus lourds, mais si nous voulons de quoi reprendre des forces, nous devons nous charger encore plus.

Je déclare que nous acceptons de porter *leur* nourriture, mais que nous voulons en échange du lait en poudre et des *panelas*. En proposant cela, non seulement j'obtiens le lait et les biscuits demandés, mais quelque chose de potentiellement plus précieux : la bienveillance des sous-fifres. Depuis longtemps, nous avons observé que la plus grande source de dissensions chez eux est le fait que certains portent plus que d'autres. Nous avons vu des garçons comme Eliécer chargés comme des mules alors que d'autres ne portent presque rien. Plus les marches sont longues, plus ces gars sont mécontents et passent leur nerfs sur nous. S'ils me voient porter une lourde charge, ils seront plus disposés à nous rendre service. Généralement, quand on transporte les vivres, la charge diminue à mesure qu'on les consomme, mais, cette fois, je demande qu'on m'en rajoute régulièrement à mesure que ma charge s'allège, afin qu'elle reste la même.

Au départ, Tom est incapable de prendre une charge supplémentaire, puisque Enrique lui a collé deux chaînes et qu'il a mal au genou. Marc fait ce qu'il peut, mais lui aussi souffre du genou et il est malade. J'ai de la chance d'être en aussi bonne forme que le permettent les circonstances. Je ne suis pas emballé à l'idée d'aider les FARC, mais, si c'est le prix à payer pour ne pas mourir de faim, tant pis. Au bout de presque cinq ans de captivité, nous sommes infiniment plus sages et nous connaissons les limites à ne pas dépasser.

Avec cette charge supplémentaire, la marche s'annonce difficile, mais nous retrouvons du courage quand, le 28 décembre, nous apprenons que la Croix-Rouge et d'autres agences internationales font pression sur les FARC pour libérer Clara Rojas et son fils. Ce que tout le monde ignore à l'extérieur, c'est que les FARC ont confié l'enfant à un orphelinat, et c'est seulement après l'évasion de Jhon Pinchao que le gouvernement colombien pourra retrouver un enfant de l'âge correspondant présentant un bras cassé. Emanuel devient une cause célèbre en Colombie et l'image des FARC est sérieusement entamée quand on apprend l'état de l'enfant et la manière dont il a été traité.

Une fois Emanuel retrouvé, les FARC, comme d'habitude, traînent les pieds pour libérer Clara, prétendant que le gouvernement a déniché le premier gosse venu en le faisant passer pour Emanuel. Des analyses comparant l'ADN de l'enfant et celui de la mère de Clara confirment que c'est bien lui. C'est seulement quand Uribe rend publics les résultats que les FARC acceptent de la relâcher et donnent la position de Clara et Consuelo. Deux hélicos vénézuéliens viennent les chercher le 10 janvier sous la supervision de la Croix-Rouge.

Cette nouvelle est bienvenue pour nous. Cela fait treize jours que nous marchons et le seul point positif est que nous savons que d'autres groupes d'otages sont dans les parages. Étant la première colonne, nous dressons les campements, mais, au lieu de les démanteler quand nous partons, nous les laissons pour ceux qui nous suivent. Les gardes nous confirment que deux groupes sont derrière nous, l'un comprenant Ingrid et les cinq autres dont nous avons été séparés, plus quatre prisonniers militaires.

Nos pieds nous font tous beaucoup souffrir, mais c'est Lucho qui est le plus affecté. Diabétique, il a des problèmes de circulation dans les jambes qui l'empêchent de cicatriser rapidement. Les FARC savent qu'il est malade, mais ils le poussent à marcher et l'état de son pied empire. L'infection d'une ampoule se propage et il sait que beaucoup de diabétiques ont eu les orteils, le pied voire la jambe amputée. Il ne panique pas, mais nous voyons qu'il est inquiet, à juste titre.

D'habitude, Lucho fait beaucoup de cinéma, mais là, le problème est grave. Heureusement, les FARC le reconnaissent. Son pied est dans un tel état que je me demande comment il peut tenir encore. Nous arrivons bientôt à un ancien camp où nous avons déjà séjourné avec Enrique et qui est resté presque intact.

Nous remarquons en nous installant qu'Enrique et d'autres FARC parlent à Lucho, qui a l'air très agité et vient ensuite vers nous.

– Messieurs, on me fait quitter le groupe. Je regrette, mais je n'en sais pas plus. C'est peut-être un adieu. Je risque de ne plus séjourner à la Plénitude.

Marc et moi rions de l'entendre utiliser le surnom que Tom et lui donnent à la cabane qu'ils partagent ensemble. Il va nous manquer.

– Je vous souhaite du courage à tous. Tom, c'était un plaisir de te connaître, si je peux dire une telle chose dans ces circonstances. Quand je pense que ce sont des chaînes qui nous ont réunis et séparés !

Il est manifestement ému. Nous laissons Lucho et Tom se faire leurs adieux. Quand Lucho est emmené, Tom est pensif. Marc lui demande s'il va bien.

– Je ne m'attendais pas à cela, répond-il. J'espère qu'on l'emmène vers la liberté.

Quelques jours plus tard, nous sommes surpris de voir revenir Lucho, accompagné des deux groupes qui nous suivaient. Les gardes maintiennent la séparation entre les groupes. Nous pouvons nous adresser des signes et nous saluer, mais c'est tout. Cela nous fait plaisir de voir Romero, Jhon Jairo, Buitrago et Javier après tout ce temps, mais c'est triste qu'ils soient encore prisonniers.

Une nuit, deux semaines après son retour, Lucho et Tom écoutent les messages à la radio dans leur *coleta* à côté de la cabane que j'occupe avec Marc. Je l'entends soudain déclarer calmement : « Les infos ont annoncé que je dois être libéré. »

Tout le monde – Lucho y compris – est sous le choc. Le lendemain matin, il passe nous voir tour à tour et nous encourage à écrire autant de lettres que nous voulons et qu'il se chargera de transmettre. Nous nous y attelons et Marc ajoute aux siennes un cadeau pour sa famille : des plaques en bois portant le mot « famille » et les prénoms de sa femme, sa fille et ses deux fils. Tom et moi écrivons à nos familles et je rédige deux autres lettres, une pour Patricia et une pour son père.

Depuis le premier message de Patricia, il me paraît clair qu'elle agit avec beaucoup de courage dans ces moments difficiles. Les suivants m'apportent un réconfort dont je ne pensais pas avoir autant besoin. Avant le crash, j'ai fui la réalité. Elle, non. Malgré tout le temps passé sans nouvelles de moi, elle élève *los tigres* et me soutient comme j'aurais dû la soutenir.

Ai-je vraiment changé durant ma captivité ? Quel genre d'individu serai-je quand je sortirai ? Je ne peux pas changer le passé et combler l'immense vide laissé dans la vie de ceux que j'aime, mais je peux dire à Patricia ce que je compte faire à l'avenir. Avant de partir, Lucho m'interroge : doit-il lui dire que je veux l'épouser ?

— Dis-lui que je veux agir au mieux et que je les entretiendrai, elle et les enfants. J'aimerais que nous formions une famille.

— N'en dis pas plus, Keith, je sais quoi faire. Je suis colombien.

Je me dis qu'il ne peut y avoir mieux qu'un sénateur et diplomate pour s'occuper de mes affaires et qu'il mérite que je rectifie le tir.

— Lucho, quand on s'est connus, je ne pouvais pas te supporter. Ton attitude à notre égard m'a écœuré, mais finalement, je suis content d'avoir passé ces six derniers mois avec le vrai Lucho. C'est quelqu'un que j'estime.

Nous sommes déjà heureux de sa libération, mais, quand nous apprenons que Jorge, Gloria et Orlando sont eux aussi relâchés, nous sommes vraiment comblés. Savoir que certains d'entre nous vont retrouver leur foyer est grisant. Et que le geste des FARC soit unilatéral comme avec Clara et Consuelo nous fait espérer que notre tour viendra bientôt.

Je m'attends que les FARC ne tiennent pas parole, mais, le 26 février, Lucho fait ses adieux et s'en va pour de bon.

MARC

Le 1er mars, le gouvernement colombien annonce qu'il a découvert et attaqué un camp des FARC dans la région de

Putamayo sur la frontière équatorienne. On annonce seize morts parmi eux, dont Raúl Reyes, le premier *secreteriado* à mourir au combat depuis la fondation des FARC. Nous sommes tous les trois ravis, car Reyes était un élément important, pressenti pour succéder comme commandant en chef des FARC à Marulanda, que la rumeur dit malade. Au moins, sa mort va ébranler les FARC.

Malgré cet aspect positif, c'est aussi une mauvaise nouvelle pour nous. Les jours suivants, la radio expose les circonstances et la controverse entourant la mort de Reyes : il a été tué avec son groupe alors qu'il venait de passer la frontière et d'entrer en Équateur. En Colombie et en Équateur, certains s'indignent que l'armée ait franchi la frontière. Après deux jours d'accusations et réfutations, Uribe explique que ses troupes ont lancé un missile depuis le territoire colombien et ne sont entrées en Équateur qu'une fois certaines que la cible était éliminée – et avec l'autorisation du président équatorien Rafael Correa. L'armée ayant également récupéré les ordinateurs portables de Reyes, toute une série d'allégations se répandent sur les preuves accablantes qu'ils contiennent, confirmant notamment que Chávez est depuis longtemps en collusion avec les FARC. Si c'est exact, cela peut avoir de grosses conséquences pour nous.

Que ce soit à la suite de la mort de Reyes, de la libération de Lucho ou d'autre chose qui nous échappe, nous remarquons une recrudescence de la surveillance aérienne. Nous nous déplaçons tantôt par pirogue, tantôt en longeant la rivière à pied. En fin d'après-midi, Keith tend soudain l'oreille.

Je perçois quelque chose que je ne parviens pas à identifier. Keith est certain que ce sont des Blackhawk. Si nous parvenons à déterminer qu'ils sont équipés du système de thermo-

graphie, nous serons fixés. Peut-être que des soldats américains sont dans les parages.

Au même moment, nous entendons les tirs très reconnais-
sables d'armes américaines. Nous échangeons un regard
inquiet : si nous savons que des Blackhawk sont là, les FARC
le savent aussi. Comment vont-ils réagir devant l'intervention
des Américains ?

En prenant la fuite : tout le monde presse le pas et quitte
la rivière pour s'enfoncer dans la jungle. Lors d'un bivouac,
une nuit, on vient chercher Keith : les hommes d'Enrique
ont trouvé par terre des tubes métalliques et il veut que Keith
lui explique ce que c'est. Il reconnaît immédiatement qu'il
s'agit de caméras et le lui dit, puisqu'ils risquent de s'en rendre
compte tôt ou tard. En les examinant, il remarque que l'une
des batteries porte l'adresse d'un fabricant de Caroline du
Nord. Pour quelqu'un comme Keith, des Blackhawk et des
caméras, cela ne peut signifier qu'une chose : des unités des
Forces spéciales sont probablement aux alentours. Nous
sommes enchantés de la nouvelle, mais n'en laissons rien
paraître. Nous convainquons l'un des gardes de transmettre
aux autres otages un mot en anglais indiquant que quelque
chose se prépare. Il faut qu'ils soient prêts en cas de sauvetage
et de réaction des FARC.

Les jours passent et nous avons l'impression que les Blackhawk nous poussent comme des chiens de berger. Ils ne
s'approchent jamais assez pour que nous puissions les voir,
mais nous les entendons. Nous savons aussi que les FARC
sont cernés par l'armée colombienne. Nous descendons en
aval depuis un moment quand les FARC changent de tactique
et rebroussent chemin. Le temps presse. Nous sommes
presque à court de vivres et nos repas se limitent à une demi-
douzaine de cuillerées de riz. Heureusement, Keith obtient

des gardes les derniers paquets de lait et de sucre. Sans cela, nous serions au plus mal.

Les FARC ne sont pas en meilleure forme. C'est vraiment la débandade et lorsque nous nous déplaçons en pirogue, ce n'est pas plus facile qu'à pied, car nous remontons le courant. Par endroits, les FARC évitent de faire démarrer les moteurs et ce sont des gardes qui nous halent depuis la rive avec des cordes. Ils ont l'air au bord de l'épuisement.

Si la fatigue n'en vient pas à bout, ce sera la peur : un jour, nous apprenons que deux gardes envoyés en éclaireurs ont été tués. Enrique commence à désespérer. Nous sommes déjà rationnés, il a perdu deux hommes, les Blackhawk nous traquent et ses troupes sont fébriles. Deux jours plus tard, deux appareils nous survolent et nous prenons un immense plaisir à contempler cet étalage de la puissance américaine. Cela fait plus de cinq ans que nous n'avons pas approché un compatriote et mon pays me manque autant que ma famille. Même un engin anonyme comme un hélico possède une énorme signification pour nous.

De leur côté, les FARC sont terrifiés. Quand les hélicos arrivaient, Milton braillait contre ses hommes. Enrique a une autre méthode. Une fois les appareils partis, il rassemble ses guérilleros et ordonne qu'on sorte les marmites. Un instant plus tard, nous sentons une odeur de pop-corn tout chaud et nous nous retrouvons avec les FARC tremblants, les yeux écarquillés, en train de boire leur ration de café ou de chocolat tout en mangeant du pop-corn.

— Ils sont secoués, dis-je entre deux bouchées.

Les hélicos ont accompli leur mission avec cette démonstration de force.

— Sacré spectacle, fait Keith.

— Je n'ai jamais été aussi fier, renchérit Tom. J'en ai eu le souffle coupé.

Dès l'aube du lendemain, la tension revient dans le campement. Nous avons dû bivouaquer dans le noir et Tom a renversé de la soupe dans son hamac. Il essaie de le nettoyer quand on vient nous presser de nous mettre en route.

— Pourquoi vous ne nous faites pas lever à minuit pendant que vous y êtes ? fait Tom.

— Qui a dit ça ? demande Enrique.

— Moi.

— Je vais te tuer, dit Enrique en se dirigeant vers lui à grands pas, pistolet braqué sur lui.

— Vas-y. Je sais que tu n'as pas reçu ordre de le faire. Voyons si tu es capable d'agir de ton propre chef.

Enrique baisse son arme comme s'il voulait lui tirer une balle dans le ventre.

— Ça ne me tuera pas. Si tu dois tirer, aie la décence de le faire proprement.

Enrique vise le pied de Tom, qui reste imperturbable.

— Si tu fais ça, je ne pourrai pas marcher.

— Alors je vais te tirer dans le bras.

— Et tu trahiras notre position. Merci.

Enrique est au bord de la rupture, mais il se ravise et s'en va. Une minute après, Tom reçoit une chaîne double. L'expression des gardes est éloquente : nous avons déjà observé cette incrédulité résignée chez les hommes de Milton. Ils se rendent compte qu'Enrique est en train de perdre son sang-froid et le contrôle de ses hommes, qu'il a franchi la limite en faisant montre d'une cruauté inutile et excessive. Ils savent qu'ils sont les suivants sur la liste.

Keith prend une partie du paquetage de Tom et sa tente. Tom se débarrasse également de quelques objets naguère précieux.

— Pense à toutes les cigarettes que tu as échangées pour ces merdes, plaisante Keith.

— Maintenant que Lucho est parti, ce n'est plus aussi drôle. On contrôlait le marché et on fixait les prix.

— Ne pète pas les plombs pour autant avec Enrique. Il a du mal à tenir le coup. Si nous jouons bien, nous pouvons nous en sortir, et les chaînes sont un handicap.

Je sens autour de nous tellement d'alliés qu'il nous suffirait de leur parler cinq minutes pour pouvoir filer. Mais nous nous sommes trop avancés. On nous enchaîne, Keith et moi, et pendant les jours suivants, nous sommes encadrés par deux gardes.

Au moment où les FARC sont près de craquer, toute activité aérienne cesse brusquement à la fin d'avril. Nous parvenons à un point de ravitaillement et nous restons assis, épuisés, incapables de faire autre chose que manger. Nous sommes à peine conscients quand, soudain, Ingrid et William Pérez surgissent de la jungle.

— Qu'est-ce que c'est encore que ça ? grommelle Keith, clairement irrité de les voir.

Je suis soulagé qu'Ingrid ait l'air à peu près vaillante après un mois de marche. Nous ne nous sommes pas revus depuis la nuit sur le bateau. Je suis heureux de la retrouver, mais je sens que quelque chose a changé quand elle me salue. Ce n'est plus la femme dont j'ai tenu la main sur le *bongo*. Ses yeux ont perdu leur éclat.

D'après la manière dont William me regarde, je sens que cela a un rapport avec lui. Ingrid ne me traite pas avec froideur, mais je constate une distance inhabituelle. Elle se comporte avec William comme naguère avec moi, mais elle lui témoigne ouvertement une affection que je n'ai jamais connue avec elle.

Ingrid m'avait confié combien c'était difficile pour une femme d'être en captivité. Nous avons vu avec quelle facilité les FARC formaient leurs couples et, dès le début, il semble qu'Ingrid se soit alliée avec un homme dans chacun des camps. Peut-être est-ce pour être protégée ou briser sa solitude, mais elle s'est plainte à moi de ne pas aimer être réduite à l'impuissance. Elle s'en est ouverte dans les lettres qu'elle m'écrivait. J'ai essayé d'être franc avec elle en disant qu'elle est responsable d'elle-même. Elle m'a répondu qu'elle en avait assez d'être effrayée et terrorisée et qu'elle était capable de rester seule, sans compter sur personne.

En la voyant avec William Pérez, je suis attristé qu'elle en soit revenue à chercher refuge auprès de quelqu'un au lieu de se reposer sur elle-même et sur sa foi. J'ai toujours tendance à vouloir aider les gens et je me demande si sa fragilité était due au fait qu'elle était seule pour la première fois de sa vie.

Je ne peux pas présumer de ce qu'elle vient de subir. Nous avons tous traversé des épreuves et il me semble qu'elle a choisi la voie la moins difficile en retombant dans des habitudes auxquelles elle prétendait vouloir renoncer.

Durant sa détention, William Pérez a tout fait pour faciliter son existence de prisonnier. Il joue le rôle d'intermédiaire auprès des FARC et profite de leurs faveurs. J'ai du mal à comprendre pourquoi Ingrid est attirée par quelqu'un comme lui. Nous nous sommes toujours dit que la vie de captifs révélait ce que nous étions vraiment. L'Ingrid accomplie et ambitieuse que je respecte semble coexister avec une Ingrid arrogante et peu sûre d'elle-même qui me fait de la peine. Ce n'est peut-être pas juste de la juger et j'essaie d'être charitable, mais je ne peux me défaire de l'impression que tout ce dont nous avons parlé, sa vision d'une vie et d'une Colombie meilleures, sonne faux. Je ne sais pas si c'est la femme ou la politicienne qui me déçoit, mais il semble impossible de séparer les deux.

Quelques jours plus tard, elle vient m'expliquer ce qui s'est passé et pourquoi elle a changé : la vie dans l'autre camp a été très pénible. William était le seul à qui elle pouvait parler. Elle avait besoin de quelqu'un.

En l'écoutant, je me demande comment elle pourrait changer ce qu'elle estime nécessaire dans un pays si elle n'est pas capable de faire cet effort pour elle-même. Apparemment, tant qu'elle a auprès d'elle quelqu'un pour agir à sa place, elle ne se donne pas la peine de devenir celle qu'elle veut être.

16

ENGRAISSAGE
MAI-JUIN 2008

KEITH

C'est étrange : moins vous mangez, plus vous êtes à l'écoute de ce que vous éprouvez intérieurement. Vous vous concentrez sur ce vide douloureux à tel point que vous en oubliez les conséquences sur votre apparence physique.

Quand William et Ingrid nous rejoignent au début mai 2008, nous constatons qu'ils ont enduré exactement les mêmes épreuves que nous, puisque leur groupe suivait le nôtre. Quand on est sous-alimenté, les changements sont progressifs, mais quand on revoit quelqu'un après deux mois de famine, ils sautent aux yeux. Du coup, je me rends compte à quel point nous sommes tous amaigris. C'est Ingrid qui semble avoir le plus souffert. Nous sommes squelettiques, mais quelque chose s'est éteint en elle, alors que naguère il suffisait qu'elle ne soit pas d'accord sur un geste ou un propos pour que ses yeux flamboient d'indignation.

Étant donné notre état de malnutrition, nous avons la chance que le camp soit installé dans une petite *estancia* en bordure de rivière. En plus de cinq ans de captivité, nous

342

n'avons mangé de fruits et légumes qu'une dizaine de fois, mais ici, c'est l'abondance. Nous comprenons très vite que les FARC veulent nous engraisser. Cela m'inquiète et je me dis que je dois être dans un état pire que je n'imagine. Toute la journée, on nous apporte à manger. Des paquets de biscuits fourrés à la vanille, du riz et des haricots en-veux-tu-en-voilà. À chaque repas, nous sommes gavés et les gardes nous taquinent parce que nous ne pouvons plus avaler une bouchée.

C'est l'unique occasion où nous ne contrarions pas intentionnellement les désirs des FARC. Même une fois que notre estomac s'est habitué à absorber un peu plus que quelques cuillerées de riz et quelques gorgées d'un brouet non identifiable, nous n'arrivons pas à ingurgiter tout ce qu'on nous apporte. Nous commençons à faire des stocks, ce qui ne nous était pas arrivé depuis longtemps, en prévision d'une prochaine période de disette.

Et cela ne s'arrête pas à la nourriture. Nous sommes parqués avec six autres dans une section du camp, le reste des otages étant dans le voisinage, mais hors de vue. Un matin, Enrique vient m'apporter une radio multibandes. Nous réclamons cela depuis une éternité et c'est lui qui me fait ce cadeau royal. Je le remercie. Tom a aussi droit à une radio, sauf que la sienne est quasiment un jouet : elle ne reçoit que deux fréquences, et ce sont des stations religieuses. À cet affront évident, Tom répond par un grand sourire.

Durant le mois d'avril, nous apprenons que les FARC et Chávez se font taper sur les doigts. Les Colombiens ont découvert dans les ordinateurs de Reyes la preuve que le Venezuela a proposé trois cents millions de dollars aux FARC. Le gouvernement accuse également Chávez d'avoir accepté un soutien financier des FARC pendant les quinze dernières années, depuis l'époque où Chávez était en prison à la suite d'une tentative de coup d'État. Pour ne pas être accusées d'avoir elles-mêmes introduit ces preuves dans l'ordinateur, les autorités colombiennes le font examiner par Interpol, qui les lave de tout soupçon..

Tout le monde sait que trois cents millions de dollars, ce n'est pas de l'argent de poche pour les FARC : Chávez devait attendre quelque chose en échange. Ingrid est convaincue qu'il a de grands projets de domination sur la région pour unifier les pays en une Grande Colombie Bolivarienne. Il est tellement mégalomane qu'il serait capable de l'appeler le Chávezland.

Nous apprenons que le *secretariado* des FARC a été éprouvé une fois de plus quand Iván Ríos, chef du Bloc central, a été assassiné par son propre chef de la sécurité, qui apporte comme preuve de sa mort aux autorités colombiennes sa main droite, ses papiers et son ordinateur. La confirmation faite, l'homme demande aux États-Unis la récompense de cinq millions de dollars promise pour Ríos. Nous ne savons pas s'il l'a obtenue, mais une tête de moins chez les FARC, c'est un bon point pour nous.

Nous en recevons un autre quand nous apprenons plus tard que le numéro un des FARC, Manuel Marulanda, est mort en mars, selon les FARC d'une crise cardiaque, ce qui est plausible. Après tout, il avait soixante dix-huit ans et sa santé était vacillante depuis un moment. Selon la rumeur, son remplaçant, Alfonso Cano, est un psychiatre que l'on dit « plus conciliant ». Les FARC nous confient que c'est lui qui est responsable des « idées ». Cano a fondé le Parti communiste clandestin de Colombie. Nous espérons que cela va apporter du changement et peut-être conduire à notre libération.

MARC

Apprendre que Marulanda, Reyes et Ríos sont morts à si peu d'intervalle nous permet de comprendre plusieurs choses. Soudain, nous voyons pourquoi les FARC nous déplacent. Et aussi pourquoi Enrique nous traite aussi cruellement, surtout Tom. C'est plus facile d'être heureux de la mort de quelqu'un que nous considérons comme nuisible quand on ne le connaît pas. Le décès de ces trois chefs des FARC nous semble indiquer que l'organisation est moribonde. Nous concevons que des familles démunies de Colombie puissent voir en Marulanda un héros, mais pour nous comme pour le reste du monde, c'est un assassin. Sous sa direction, les FARC ont enlevé des milliers de gens, en ont tué autant et ruiné la vie de quantités de leurs compatriotes.

Au Camp Engraissage, où nous n'avons d'autre activité que manger, lire et écouter la radio, nous avons besoin de reprendre des forces. Nous faisons du sport, mais pas autant qu'au Camp Sport. Nous jouons aux échecs, mais avec moins de passion qu'au Camp Échecs. Nous faisons comme les FARC : nous vivons au ralenti tandis que la scène politique colombienne bouillonne d'activité.

Nous sommes réconfortés d'apprendre que le gouverneur du Nouveau-Mexique, Bill Richardson, est venu en Colombie discuter de notre situation. Est-ce parce qu'il est d'origine hispanique et parle couramment la langue ou parce que quelqu'un de nos familles l'a contacté ? Peu importe : ajouter son nom à la liste des Américains qui s'impliquent nous aide à oublier la déception que nous éprouvons de ne plus voir les Blackhawk.

Les FARC aussi semblent se soucier davantage d'Ingrid. Même Enrique, qui s'en désintéressait jusque-là, est plus aimable avec elle. Avoir William à ses côtés l'aide aussi, car elle bénéficie du même traitement spécial qu'il reçoit depuis longtemps. William et elle ont le droit de regarder des DVD, c'est dire. Les FARC se donnent du mal pour la satisfaire aussi parce que, dans la vidéo tournée en novembre, elle apparaissait fragile et affaiblie. Et comme son état actuel est pire encore, s'ils doivent tourner une autre vidéo, ils tiennent à la requinquer.

Les FARC ont installé ce camp de repos pour nous remettre en forme. J'ai besoin moi aussi de me retaper physiquement et mentalement. Je conclus que les choix et décisions d'Ingrid, même si je les désapprouve, sont les siens. J'ai assez à faire de mon côté.

Notre groupe de six est logé sous des toiles de tente dans un espace très exigu. Quand nous dormons, nous avons à peine une trentaine de centimètres qui nous séparent. Du coup, le contact avec Ingrid est inévitable et pas désagréable, même si je ne le recherche pas. Au bout de quelques semaines, je remarque qu'elle fait un peu plus attention à moi. Je réagis poliment, mais avec méfiance. Quand elle se rend compte que je suis un peu distant, elle abandonne toute subtilité et vient me dire qu'elle voudrait que je lui rende les lettres et les mots qu'elle m'a envoyés.

Je vois réapparaître l'ancienne Ingrid, celle des premiers jours. Bien qu'elle ait dit « je voudrais », il est évident que cela signifie « rends-moi ». Quand nous nous étions rapprochés, elle avait abandonné le mode « je suis quelqu'un et toi tu n'es rien ». Elle n'y est pas encore tout à fait revenue, mais je le pressens suffisamment pour être mal à l'aise.

– Je ne comprends pas, Ingrid : ce que tu m'as envoyé m'appartient. Tu ne peux pas me le réclamer : tu me l'as donné.

Elle insiste ; je lui demande de respecter ce que nous avons partagé et d'en rester là. Elle s'entête pendant des jours et je vois qu'elle est de plus en plus nerveuse. William et elle restent le plus possible à l'écart des autres, et l'atmosphère s'alourdit. Nous revenons à l'ancienne situation et personne ne s'en réjouit. De vieilles histoires de Caribe refont surface, mais Juancho a le bon réflexe. Il vient voir Keith et lui dit qu'il sent que cela recommence.

— Comment se fait-il que tout déraille chaque fois qu'il y a une femme dans le camp ? Je préfère l'éviter. On devrait tous en faire autant.

Cela ne me plaît pas, mais je sais que, pour mon bien et celui de tous les autres, je dois éviter tout affrontement avec Ingrid.

Nous sommes dans notre camp quand Mario, notre garde, vient nous trouver tous les trois et nous demande de rassembler nos affaires pour l'accompagner. Je lui demande pourquoi. Il nous désigne une bâche en plastique étalée par terre.

Tom tente de la raisonner : ils viennent de nous fouiller. Nous savons que des civils viennent nous parler et que les FARC veulent peut-être prendre des mesures de sécurité, mais, puisque nous avons été séparés des autres, nous n'avons aucun contact. Nous ne risquons pas d'avoir caché quoi que ce soit. Mario se contente de nous répondre qu'il obéit aux ordres d'Enrique et me demande de vider mon sac.

Je suis en train de m'exécuter quand je vois Ingrid approcher, tête baissée, les bras croisés. Elle relève le nez un bref instant et soutient mon regard avec un tel air de défi arrogant que je comprends ce qui se passe. Les ordres d'Enrique ont bon dos : c'est Ingrid qui a réclamé qu'on me fouille.

Mario s'empare du moindre bout de papier et donne le tout à Ingrid en lui demandant si ce sont les documents qu'elle cherche.

Elle les examine un par un.

— Non.

— Écoute, dis-je, tu ne trouveras pas ce que tu cherches. J'ai tout brûlé.

Mario continue de fouiller mes affaires. Je sens qu'il s'énerve ; il commence à tout éparpiller. Je suis furieux et je n'en crois pas mes yeux.

— Il n'y a rien, finit-il par conclure.

Ingrid pousse un long soupir agacé et incrédule.

— Je lui aurais rendu ce qu'elle veut si elle m'avait rendu mes lettres.

Ingrid repart à grands pas. Je comprends qu'elle soit autant en colère. Après mon refus de lui rendre certaines des lettres qu'elle m'a écrites, elle m'a donné quelques-unes des miennes. J'avais décidé que, si nous nous les rendions toutes, cela me convenait. Elle n'a rien trouvé de mieux comme réponse que de nous faire fouiller par un garde.

Nous retournons à notre tente. Keith est furieux.

— Durant ces cinq ans et demi de captivité, je n'ai jamais vu ça, dit-il. J'ai été enchaîné pendant des mois, affamé, poussé à bout, le moindre de mes droits a été bafoué par les FARC, mais que quelqu'un qui est censé être de mon côté collabore avec l'ennemi, ça dépasse les limites. Et pourquoi ? Pour récupérer des lettres qu'elle t'a écrites et que tu refusais de rendre ? Elle s'est conduite comme une gamine à la maternelle qui va voir la maîtresse pour dénoncer ses camarades.

— Je sais. Je pense que ça vient de William. Tu le connais.

Cela dépasse tout ce que nous avons connu jusqu'ici. À quelques rares exceptions, notamment quand William a fait enchaîner Richard, les intermédiaires ne faisaient jamais usage de leurs liens avec les FARC contre les autres détenus. Cette fois, la ligne a été franchie. Ce sont des terroristes à qui nous avons affaire. Des gens qui menacent notre vie. Et voilà qu'elle se sert d'eux pour récupérer quelques lettres. Je suis bouleversé qu'Ingrid nous traite comme si elle était du côté des FARC. Cela ne lui ressemble pas, mais je suis prêt à croire que c'est William qui a tout manigancé.

Le pire, c'est que nous avions exprimé nos sentiments dans ces lettres. Les réclamer, c'est essayer de reprendre ces pensées et ces émotions. J'ai appris en captivité que nous nous évadons tous de temps en temps de la réalité. Ingrid et moi nous sommes évadés ensemble, mais balayer ce que nous avons innocemment partagé ou le considérer comme regrettable ou dangereux, c'est déformer la vérité. Nous n'avons rien fait de mal et je n'aime pas ce qu'elle sous-entend en les réclamant. Je ne fais pas partie de « tous ceux » qu'elle imagine peut-être lui courir après ou vouloir lui nuire : je l'ai aidée en prenant de gros risques pour moi et j'ai mis en péril les relations que j'entretenais avec les autres otages.

Keith est indigné. Il me dit que je viens d'être trahi par quelqu'un à qui j'ai tendu la main par bonté alors que personne ne se souciait d'elle. Cette fouille est la manière dont j'en suis récompensé.

— Il y a des gens comme ça. C'est à croire qu'elle ne peut pas s'en empêcher. Jamais on ne doit s'appuyer comme elle l'a fait sur l'ennemi. C'est incroyable.

— Elle a eu ce qu'elle voulait ?

— Non, non. Ils n'ont rien trouvé.

Plus tard dans la journée, notre garde vient nous ordonner de faire nos sacs. On nous déplace. Nous entassons nos affaires et nous attendons. Le garde revient, accompagné de trois hommes. Cela ne me plaît pas trop qu'il y en ait un pour chacun de nous. Mais, au lieu de nous emmener, on nous annonce : *requisa*.

— Ça ne va pas recommencer, soupire Tom. On vient de tout empaqueter.

Je me demande quelle est la raison. Keith suggère qu'il y a peut-être eu une autre évasion. Nous vidons de nouveau nos sacs sur la bâche en plastique. Au moins, rien ne sera sali. Nous avons remarqué depuis longtemps que les fouilles des FARC ne sont pas très professionnelles ni exhaustives. Le passage de la douane aux États-Unis est autrement plus invasif. Mais là, ils se donnent un peu plus de mal. Leur tâche terminée, ils nous emmènent nous installer à une cinquantaine de mètres dans la forêt.

TOM

La fouille de nos affaires à la demande d'Ingrid a une conséquence : nous nous rendons compte que, quoi qu'il arrive, tous les trois, nous pouvons compter les uns sur les autres. Nous sommes plus unis que jamais. Pour nous, nous n'avons rien à voir avec les tensions dans notre groupe de six. Nous décidons de ne pas nous attarder sur cette deuxième fouille : ce n'est pas la première fois que cela arrive et probablement pas la dernière.

— Étant donné tout ce qui leur tombe dessus, les évasions, les morts, c'est logique qu'ils se réveillent un peu, dis-je.

— Un peu trop tard pour ces demeurés, remarque Keith.

Les semaines qui suivent notre brève mise à l'écart de nos trois autres codétenus s'écoulent comme d'habitude. Nous écoutons la radio, mais les nouvelles de notre libération n'évoluent pas. Un soir, Marc revient de jeter des ordures et nous annonce qu'il a vu dans la décharge un morceau de carton découpé pour fabriquer un pochoir, encore taché de peinture rouge.

– Les lettres disent « ACUERDO HUMANITARIO YA ».

– Tu crois qu'ils fabriquent des tee-shirts ?

« Accord Humanitaire Maintenant ». Je rumine le slogan. C'est ce que nous espérons depuis longtemps mais c'est étrange que les FARC l'impriment sur quelque chose, sauf si c'est destiné à être exposé publiquement. Keith a raison, c'est pour des pancartes ou des tee-shirts.

– Tu crois qu'ils vont nous les faire porter et tourner une autre vidéo ? demande Marc.

– S'ils sont aussi désespérés qu'ils en ont l'air, pourquoi pas ?

Je songe qu'un petit message de propagande présentant tous les otages revêtus d'un tee-shirt ou brandissant des pancartes réclamant un échange de prisonniers, c'est bien trouvé. Comme, en plus, nos conditions de détention et la nourriture se sont améliorées, il est évident qu'on nous prépare pour tourner une vidéo. Marc fait remarquer qu'on nous a demandé à nouveau quelle taille nous faisons : on doit nous fabriquer un tee-shirt pour chacun.

Nous tombons d'accord pour tirer avantage de cette prochaine vidéo. À ce stade, il vaut mieux ne rien faire qui risque de diminuer nos chances. Les vidéos ne nous intéressent pas : nous préférons rédiger des lettres à nos familles en espérant trouver le moyen de les leur transmettre. Nous nous y consacrons pendant les deux jours suivants. Les gardes remarquent ce redoublement d'activité, mais nous continuons.

Quand Mario nous apporte les nouveaux vêtements, nous

ne trouvons aucun tee-shirt barré d'un slogan. Ce sont des jeans bon marché assortis de chemises à carreaux, du genre que les pauvres *campesinos* revêtent quand ils vont en ville. Il ne manque plus que le chapeau de paille. Nous trouvons d'abord cela drôle, puis nous craignons qu'en nous déguisant ainsi Enrique essaie de faire croire que nous avons rejoint le camp des FARC.

Marc refuse de les porter.

— Pourquoi ? C'est la bonne taille, s'étonne Mario, comme s'il était allé lui-même les acheter.

— Parce que ce n'est pas ce que je porte quand je suis ici. Je veux rester tel que je suis, dit Marc en désignant son tee-shirt et son jogging. Je refuse de marcher avec un jean's et une chemise. Nous sommes assez chargés comme ça. Je ne les mettrai pas et je ne les transporterai pas non plus.

À sa place, j'aurais eu la même réaction : sa chemise est d'un rose hideux. Keith refuse également. Mario s'en va, consterné.

Nous pensons qu'Enrique va aussitôt rappliquer, mais il ne vient que deux jours plus tard, très calme. Il nous annonce qu'une commission internationale doit arriver pour s'assurer de notre condition morale et physique. Nous échangeons un regard. C'est l'occasion ou jamais de passer les lettres pour nos familles. Le tout est de les remettre à nos visiteurs à l'insu des FARC.

Enrique ajoute que nous avons le droit d'écrire des lettres, mais en prenant garde à ne pas révéler notre position.

— Si vous essayez de nous entuber, on vous entubera. C'est bien clair ? On essaie d'être gentils avec vous. On vous donne des habits et, si vous ne voulez pas les mettre, ce sera un problème.

— C'est moi qui ne veux pas, dit Marc. Inutile de s'en prendre aux autres. Je refuse de les porter. Je suis un Américain, laissez-moi m'habiller comme un Américain. Je suis ne suis pas un Colombien et encore moins un *campesino*.

— Tu serais pourtant mieux loti si tu étais un *campesino* au lieu d'être un impérialiste, répond Enrique avec une moue dédaigneuse.

Il continue dans la même veine, mais nous n'écoutons plus. Nous songeons seulement à la chance que nous avons de pouvoir écrire à nos familles. Au cours des années, nous en avons rédigé tellement, mentalement et sur papier, sans avoir l'occasion de les envoyer... Cette fois, c'est différent. Je n'ai plus qu'à m'atteler à la tâche.

17

LIBERTÉ
2 JUILLET 2008

KEITH

Quand arrive juillet, nous avons passé le cap des cinq ans et demi de captivité. La venue d'observateurs internationaux, médecins, humanitaires pour la première fois signifie soit que les FARC ont cédé à la pression pour apporter une preuve de vie plus convaincante afin de faire monter notre valeur d'échange, soit qu'un accord est en route et que nos « acquéreurs » veulent vérifier qu'ils ne sont pas trompés sur la marchandise avant d'aligner les dollars. Une hypothèse comme l'autre me va. Depuis le déploiement d'activité de Chávez et Córdoba, les FARC sont au point mort, ils ont perdu notre première vidéo (nous apprendrons par la suite que l'armée colombienne s'en est emparée) et leur organisation est affaiblie par la mort de leurs chefs. J'estime que nous serons libérés dans un an et ce délai me convient.

Comme tous les autres prisonniers, je suis fébrile à la perspective de cette visite. Pouvoir parler en tête à tête avec quelqu'un qui n'a rien à voir avec ce petit monde me met en joie. Nous sommes très occupés à rédiger nos lettres, discutant de ce que nous pouvons dire ou non, conformément à la mise en garde d'Enrique, car nous ne voulons compromettre personne.

Le 1er juillet nous rapproche de la fête nationale américaine, notre date préférée. Selon une rumeur qui court parmi les gardes, le comité international est déjà dans les parages pour contacter les FARC. S'ils sont si près, nous n'avons plus qu'à attendre. Chaque fois que les gardes passent, ils ont l'air plus détendus et nous informent un peu plus. On nous apporte un petit sac à dos et on nous demande d'empaqueter deux tenues de rechange et notre nécessaire. C'est tout. Le reste nous sera donné à notre retour. L'un des gardes m'annonce que nous allons être déplacés dans une construction en dur avec matelas, billard et bonne nourriture. Tout cela me va très bien et je suis même amusé d'apprendre que nous allons passer la nuit dans un ancien bordel.

Nous retournons là où nous avions été détenus avec les autres Colombiens. Tout le monde est impatient de se mettre en route. Nous sommes rejoints par quatre autres otages : Jhon Jairo Durán, Julio César Buitrago, Javier Rodríguez et Erasmo Romero, ce qui amène le total d'otages dans ce camp à quinze. Nous sommes particulièrement contents d'être en compagnie d'un plus grand nombre de militaires et policiers. S'il y en a qui méritent d'entrer en contact avec leurs familles, ce sont bien eux : ils sont détenus depuis une éternité et continuent de se comporter dignement. Durán est l'homme le plus désintéressé que j'aie connu. Dès le début, il est fantastique. Tom et lui ont noué des liens qui me fascinent. Ils sont d'âges et de milieux très différents, l'un chrétien et l'autre athée proclamé, mais c'est sans importance. Il marche avec une énergie qui me laisse pantois et c'est l'un des rares d'entre nous qui n'aient jamais chapardé dans les provisions des FARC.

Nous nous moquons les uns des autres à cause des vêtements que les FARC nous font mettre. Ingrid est à l'écart avec William, mais tous sont excités comme des étudiants avant le bal de fin d'année.

Arteaga dévoile à tout le monde mes projets de mariage :
– Patricia a invité des tonnes de gens, ça va être grandiose.

Lucho a pris sur lui de demander à Patricia sa main de ma part. Il l'a accueillie à l'aéroport de Bogotá avec un bouquet de fleurs et ma « déclaration d'intention ». De mon côté, c'est à la radio que j'ai appris l'intention en question. Quand j'entends parler de l'otage américain qui a demandé en mariage sa petite amie colombienne, je suis stupéfait, mais connaissant Lucho et me rappelant ses paroles – *Je sais quoi faire. Je suis colombien* – j'aurais dû le voir venir. Après la demande, les messages de Patricia se sont faits plus tendres et ses déclarations d'amour m'ont beaucoup ému. Je ne suis pas sûr que le mariage soit aussi urgent, mais j'ai hâte de la revoir : elle ne sera plus un prénom sur mon agenda, mais quelqu'un avec qui je veux passer des moments privilégiés.

Les FARC nous servent à manger et cet espace minuscule devient aussi bruyant qu'une cantine scolaire. Arteaga et Armando sont les plus excités à l'idée de donner une autre preuve de vie. Nous spéculons tous sur ces humanitaires. Les FARC insistent sur le mot « international » : ils sont grisés à l'idée qu'on s'intéresse à eux.

Après le repas, on nous embarque dans un *bongo* qui remonte à bonne vitesse une large rivière. Nous sommes en plein jour, et néanmoins on ne nous cache pas sous une bâche ; du coup, je peux admirer le paysage. C'est agréable de pouvoir sortir du couvert des arbres.

Le bâtiment où on nous emmène est peut-être un ancien bordel, mais on dirait plutôt un hangar. Le long des murs sont ménagées des sortes de larges étagères munies de minces matelas où nous nous couchons. Nous ne sommes qu'au début du voyage, et nous bavardons longtemps après la tombée de la nuit comme des gosses en colonie.

Le lendemain matin, une autre surprise nous attend. Au lieu de recevoir le petit déjeuner dans une grande marmite où nous puisons avec nos tasses, nous avons droit à des bols en porcelaine avec de vrais couverts. Je suis assis avec Marc et Juancho et nous osons à peine y toucher. Marc décide de garder sa cuiller, au cas où.

Après cela, Tom et moi regardons Marc et Juancho jouer aux échecs. C'est Arteaga qui a l'air le mieux informé : il sait par les gardes que nous allons prendre des hélicoptères.

– C'est vrai ? On va nous emmener loin d'ici pour des examens médicaux ?

Soudain, nous entendons des hélicos en approche. Marc m'appelle. Pendant des années, le pire bruit que nous avons entendu dans la jungle, c'était celui des pales d'hélicos, mais là, je sens mon cœur s'emballer. Au-dessus des arbres apparaissent en descente deux M-17 de fabrication russe.

Si Arteaga ne nous avait pas prévenus, j'aurais pris la fuite. J'observe quand même les gardes, guettant le moment où ils vont se préparer à nous abattre. Au lieu de quoi chacun se met à nous appeler : « Erasmo, avec moi », « Flores, avec moi », et ainsi de suite. Je commence à me dire que c'est peut-être la manière dont ils procèdent : chacun prend un prisonnier et l'abat. Ils ont l'air prêts, comme si ce n'était pas la première fois. D'ailleurs, les FARC semblent plus disciplinés et organisés. Peut-être que c'est leur point fort d'abattre les otages dès que des hélicos de sauvetage pointent leur nez. Tom est le premier, alors que Marc et moi sommes au bout de la file.

On nous fait monter dans une barque pour traverser la rivière, puis nous attendons dans une petite cabane en bordure d'un champ de coca. César, que nous n'avons pas vu depuis un an, est en train de surveiller les hélicos qui s'apprêtent à atterrir. Je ne comprends pas pourquoi le chef du premier Front est là, mais j'ai plus urgent à penser. Je vois que les appareils sont blancs avec des roues rouges, mais il manque un détail : les croix. J'interroge Marc, qui ne m'entend pas à cause du vacarme. L'un des hélicos atterrit et met son moteur au point mort.

— Si c'est la Croix-Rouge, dis-je à Marc, où sont les croix ?

— Qu'est-ce qui se passe ? fait Marc en regardant les appareils.

— Je ne sais pas, mais on s'est peut-être fait avoir.

MARC

Keith et moi restons pétrifiés en nous demandant quoi faire. Tout en moi me crie de m'enfuir, mais quelque chose me retient, peut-être le fait de savoir que les FARC ne possèdent, à notre connaissance, pas d'hélicoptères. Quels que soient nos visiteurs, il y a toutes les chances que ce ne soit pas pire que les guérilleros.

— Monter dans un hélico, ça ne peut pas être mauvais. On verra bien ce qui arrive quand on en descendra, dit Keith.

— Ça me va.

En entendant les appareils arriver, j'ai cru qu'ils signalaient ma libération. Maintenant que nous attendons l'ouverture des portières, nous n'en sommes plus si sûrs. L'équipe internationale qui en descend porte des gilets marron, mais un homme attire mon attention. Il a des cheveux décolorés blonds et une barbe de quatre jours. Ses Ray-Ban miroir dissimulent son regard et j'aperçois un bandana à son poignet quand il lève la main pour se protéger du soleil. Il est suivi d'un journaliste armé d'un micro et d'un cameraman avec du matériel pro. Ils s'avancent aussitôt vers les guérilleros et commencent à les interviewer.

Un type à lunettes se détache du groupe et vient vers nous.

– Je suis médecin. Tout le monde va bien ? Quelqu'un a-t-il besoin de soins d'urgence ? demande-t-il en espagnol.

Tout le monde répond que non. De voir quelqu'un d'autre qu'un otage ou un guérillero, ou de sentir l'odeur du kérosène qui me monte à la tête, je suis soudain tout excité à l'idée de m'envoler.

– Marc, c'est forcément une bonne chose, répète Keith. Ils ne seraient pas là pour nous emmener dans des hélicos, sinon.

L'un des humanitaires vient vers nous et nous dit de passer la clôture de barbelés pour nous embarquer.

Nous obéissons et nous traversons le champ de coca. En me retournant, je vois César se faire interviewer. La caméra porte le logo de Telesur, une chaîne vénézuélienne. Nous avançons vers l'hélico. Un autre humanitaire lève le bras ; deux autres types et une femme viennent se placer à côté de lui. Il nous annonce que l'une de conditions pour l'examen et le tournage de la preuve de vie est que nous soyons menottés. Il sort des entraves en plastique, du genre de celles utilisées par la police, au lieu de menottes en acier.

– Pas question, Keith, dis-je. Ils sont censés être des humanitaires ! On a été enchaînés et ils veulent nous faire ça ? À quoi ça rime ?

Nous sommes en bout de file et plusieurs autres ont déjà été attachés. J'entends Tom qui conseille à tout le monde de rester calme et de coopérer, affirmant qu'il ne s'agit que d'une mesure de précaution et qu'il faut monter rapidement dans l'appareil afin de ne pas user trop de carburant.

Jhon Jairo Durán sanglote :

— Je suis otage depuis dix ans ! Comment vous pouvez me faire ça ?

Il se jette sur le sol et Tom s'agenouille pour tenter de le calmer. Jhon se relève, écumant. Tom le prend par l'épaule et tente de l'apaiser. Jhon a été tellement stoïque durant sa captivité que je suis bouleversé de le voir dans cet état. C'est le dernier que j'imaginais craquer au dernier moment.

Keith va se placer devant la caméra. Enrique et les gardes crient aux autres de l'arrêter, mais il hurle :

— Tom Howes, Marc Gonsalves, Keith Stansell. Nous sommes les trois otages américains. Nous sommes en bonne santé.

Puis il revient près de moi et nous attendons, encore incertains.

Le type aux Ray-Ban s'approche de nous.

— Je m'appelle Daniel, dit-il en anglais, en sortant une carte plastifiée pendue à son cou par un ruban. Voici ma pièce d'identité. Je suis australien.

Avant que j'aie pu répondre, Keith s'est emparé de la carte pour l'examiner.

— Foutaises ! Qui êtes-vous et qu'est-ce qui se passe ? Vous n'êtes pas australien, vous avez un foutu accent colombien ! Vous mentez sur votre identité !

— Je suis là pour vous sortir d'ici, répond très calmement Daniel. Vous voulez rentrer chez vous ?

— Évidemment que oui ! répondons-nous en chœur.

— Qu'on nous mette les menottes et foutons le camp d'ici, dit Keith en se tournant vers moi.

Je ne suis pas totalement convaincu. Je demande à Daniel pendant qu'il menotte Keith si c'est bien pour nous libérer qu'il fait cela. Il marque une pause, soulève ses lunettes l'espace d'une seconde et me répond :

— Faites-moi confiance.

Il se redresse alors que les moteurs commencent à accélérer, puis il nous regarde et hausse la voix :

— Vous comprenez ce que j'essaie de vous dire ? *Faites-moi confiance !*

Le cœur battant, je le laisse me menotter à mon tour. Keith est devant moi, les autres otages sont déjà assis dans l'appareil le long de la paroi. Je m'aperçois que Keith s'est déjà débarrassé de ses menottes. Je n'en reviens pas : il m'a dit de me laisser faire alors qu'il s'est libéré ! Il garde les poings joints pour faire croire qu'il est encore attaché. Je presse le pas pour le rattraper et l'interroge du regard. Il répond quelque chose que je n'entends pas dans le rugissement des moteurs.

Je monte dans l'hélico, un peu perdu. Je repère une place libre et j'ai à peine le temps de dire ouf que quelqu'un m'a empoigné pour m'y asseoir. Un type à la peau mate m'arrache mes bottes et les balance à l'autre bout de la cabine. C'est comme ça qu'agissent les humanitaires ? Je lui crie d'arrêter.

Au milieu de la cabine, Keith est en train de s'asseoir à côté de Tom. Immédiatement, un autre humanitaire s'empare de lui et le pousse vers le fond de l'hélico avant de lui arracher ses bottes et de lui attacher les pieds. Keith est stupéfait, et je comprends pourquoi en voyant le type se redresser : il porte le tee-shirt du Che que nous avons si souvent vu arboré par les FARC. Qu'est-ce que c'est que cette histoire ? Est-ce que nous sommes enlevés par un autre groupe de guérilleros, des Vénézuéliens, des Colombiens d'extrême-droite ?

Quand le type se retourne pour attacher les pieds de l'otage suivant, Keith me fait signe qu'il a toujours les mains libres ; il délie les entraves de ses pieds et me montre comment en faire autant. Je me demande si ce n'est pas le moment de filer pour nous trois. Il y a quinze otages et les autres sont cinq, plus le pilote. Avant que j'aie eu le temps de décider, je vois César monter à son tour dans l'hélico. Il vient pour s'asseoir à côté de moi quand le type aux Ray-Ban s'interpose :

– Non, là-bas, camarade, dit-il en lui désignant un siège à l'avant de la cabine.

César obéit et se retrouve en face de moi. La portière n'est pas encore totalement refermée que les moteurs rugissent et que nous décollons. C'est la première fois que nous sommes de nouveau dans les airs depuis plus de cinq ans.

Je me retourne et je vois que c'est la pagaille. Keith, Jhon Jairo et l'un des humanitaires se sont jetés sur César. Le FARC a la cinquantaine, mais c'est un coriace et il essaie de dégainer son pistolet. À ma connaissance, personne d'autre n'est armé. Keith lui assène un coup de poing et Jhon Jairo le plaque au sol.

Depuis que je suis détenu, je n'ai guère haussé la voix. Avec tout le monde qui hurle dans la cabine et le vacarme des rotors, je dois crier tellement fort que j'en ai la voix éraillée. Dans le tumulte, j'entends plusieurs personnes crier en anglais et en espagnol : « Armée colombienne ! ». Soudain, j'éprouve la même sensation que lorsque je recevais un message, celle d'une voix et d'une présence qui me touchent depuis très loin. En un instant, tous mes rêves, tout ce que j'ai imaginé de ce moment tant attendu me submergent.

La bagarre continue. J'ignore qui sont nos alliés, mais ils font passer un sale quart d'heure à César. J'entends le cliquetis d'un Taser. Le type qui s'est présenté comme médecin me désigne le siège où était César et me crie d'attraper la seringue. Je me lève et, oubliant que j'ai les pieds entravés, je m'étale. Sous le siège, je découvre un sac contenant une seringue hypodermique. Je la tends au médecin qui l'enfonce dans l'épaule de César. Deux secondes plus tard, le commandant du Front perd connaissance.

Keith se relève avec Jhon Jairo. Tom les rejoint.

– Bon sang, Keith, nous sommes libres !

Nous entendons un bruit sourd derrière nous. Enrique est allongé sur le sol et l'un de nos sauveteurs est en train de l'attacher. Il a regardé sans broncher César se débattre comme un beau diable et s'est rendu sans un mot.

Nos sauveteurs le relèvent et l'assoient sur un siège. Tom s'avance vers lui. Keith et moi échangeons un regard. Avec tout ce qu'Enrique a fait subir à Tom, nous nous attendons qu'il prenne une baffe, un coup de poing. Mais non. Tom s'accroupit devant lui et lui donne une petite tape sur la poitrine en disant : « Bon courage ! ».

Keith et moi hochons la tête. Tout est dit. Nous avons gagné. Je me rassois et regarde Tom à l'autre bout de la cabine. Il a repris sa place avec un grand sourire. Je ne sais toujours pas qui sont ces gens, mais ils viennent de nous libérer. Tout le monde pousse des cris et j'essaie d'attirer l'attention de la femme qui les accompagne. Elle finit par venir couper mes entraves. Je vais rejoindre Tom, suivi de Keith. Nous nous étreignons. Keith saigne de la main, mais c'est le prix de la liberté.

– Mon Dieu ! dis-je. Je n'en reviens pas. Nous sommes enfin libres !

Tom n'en croit pas ses yeux non plus. L'un de nos sauveteurs vient nous voir, désigne le sac que porte Keith et nous dit de ne pas le perdre : le contenu est important. Keith m'explique : c'est le sac à dos de César qu'il a empoigné durant la bagarre.

— Tu sais, dis-je, la première chose que j'ai pensée au décollage, c'est que j'espérais que ce tas de boulons tiendrait le coup.

La peur de nous crasher nous a tous effleurés durant le vol. L'opération a pris seulement quelques minutes et a été exécutée sans la moindre anicroche. En un clin d'œil, quinze otages ont été exfiltrés de la jungle et deux terroristes des FARC sont en route pour l'enfer qui les attend.

Keith ne s'est jamais senti aussi léger et détendu. C'est comme si le poids du monde avait quitté ses épaules au bout de cinq ans.

Je me demande quand nous aurons accès à des téléphones. Je veux parler à Destiney, entendre la voix de ma fille, lui dire que je rentre à la maison. Autour de moi, tout le monde sourit et se réjouit, certains essuient des larmes de joie. Je suis avec eux, en esprit, mais un peu de moi est resté dans cette jungle que nous survolons, auprès des centaines, peut-être des milliers d'autres otages que les FARC détiennent encore. Nous sommes en route, mais nous ne serons vraiment chez nous qu'une fois que nous aurons retrouvé ceux qui nous sont chers.

TOM

La partie d'échecs est terminée et nous l'avons gagnée. C'est comme si les FARC étaient des novices à ce jeu. Le plan et son exécution sont si impeccables qu'il n'est même pas nécessaire de ponctuer cet échec et mat d'un geste de triomphe. Comment cinq ans et quatre mois de souffrances ont-ils pu toucher aussi rapidement à leur fin ? Je ne m'attarde pas sur cette question pour savourer ce moment. Tout le monde saute de joie et s'étreint. Je suis heureux de voir Jhon Jairo nager en plein bonheur : il a passé les meilleures années de sa jeunesse en captivité. Je n'irai pas jusqu'à dire qu'il vient de rajeunir, mais son regard a retrouvé son éclat.

— Tu as flanqué une sacrée dérouillée à César, lui dis-je.

— Je n'ai fait que le nécessaire pour qu'il ne blesse personne. Dieu décidera du reste.

Notre conversation est interrompue par les Colombiens qui entonnent un air patriotique que j'ai déjà entendu, mais auquel je n'ai jamais vraiment fait attention. Nous remercions les héros qui viennent de nous sauver. Ils nous répondent en toute simplicité que les héros, c'est nous. Je ne vois pas les choses ainsi. Nous sommes les vainqueurs, nous avons fait ce qu'il fallait pour survivre, même si c'était dur, mais cela n'a rien d'héroïque, cela veut juste dire que nous avons gagné.

Devant ce spectacle, je repense qu'Enrique et bon nombre d'autres guérilleros m'ont dit un jour qu'ils ne se soumettraient pas sans combattre. Le genre « on ne me prendra pas vivant ». Le voir assis dans l'hélico en slip et attaché me fait penser à un cochon. Les cochons sont intelligents et, si lâche qu'il soit, Enrique a fait le bon choix. Il ne pouvait que succomber sous le nombre. Au final, il a dû comprendre ce que nous savions depuis longtemps : que la cause des FARC ne vaut pas la peine de sacrifier sa vie.

Après un vol d'une vingtaine de minutes, nous atterrissons à San José. Sans fanfare ni retard, nous sommes embarqués dans un Fokker qui a naguère servi d'avion présidentiel colombien. Nous sommes à l'avant, en première classe. Les autres otages sont à l'arrière. Nous nous enfonçons dans les confortables sièges en cuir. J'ai pris d'innombrables vols commerciaux, mais je n'ai jamais été aussi bien assis de toute ma vie. Un petit groupe d'Américains nous accompagne. Ils occupent des postes élevés à l'ambassade et, étant en partie à l'origine de l'opération, ils nous donnent aimablement quelques détails. Grosso modo, les FARC ont été vaincus par leurs propres membres et par leur système de communication déficient. C'est agréable de savoir que certains ont été suffisamment corrompus pour collaborer. On a fait croire aux FARC qu'un groupe d'humanitaires venait nous rendre visite, alors qu'en réalité nos sauveteurs étaient des membres hautement entraînés d'une unité d'élite colombienne. Le médecin l'était réellement, mais les journalistes étaient des soldats qui s'étaient portés volontaires pour cette dangereuse mission.

Nous buvons pour la première fois depuis des années de l'eau minérale et nous nous reposons le temps de digérer tout cela. Entendant un brouhaha au fond de l'avion, nous allons rejoindre les autres. Le général Montoya, commandant en chef de l'armée colombienne, réclame le silence avec un Mégaphone. Tout le monde se tait un instant et il hurle « Vive l'armée colombienne ! » et toute la cabine se remplit de nouveau de cris. Quand tout le monde est enfin calmé, il déclare que nous allons commencer le vol par une prière. Un prêtre colombien qui est à bord la prononce et elle est reprise en chœur. Après quoi Montoya entonne de nouveau des chants. J'imagine mal un général américain se laisser aller ainsi à son émotion, mais il a de quoi pavoiser : il vient de porter le plus grand coup jamais essuyé par les FARC, qui viennent de perdre leurs plus précieux otages.

Après le décollage, Ingrid vient nous retrouver à l'avant et étreint Marc.

— Je suis tellement heureuse que nous soyons libres ! (Un silence. Une ombre de regret passe sur son visage.) J'espère que nous resterons en contact.

Ils s'étreignent de nouveau, puis elle retourne à l'arrière. On nous annonce que nous allons atterrir à la base militaire de Tolemaida et que les Colombiens iront ensuite de leur côté.

— Ça va faire bizarre de leur dire au revoir, fait Marc.

— Et ce sera aussi une bonne chose, répond Keith.

Nous attendons la suite, qui ne vient pas.

— Ce qui est arrivé est arrivé, dit Marc. Je ne sors pas de là. Quand j'ai entendu le mec crier « Armée colombienne ! », c'est comme si ces cinq dernières années n'avaient duré que quelques minutes. Je n'ai pas la moindre rancune, je suis juste heureux d'être libre. Sans animosité. Et de rentrer.

— C'est ce que je voulais dire, répond Keith. Je peux passer l'éponge sur plein de trucs, mais pour Ingrid, je ne suis pas très sûr. Pardonner ? Oui. Passer à autre chose ? Oui. Respecter ? Non.

Nous demandons si nous pouvons aller dire au revoir aux Colombiens. Quand nous atterrissons, Keith fonce aussitôt sur son copain Juancho, qui lui dit de ne pas oublier de l'appeler, qu'il tient à avoir le pick-up que Keith lui a promis de lui expédier durant notre captivité. Tous les militaires essaient de sortir et un autre groupe de soldats monte à bord. Je veux dire au revoir à tout le monde, mais le temps presse et j'ai l'impression que cette précipitation gâche tout. J'arrive tout de même à trouver Jhon Jairo et à lui souhaiter bonne chance pour la suite.

Quand nous quittons le Fokker, nous sommes immédiatement embarqués dans un C-130 américain à destination de Bogotá. Nous y sommes accueillis par l'ambassadeur Brownfield. Il est visiblement enthousiasmé par le succès de la mission de sauvetage et fier du rôle qu'il a joué dans sa mise au point. Nous le remercions de tous ses efforts et des bouteilles de bière américaine qu'il a fait apporter à bord. Nous sommes tout étourdis. Je consulte la montre Casio bon marché que j'ai reçue lors d'une de nos marches. Deux heures seulement ont passé depuis l'arrivée des hélicos et nous descendons sur Bogotá. J'ai eu des rêves qui ont duré plus longtemps que cette réalité-là.

Nous ne savons pas ce qui nous attend à l'atterrissage, 1 967 jours après notre crash. Quand la passerelle se déploie, nous tombons sur Fast Eddie. Retenue par un cordon attend une foule immense. C'est un moment aussi surréaliste que lors de notre accident, quand nous nous sommes crus tombés en pleine *Planète des singes*.

À peine apercevons-nous les membres de notre équipe que nous nous élançons. Nous sommes un peu décontenancés de voir un tel débordement d'émotion. Nous sommes heureux, mais tout le monde alterne rires et sanglots. Brian Wilkins, un type qui est entré dans l'entreprise en même temps que Marc, s'écrie qu'ils n'ont jamais renoncé à nous retrouver.

Ed Trinidad, celui qui a reçu notre appel de détresse le 13 février 2003, est là aussi, tout comme Mike Villegas, un autre collègue. Ils sont en larmes et nous répètent qu'eux non plus n'ont jamais renoncé.

Nous sommes submergés par toute cette émotion et la pensée que ces gens ont eux aussi souffert. Non seulement ils ont survécu à notre crash, mais ils ont perdu un autre équipage. Mais cela ne les a pas empêchés de continuer à voler et à tenter de nous localiser. Je comprends ce que je n'ai pas voulu voir pendant toutes ces années : tant d'autres gens ont souffert à cause des FARC...

Tout se déroule si rapidement que nous n'avons que quelques minutes à consacrer à chacun avant d'être emmenés vers un C-17. Durant nos missions, quand nous avions survolé avec succès nos cibles, c'était toujours Keith qui annonçait à notre équipe que nous retournions à la base.

Nos collègues sont en pleurs et, dans la clameur, j'entends Keith qui annonce :

– Tout va bien, tout va bien, nous sommes un peu en retard, mais nous retournons à la base !

18

RETOUR AU FOYER
JUILLET-OCTOBRE 2008

TOM

Dès le moment où nous embarquons à bord du transport de troupes, nous sommes uniquement en compagnie d'Américains et en terrain familier. L'euphorie a à peine diminué et je suis si heureux de me retrouver dans un avion que je demande à l'un des ingénieurs de vol si je peux rejoindre l'équipage dans le cockpit.

— Tu te rappelles ce qui est arrivé la dernière fois que tu étais dans un cockpit avec nous deux à l'arrière, j'espère, Tom ? plaisante Keith.

J'éclate de rire. C'est le bonheur et nous savons que nous sommes en de bonnes mains.

— Monsieur Howes, vous avez l'autorisation de vous rendre au poste de pilotage, m'annonce l'ingénieur de vol.

« Monsieur Howes ? » « Monsieur ? » J'avais presque oublié que j'avais un nom de famille.

J'ai pris pas mal d'appareils aujourd'hui, mais, assis dans le cockpit du C-17, je suis ravi de me retrouver au milieu de cet environnement sophistiqué. C'est agréable d'avoir quitté l'Âge de Pierre et de revenir dans mon univers. Je respire à fond. Entendre les échanges de l'équipage durant un vol sans anicroche est parfait pour effacer le souvenir de ce fatal jour de février 2003. Ces pensées passent aussi vite que le sol qui défile sous l'appareil. Tout est loin, maintenant. L'ivresse de la liberté est telle que rien ne peut plus m'abattre. Durant ces années, j'en ai bavé avec les FARC, mais, au bout du compte, ils sont toujours en bas dans la jungle à lutter pour ce qu'ils imaginent être la liberté, alors que moi je *suis* libre. Nous avons gagné. J'ai gagné.

Mon impatience croît alors que nous survolons le golfe du Mexique. Jusqu'au 13 février 2003, je n'ai jamais été du genre patriote acharné, mais je ne saurais décrire à quel point j'ai hâte de revoir les rivages des États-Unis. À une cinquantaine de milles de la terre, j'aperçois déjà les premières lumières du Texas. À mesure que nous nous rapprochons, mes jambes fourmillent.

Nous atterrissons à la base de l'armée de l'air de Lackland, à San Antonio, et sommes emmenés en Blackhawk jusqu'au Centre médical militaire Brooke (CMMB), à Fort Sam Houston. Nous aurons beaucoup volé dans toutes sortes d'engins durant ces douze heures. Comme le médecin qui nous a examinés dans le C-17 ne peut déterminer avec certitude que nous sommes exempts de maladies infectieuses et que Keith et moi nous portons encore des lésions visibles de leishmaniose, le personnel du CMMB a préparé et isolé toute une aile de l'hôpital pour nous recevoir.

Pour faciliter notre réadaptation, les spécialistes de l'armée ont fait en sorte que nous puissions rester ensemble durant cette première nuit. Une fois que nous sommes installés dans notre chambre, je me rends compte que mon énergie est revenue beaucoup plus vite que je ne le pensais. Impossible de dormir. C'est comme si mon esprit était déjà ici, mais que mon corps traînait derrière.

J'ai envie d'appeler Mariana, mais je n'arrive pas à la joindre. Les premières voix familières que j'entends sont celles de mon frère Steve et de ma sœur Sally. Nous bavardons quelques minutes, mais il est tard et j'ai d'autres coups de fil à passer. Et, avant que j'aie eu le temps de m'en rendre compte, l'épuisement me rattrape et je m'écroule.

Le lendemain commence par une batterie d'examens médicaux et plusieurs tests psychologiques. Nous sommes stupéfiés de la gentillesse et de la sollicitude du personnel. Apparemment, ils estiment qu'il ne faut pas nous séparer pendant de longues périodes. Certaines séances ont lieu individuellement et d'autres à trois.

Après l'indifférence au mieux et la cruauté au pire que nous avons subie avec les « docteurs » des FARC, c'est merveilleux de se retrouver entre les mains de médecins, infirmiers et aides-soignants compétents et attentifs. Je n'ai jamais éprouvé autant de plaisir à subir quantité d'examens et questions, et à voir autant de monde s'intéresser à mon organisme. J'ai du mal à ne pas rire quand on me prévient que tel ou tel geste va être « un peu douloureux ».

Mon fils Tommy étant dans ma belle-famille au Pérou, il lui faut quelques jours pour arriver. La mère de Mariana l'accompagne dans ma chambre et, malgré toute l'estime que j'ai pour elle, c'est comme si elle n'existait pas durant ces premiers instants. Les années de séparation n'ont pu rompre l'attachement qui nous lie depuis sa naissance. En ce jour de juillet, il est maintenant assez grand pour blottir sa tête contre ma poitrine et que je sente le parfum de ses cheveux tout propres.

Le lendemain, je dois voir Mariana, qui était à Bruxelles quand j'ai été relâché. J'appréhende le moment. Je n'espère guère de retrouvailles romantiques : c'est une femme réservée et raffinée, incapable d'exprimer publiquement ses émotions. Tenir dans ses bras une femme que l'on a aimée mais dont on est depuis si longtemps séparé me semble bizarre. J'ai envie d'éprouver un sentiment de familiarité, mais les psys m'ont prévenu de ne pas trop en attendre trop tôt. L'échange est cordial, mais avec une politesse un peu forcée, comme entre deux personnes qui cherchent à sauver les apparences. Avec le temps, la tension s'atténue, mais tant que nous ne serons pas chez nous, tout sera un peu étrange.

Toujours dans le cadre de notre réadaptation, on nous emmène progressivement dans des lieux publics à l'extérieur de la base. Le grand moment pour moi est un passage chez le concessionnaire Harley-Davidson du coin. Je n'ai pas oublié la Chevauchée de la Liberté dont nous avons tant parlé. Marc se contient à peine devant ces rangées de motos étincelantes. Il déclare qu'il a l'impression d'être au paradis. Je me dirige droit sur une Electra Glide et monte dessus.

– Un jour, dis-je avec une détermination qui me surprend moi-même.

Le personnel est tout à fait charmant. Nous ne saurons jamais s'ils ont été prévenus longtemps à l'avance, mais ils nous offrent des casquettes, tee-shirts et badges.

Le 7 juillet, nous jugeons ensemble que nous sommes prêts pour notre première conférence de presse pour ce que l'armée appelle la Cérémonie du ruban Jaune. Nous recevons chacun un blazer bleu. Je n'ai jamais été très à l'aise d'être trop habillé, mais, quand nous montons sur l'estrade devant quelques centaines de personnes, c'est très facile de se sentir important.

Mariana, sa mère, Tommy et mon beau-fils Santiago montent me rejoindre devant tout ce monde.

Nous posons pour des photos devant un immense drapeau américain. Je n'ai pas été aussi ému devant ce symbole depuis le 11 septembre. Je n'ai jamais été aussi fier d'être américain ni plus reconnaissant devant les efforts des gouvernements de Colombie et des États-Unis. Plus tard, alors qu'un cortège de voitures nous emmène au jet que Northrop Grumman a affrété pour nous emmener en Floride, je regrette de ne pas passer plus de temps au Texas et mieux connaître ceux qui ont contribué à nous ramener chez nous. J'ai également une dette envers les héros de l'armée colombienne qui, au péril de leur vie, ont joué avec l'opération Jaque (« échecs », en espagnol) un coup que je n'aurais jamais osé sur un échiquier. C'était audacieux et je suis sûr que les FARC seront bientôt échec et mat.

Durant notre captivité, Keith, Marc et moi sommes vraiment devenus des frères et, tout comme dans certaines familles la réserve est de rigueur, nos adieux sont sobres : une accolade, une tape dans le dos et un simple « à bientôt ». Avec les visites prévues à la Maison-Blanche, diverses réunions avec nos collègues, débriefings et rencontres avec les militaires qui nous avaient en charge, les occasions ne manqueront pas.

En franchissant le seuil de ma maison, je me rends compte que j'ai rêvé de cet endroit pendant cinq ans et demi et que je n'y ai vécu que deux semaines. Les premiers jours, ce sont des tentatives pour me réhabituer à ce lieu dans lequel je me suis promené mentalement durant ma détention. Je ferme les yeux et je passe de pièce en pièce. Chaque fois que je les rouvre, je suis surpris de ne pas voir le vert de la jungle. Au bout d'un moment, la nouveauté s'estompe, et, quand vient la rentrée, j'éprouve un grand plaisir à me lever le matin pour préparer le petit déjeuner et emmener Tommy à l'école.

Pour Mariana et moi, c'est plus difficile. Je ne pense pas que l'on puisse prendre deux adultes quelconques, et encore moins des individus aussi indépendants que nous, et attendre qu'ils rattrapent cinq années. Nous avons emprunté des chemins différents et, au bout de trois mois d'échec, nous nous rendons compte à la fin septembre qu'il vaut mieux mettre fin à notre mariage. Dans la jungle, je m'étais dit que je ferais tout pour que la famille reste unie, ne serait-ce que pour mon fils, et que j'y arriverais si je me donnais un peu de mal. Ce n'est pas le cas, mais, avec tout ce que j'ai déjà subi, je suis prêt à l'admettre. Je veux que mon fils vive dans un environnement positif. Nous sommes encore très proches et, au final, c'est tout ce qui compte.

Rencontrer le président Bush et le président Uribe est un honneur et je peux leur exprimer ma reconnaissance – notamment à M. Uribe – pour leur soutien et pour l'extraordinaire exploit qu'ont accompli les forces colombiennes en dupant les FARC et en sauvant quinze otages sans tirer un seul coup de feu. Il était hors de question qu'une vie de plus soit sacrifiée et nous avons été extrêmement impressionnés que l'opération Jaque y soit parvenue.

Ma plus grande joie maintenant m'est procurée par ma moto – pas l'ancienne, mais une neuve. Durant une interview sur CNN, j'ai parlé de la Chevauchée de la Liberté et quelqu'un de chez Harley-Davidson m'a entendu. Nous sommes tous les trois invités à Milwaukee pour le cent cinquième anniversaire de l'entreprise. Se retrouver parmi tous ces gens qui partagent notre passion est merveilleux et leur générosité est incroyable, surtout lorsqu'on nous offre le modèle de notre choix.

C'est un geste magnifique. Régulièrement, je prends ma moto pour aller boire mon café matinal dans un bistrot appelé Osorio. L'endroit n'a rien de particulièrement chic, mais c'est déjà un plaisir de pouvoir sortir et déguster un café dans un gobelet en carton. Je ne m'y attarde pas. Rouler le nez au vent est rafraîchissant, mais je préfère surtout rentrer chez moi. Ma captivité m'a fait apprécier les joies du hamac. J'en ai accroché un au bord de la piscine, d'où je peux voir les arbres du jardin. Les fruits étaient rares en captivité, et se prélasser dans un hamac entouré du parfum des oranges, citrons et mangues, c'est ce dont j'ai toujours rêvé quand j'étais prisonnier des FARC. Moi qui ai toujours adoré l'aventure et l'action, c'est maintenant ce que je préfère, avant de me lancer dans des projets d'emménagement.

Je n'ai pas volé depuis mon retour alors que c'était ma passion. Je n'ai plus envie de me presser. J'ai déjà gagné la partie et rien ne le prouve mieux que de pouvoir décider si je vais me balancer ou rester immobile, décrocher le téléphone ou laisser le répondeur s'en occuper. Rien n'est assez important pour venir me déranger à l'intérieur de la petite bulle de mon paradis tropical personnel.

KEITH

– Keith, bienvenue à la maison et à Fort Sam Houston.

Dès les premiers mots que prononce le général Keith Huber, nous sommes replongés dans l'univers de l'armée et de la bravoure. Sa poignée de main ferme et ses yeux bleus me rappellent que la brutalité qui a marqué notre existence pendant si longtemps est bel et bien terminée. Il donne le ton pour tout le monde à Fort Sam Houston. Le personnel du CMMB dépasse nos espérances à tous égards ; c'est grâce à lui. C'est mon premier véritable contact avec quelqu'un de son rang et il reste très cordial alors que je ne suis qu'un simple ancien marine.

Le premier soir, je mange un cheeseburger qu'un colonel a eu la bonté de courir me préparer chez lui. J'ai hâte d'être au lendemain. J'ai pu emprunter le téléphone d'un collègue à Bogotá et j'ai brièvement parlé à mes parents en Floride. Leur joie et leur soulagement ne m'ont pas quitté de la journée. Ils m'ont promis de venir me voir le lendemain.

Ils arrivent comme prévu avec Lauren et Kyle, et nous nous retrouvons dans une salle de réunion. Nous nous étreignons ; tout le monde pleure un bon coup. Kyle a maintenant seize ans et mesure un mètre quatre-vingt-dix-huit. Je n'en crois pas mes yeux. Lauren en a dix-neuf et c'est une magnifique jeune fille dont n'importe quel père pourrait être fier.

Je leur confie à quel point leurs messages m'ont soutenu dans les pires moments ; je sais que je ne pourrai jamais les remercier assez, mais que je vais faire mon possible.

Mon père est un intellectuel, mais je ne l'ai jamais vu aussi ému. Je lui assure qu'à présent je suis blindé et que plus rien ne peut me toucher. Il me répond qu'il voudrait me dire tant de choses qu'il aurait voulu exprimer plus tôt... Je le coupe : il m'a déjà tout dit dans ses messages, il s'est occupé de mes enfants, de tout.

— Je sais, mais...

C'est seulement plus tard que je comprends ce que signifie ce « mais ». Je soupçonnais depuis un moment que Malia avait quitté le navire. Je ne lui en veux pas. Mon père redoutait que je m'attende à la voir arriver avec des roses et du champagne, et il ne voulait pas me démoraliser. Mais il n'a pas besoin de parler. Je n'ai pas reçu de nouvelles d'elle depuis quatre ans. Nous savions tous que nous n'exigerions de personne d'arrêter de vivre à cause de nous. Avant le crash, j'ai compromis ma relation avec Malia et je ne me faisais pas d'illusions. Quand je dis à mon père que je suis blindé, c'est vrai. Je suis déjà passé à autre chose.

Le deuxième jour, juste avant que Patrica et les jumeaux n'arrivent, le général Huber vient me parler.

– Je suis un père de famille comme vous, avec une épouse aimante, deux grands garçons et déjà un petit-fils. Je veux être sûr que vous êtes prêt pour ce qui va arriver. Connaître ces deux petits peut se révéler un coup pour vous.

Je suis prêt. Je suis leur père, j'ai besoin de les voir et eux de savoir qui je suis. J'ai beaucoup pensé à eux durant ma captivité. Je me suis inquiété. Mais, grâce à Lucho, le monde entier a su que nous étions fiancés. J'ai un pincement au cœur quand j'ouvre la porte de la salle où on m'attend. Je vois d'abord deux garçonnets assis par terre qui jouent aux petites voitures. Ils se retournent en m'entendant, sautent sur leurs pieds et courent vers moi en criant « Papa ! » et en s'accrochant chacun à une de mes jambes. Je ne mens pas : je manque de tomber tellement je flageole. Je m'agenouille et je les laisse me sauter au cou. Je lève les yeux vers Patricia et j'ai la confirmation de ce que je pense depuis des mois : c'est une femme qui a su bien se comporter, même si c'était dur. Malgré tout ce que je lui ai fait, elle est parvenue à me pardonner. En la voyant une main sur la bouche et les yeux pleins de larmes, je sais que quelqu'un m'a laissé tomber mais qu'une autre s'est montrée plus qu'à la hauteur. Et je veux prendre dans mes bras cette femme qui a vraiment compris ce que c'est qu'aimer et pardonner.

– Comment ils ont su ?

C'est tout ce que je parviens à articuler.

Elle avait accroché une photo de moi sur le mur de leur chambre. Entre leurs deux lits. Et elle leur a expliqué que des méchants m'avaient capturé et que c'était pour cela que je n'étais pas avec eux. Mais elle, comment a-t-elle su ce que je pouvais éprouver pour elle ?

— Avant que Luis Eladio vienne me voir, je ne savais pas. J'avais confiance. J'ai espéré.

À notre arrivée à l'hôpital, je prends pour la première fois depuis cinq ans une douche chaude. Je n'en reviens pas d'avoir à simplement tourner un robinet pour que coule une eau propre. Qu'il y ait une savonnette et du shampooing, et pas du savon à lessive. Rester sous ce flot pendant des heures se révèle le meilleur moyen de me débarrasser des couches de saleté accumulée durant ma captivité chez les FARC.

En me retrouvant là avec Patricia et mes deux garçons, j'ai l'impression d'avoir reçu une deuxième chance. De me laver de tout l'égoïsme que j'ai accumulé sur moi avant le crash. Si je n'avais pas déjà compris durant ma captivité que donner un peu de moi aux autres était nécessaire pour survivre, le dévouement de Patricia le rappelle au grand crétin de paysan que je suis.

C'est une joie de rentrer enfin en Floride et de m'installer avec elle et notre famille recomposée. Cela confirme ce que je pressentais dans la jungle : se sentir en sécurité dans une relation vaut infiniment mieux que de se démener et d'essayer de prouver quelque chose, à soi ou à des gens dont on n'a rien à faire. Tout comme Tom est passé de pièce en pièce dans sa maison, j'examine un par un les moments de ma vie. Il y a quelques petites choses à changer.

Dans la jungle, j'ai déjà commencé à faire le point. J'ai rempli des carnets entiers de toutes sortes de réflexions. Puis un jour, après m'être ainsi confié pendant tout ce temps, j'ai décidé qu'il fallait cesser de ruminer le passé et se concentrer sur le présent. J'ai brûlé ces carnets et, si je n'ai pas imaginé renaître comme un phénix de ses cendres, j'ai bien compris le message. C'est peut-être pour cela que je dormais si bien en captivité : j'avais la conscience claire d'un nouveau-né.

Je suis encore en contact avec Juancho et Lucho, ce qui prouve que je ne cherche pas à oublier totalement la Colombie. Durant mes premières semaines à la maison, je me renseigne le plus possible sur l'opération Jaque. Même si elle a été soutenue et techniquement assistée par les États-Unis, les gars sur le terrain méritent mon admiration.

L'opération doit son succès au travail de renseignement de l'armée colombienne, aux erreurs des FARC, à la mort de leurs trois chefs et aux pressions de l'ambassade. Mais surtout, les Colombiens ont réussi à retourner deux guérilleros. Sans cela, nous serions encore dans la jungle. L'armée écoutait les communications des FARC depuis un moment. Nous le savions déjà à l'époque de Milton : si nous avons passé tant de temps à errer, c'est que les FARC s'étaient rendu compte qu'ils étaient écoutés et devaient dès lors recourir à des messagers. Les consignes envoyées par Mono JoJoy ou César qui mettaient du temps à arriver ont donné un avantage supplémentaire aux militaires.

Lors d'une réception donnée en notre honneur, j'apprends que des gars des Forces spéciales américaines nous avaient repérés un jour que nous nous baignions dans une rivière. Un autre me raconte avoir senti une curieuse odeur de popcorn lors d'une mission de terrain. Je suis épaté que la tentative d'Enrique pour apaiser ses hommes ait pu signaler notre position.

Si les Forces spéciales ont joué un rôle dans l'ombre, ce sont les Colombiens qui ont tout organisé. Ils ont infiltré les messagers et envoyé de faux ordres pour voir si les FARC les suivraient. D'ailleurs, certains de nos déplacements avec Milton et Enrique ont été orchestrés par le gouvernement colombien et personne dans le haut commandement des FARC n'a jamais donné pour consigne de nous réunir avec Ingrid Betancourt et William Pérez juste avant l'opération de sauvetage.

L'armée a aussi profité d'une autre occasion : parallèlement à ses efforts, une authentique organisation humanitaire était sur le terrain à notre recherche. Leur remarquable engagement a par inadvertance joué un grand rôle dans le stratagème mis au point par les militaires. Les FARC l'ayant entendu annoncer à la radio, ils n'y ont vu que du feu lorsque l'armée a envoyé l'ordre falsifié de nous amener au point de ralliement pour embarquer dans les hélicos. Enrique ne pouvait qu'obéir à des ordres venant d'aussi haut.

Enrique et César sont encore en détention et la désorganisation règne plus que jamais dans les rangs des FARC. Je me plais à croire que notre exfiltration contribuera à leur chute et qu'elle mènera à la libération d'autres otages. Je tiens surtout à ce que personne n'oublie ceux qui sont restés en captivité. Tous les trois, nous pensons autant à eux aujourd'hui que le jour de notre libération. Je ne sais pas pourquoi, mais les États-Unis se préoccupent assez peu de leurs voisins du sud. C'est seulement quand Chávez nous agace ou menace de couper l'approvisionnement en pétrole que nous nous intéressons à ce qui se passe là-bas. J'espère que notre histoire fera comprendre que la politique est une affaire de personnes et que la question des droits de l'homme n'est pas à prendre à la légère.

À présent, j'essaie de ne pas trop penser aux FARC. Il y a quelques semaines, j'ai eu la chance d'aller chasser le cerf avec un de mes meilleurs copains. Du haut de ma tourelle de guet, dans l'aube nimbée de brume, j'ai aperçu un couple de cerfs et un faon qui broutaient. J'ai laissé mon fusil posé à côté de moi et j'ai continué à admirer cette scène. D'abord surpris, mon compagnon a compris.

MARC

« J'ai l'impression d'être E.T. »

Ces paroles sont à prendre à plusieurs degrés. Pour commencer, nous franchissons le sas de la salle de quarantaine, accueillis par des silhouettes revêtues de combinaisons et de masques qui nous applaudissent. C'est bouleversant de se retrouver en présence de gens sincèrement soucieux de votre bien-être, mais je me sens comme un extraterrestre. Quand on a été maltraité au quotidien comme nous pendant aussi longtemps, la moindre gentillesse paraît démesurée.

Une fois que nous sommes installés dans notre chambre du CMMB, j'essaie d'appeler à nouveau ma famille, injoignable dans la journée. Je finis par avoir mon père. Entendre sa voix depuis tout ce temps, c'est plus qu'un soulagement : je suis baigné par une sensation de calme et de sécurité que je n'ai pas éprouvée depuis longtemps. Mon père, naturellement très ému, me dit combien il est heureux. Nous n'avons pas beaucoup de temps pour nous étendre en bavardages : les responsables du programme de réadaptation ne m'autorisent que quelques minutes afin de nous ménager émotionnellement et je lui dis au revoir à regret.

Il m'a appris que ma mère était allée en France participer à plusieurs manifestations pacifiques et à diverses cérémonies destinées à attirer l'attention sur le calvaire des otages colombiens. Informée de notre retour, elle est en route pour le Texas avec l'aide de Northrop.

Dormir dans un vrai lit pour la première fois est un bonheur, mais ce confort ne m'empêche pas de faire un cauchemar. Durant toute ma captivité, j'ai rêvé que j'étais sauvé. Cette première nuit au CMMB, je me réveille après avoir rêvé que j'étais encore dans la jungle et que notre sauvetage n'était qu'un rêve. C'est peut-être un cliché, mais je n'arrive plus à me rendormir et je me demande si cette chambre n'est que le produit de mon imagination.

Deux jours après notre retour, je peux voir ma mère et mon beau-père, Mike, ainsi que mon père, ma belle-mère, ma demi-sœur et mon frère. Les visites sont encore minutées. Quand ma mère m'étreint, je me demande si c'est moi qui suis devenu frêle ou elle forte. J'ai l'impression qu'elle va me broyer les côtes, mais cela n'a pas d'importance. Elle me dit qu'elle est heureuse que ses prières aient été exaucées. Je vois que ces cinq années d'angoisse l'ont éprouvée elle aussi.

Le lendemain, je retrouve enfin mes enfants. À peine la porte s'ouvre-t-elle que Destiney court dans mes bras. La petite fille que j'ai quittée a tellement grandi que je n'en reviens pas. Sous le maquillage et la nouvelle coiffure se cache encore l'enfant qui m'a tant manqué et à qui j'ai tant manqué. Elle ne me lâche pas durant les vingt minutes que nous restons ensemble.

Elle me raconte comment elle a appris mon enlèvement. Nous sommes si proches que Shane ne savait pas comment le lui dire. Elle a fini par lui déclarer que je travaillais toute la journée et que je ne pouvais appeler que très tard la nuit (ce que je faisais effectivement avant le crash). Au début, Destiney ne comprenait pas, mais à mesure que les jours passaient, j'ai commencé à lui manquer de plus en plus. Elle n'avait que neuf ans à l'époque. Puisque j'appelais tard, elle s'est mise à veiller. Mais je n'appelais jamais.

Rien ne peut soulager la peine que j'éprouve en entendant cela. Tout rejeter sur les FARC ne sert à rien, pas plus que de regretter d'avoir pris ce poste en Colombie ni de se concentrer sur l'avenir, car rien ne peut effacer le chagrin de Destiney. Et je me rends compte que je n'ai pas été le seul à souffrir dans la jungle : tous, ma mère, mon père, ma fille bien-aimée ont souffert avec moi.

Je suis étonné de voir Cody presque aussi grand que moi et d'entendre sa voix déjà grave. Quant à Joey, il n'a absolument pas changé. Je fonds en larmes. Du coin de l'œil, j'aperçois Shane un peu à l'écart, les bras croisés, qui évite mon regard. Elle sourit faiblement quand je m'approche et me dit qu'elle est heureuse de me voir sain et sauf. D'après le ton et la raideur, le léger frémissement quand je la prends dans mes bras, je comprends que ce que je pressentais dans la jungle s'est réalisé. Shane a refait sa vie. Je ne peux pas lui en vouloir, mais je suis triste quand je pense que nous étions aussi amoureux. Cependant, l'heure n'est pas au règlement de compte. Nous bavardons comme si je n'avais été absent que quelques jours au lieu de soixante-cinq mois. Je me suis préparé à cet instant, mais je suis tout de même surpris par la peine qui me serre le cœur. Elle aussi a été éprouvée par ces années. Alors que Destiney ne me lâche pas, je pense à ce que Shane a traversé et je songe combien mon absence a dû être douloureuse pour elle.

Quelques jours plus tard, quand on nous loge tous dans un appartement de l'aile réservée au personnel marié, l'abîme qui me sépare de Shane est de plus en plus évident. Nous sommes dans un petit espace, mais c'est comme si j'étais toujours en Colombie et elle en Floride. Nos silences gênés me rappellent les moments où Keith, Tom et moi étions privés de radio.

Malheureusement, ce mariage brisé ne peut être réparé. Shane et moi ne sommes plus ensemble. Bien que j'en sois navré, je m'y étais préparé depuis longtemps, comme Keith et Tom durant toutes les années qui ont suivi le dernier message de Shane. Malgré cela, mes liens avec mes enfants n'ont jamais été aussi étroits. Les voir chaque jour me rappelle ce pour quoi j'ai tenu à survivre. Il ne passe pas un jour sans que je remercie Dieu de m'avoir permis de revenir dans leur vie.

De tous les moments merveilleux que nous avons vécus depuis notre retour, c'est notre visite chez Harley-Davidson et la gentillesse du personnel que je retiens. Quand vient pour moi le moment de choisir la moto que l'on m'offre, je n'ai qu'une envie, c'est l'enfourcher, sentir de nouveau le vent me fouetter le visage et entendre le vrombissement du moteur. Le rêve qui nous a bercés pendant ces cinq ans est maintenant réalité.

L'euphorie de notre libération dure encore pendant des semaines, puis cède progressivement la place à un sentiment de sécurité et de bien-être que je n'avais jamais connu. Je retourne dans le Connecticut pour être près de mes parents et de ma famille. Je suis transporté quand ma mère est couronnée citoyenne colombienne d'honneur en récompense pour tout ce qu'elle a fait – non seulement pour notre libération, mais pour tous les autres otages qui restent en Colombie. Je pense encore à eux aujourd'hui. Northrop Grumman fait tout pour faciliter ma réadaptation, alors que je n'ai été embauché que peu de temps avant le crash. Tom et Keith sont pour moi des frères avec qui j'ai noué un lien infrangible. Nous nous parlons fréquemment et chaque jour je me rappelle que c'est notre amitié qui nous a permis de survivre.

J'ai changé. C'est inévitable pour nous tous, mais ces cinq ans ont eu une influence positive. Je considère tout différemment et j'ai appris la patience. Ainsi, récemment, je suis allé passer un IRM pour mon genou et mon dos qui me font encore souffrir. J'attends jusqu'à midi et demi pour un rendez-vous prévu à 9 h 30. La technicienne, une séduisante latino, me prie de lui pardonner ce retard.

Je lui réponds en espagnol que cela n'a pas d'importance et qu'elle n'a pas à s'excuser. Elle s'extasie sur mon espagnol et mon accent. Serais-je sud-américain ?

— Non, mais j'ai passé un certain temps là-bas, dis-je en riant.

Après m'avoir expliqué la procédure, elle s'inquiète que je supporte mal de rester allongé immobile et que je souffre de claustrophobie dans la machine. Je la rassure : tout ira bien.

Rentré chez moi, je monte sur ma moto et je pars, sans aucun but précis. Je file sur la Route 66 dans l'air vif de cette journée d'automne. Les érables écarlates de Nouvelle-Angleterre flamboient dans la lumière tandis que je prends une route baptisée du nom de l'un des plus grands héros de notre pays, Nathan Hale, soldat et martyr de l'indépendance qui donna sa vie pour la nation. C'est grâce à lui et à tant d'autres que je peux rouler, et savourer ma journée et ma liberté. Et, après avoir traversé la forêt, grisé par la vitesse, je peux rentrer chez moi, enfin libre.

REMERCIEMENTS

Dans la jungle, nous avons tous les trois compris combien il était important de pouvoir compter les uns sur les autres. Durant la rédaction en commun de ce récit, nous avons pu mettre cette leçon à profit. Nous avons été heureux de bénéficier des conseils et du soutien d'une équipe qui nous a aidés à donner le jour à ce livre en un temps record durant l'une des périodes les plus occupées de notre vie. Nous devons beaucoup à tous ces gens, et, si nous devions les remercier chacun, cet ouvrage compterait le double de pages.

Nous remercions également tous ceux qui ont prié pour que nous revenions sains et saufs, tous ceux qui ont eu un geste ou une parole bienveillante pour nos familles durant notre captivité, et tous ceux qui depuis notre retour nous ont aidés à nous réadapter, même si nous ne pouvons les nommer tous.

Nous manquerions à nos devoirs si nous ne remercions pas aussi nommément certains. Nous sommes infiniment reconnaissants au gouvernement, au peuple et à l'armée de Colombie. En particulier au général Mario Montoya, au ministre colombien de la Défense Juan Manuel Santos, au président Alvaro Uribe Velez, ainsi qu'au courage des hommes et de la femme qui ont exécuté l'opération Jaque, et aux personnes du gouvernement et de l'armée américains qui ont contribué à notre libération. À notre retour aux États-Unis, nous avons été chaleureusement accueillis et pris en charge par le général Keith Huber et son personnel au Centre médical militaire Brooke de Fort Sam Houston, et particuliè-rement M. Doug Sanders. Nous sommes infiniment recon-naissants à tous ceux qui ont participé au processus de réa-daptation, et dont la sollicitude et la compréhension extraordinaires nous ont permis de passer en douceur de la captivité à une existence à nouveau normale.

Tout Northrop Grumman s'est occupé de nos familles durant notre absence et nous a soutenus depuis notre retour. Nous remercions tout particulièrement James Pitts, Ronald Sugar, et Michele Magaletta Jr, ainsi que nos collègues de Colombie, qui n'ont jamais perdu la foi et ont continué de nous rechercher : Brian Wilks, Mike Villegas, Jim Pabon et Ed Trinidad.

Nous remercions également tout le personnel de Harley-Davidson pour sa générosité qui nous a permis de réaliser notre Chevauchée de la Liberté. Nous espérons vous revoir tous sur la route.

Wade Chapple et Doug Sanders nous ont aidés à collecter certaines des fantastiques images qui composent le hors-texte. Nous les remercions de nous avoir envoyé leurs photos et permis de les publier.

Nos avocats Newt Porter et Tony Korvick ont été essen-tiels pour nous guider dans les premiers pas de cette publi-cation. C'est grâce à eux que nous avons été accueillis chez William Morrow/HarperCollins. Notre éditeur, Matt Harper, par sa finesse d'analyse et ses conseils, nous a guidés tout en nous permettant d'écrire ce livre dont nous sommes tous les trois fiers. Nous remercions également Lisa Sharkey et tous ceux qui, chez HarperCollins, se sont occupés de la fabrication, de la promotion et des ventes.

Enfin, nous souhaitons remercier notre co-auteur Gary Brozek, dont la persévérance a permis à notre histoire de voir le jour. Cette ambitieuse entreprise n'aurait pu connaître le succès sans son implication et le talent qui lui a permis de se transporter avec nous dans la jungle pour raconter notre histoire.

TOM

Il est quasiment impossible d'exprimer toute ma gratitude aux innombrables personnes qui nous ont soutenus et encouragés durant notre captivité et le processus de réadaptation. Pardonnez-moi de ne pas tous vous nommer, mais sachez que notre contribution demeure inoubliable. Je souhaite remercier ma sœur Sally et mon frère Steve, que je suis heureux de retrouver. Mon fils, Tommy, partage encore un lien tout particulier avec moi ; je suis fier de voir quel jeune homme il est devenu et je suis impatient de continuer à partager ma vie avec lui. Mon beau-fils, Santiago Giraldo, a merveilleusement veillé sur notre famille en mon absence, prouvant une fois de plus quel homme remarquable il est.

KEITH

Si vous avez terminé ce livre, vous savez qu'il y a, parmi les milliers que je ne peux toutes citer ici, une personne que je remercie pour son inlassable soutien dévoué. Patricia, je te suis reconnaissant d'avoir eu tant de foi en moi et d'être *la mujer de mi vida*. Lauren et Kyle, mes enfants, je ne pourrai jamais vous dire assez combien je vous aime et à quel point je suis fier de ce que vous êtes devenus. J'ai toujours su que vous étiez capables de vous débrouiller, mais je suis heureux d'être de nouveau avec vous pour vous voir avancer dans la vie. Maman et papa, vous en avez tellement fait pour ma famille en mon absence que je ne pourrai jamais vous remercier assez, même si je sais que vous n'attendiez rien en retour. Keith Junior et Nick, vous avez fait montre de la ténacité qui gonfle de fierté la poitrine de l'ancien marine que je suis. Et ce n'est pas fini.

Tommy Janis, Ralph Ponticelli, Tommy Schmidt et Butch Oliver, vous avez rejoint la liste des héros tombés pour l'Amérique sans connaître les honneurs. Ce sont des hommes comme vous qui, s'étant sacrifiés, font toute la grandeur de notre pays. En exécutant discrètement un travail dangereux dont la plupart des Américains n'ont aucune connaissance, vous nous donnez à tous des raisons d'être fiers. Dieu vous garde, vous et vos familles ! Vous demeurez éternellement présents dans mon cœur et mes pensées. Tom et Marc : on a réussi !

MARC

Ce n'est plus un rêve : je suis libre. Je veux remercier tous ceux qui ont prié et écrit sans jamais nous oublier. Les miracles arrivent. J'ai appris dans la jungle la véritable valeur de la famille. Je désire remercier tout particulièrement ma mère, Jo Rosano, championne sur le champ de bataille, dont j'ai entendu la voix au cœur de la jungle. Merci à mon père et à ma belle-mère, George et Monique, mon frère et mes sœurs Michael, Denise, Corina et Misty : je vous aime tous. Les souffrances sont terminées. Merci à mes chers enfants Joey, Cody et Destiney, je remercie le Seigneur de m'avoir permis de vous revoir. Nous avons beaucoup de temps à rattraper, mais nous avons toute la vie devant nous pour cela.

Je ne souhaiterai jamais même à mon pire ennemi de subir ce que j'ai connu. Mais cela étant dit, je dois ajouter que je n'aurais jamais survécu seul. Tom, Keith, je ne vous ai pas choisis pour être mes compagnons d'infortune, mais je vous remercie d'avoir été là avec moi. On ne choisit pas sa famille, ni ses codétenus. Nous sommes des frères à présent. Et nous avons réussi ensemble : nous avons survécu.

TABLE DES MATIÈRES

Composition PCA
44400 – Rezé

Imprimé en France
par Corlet Imprimeur
Dépôt légal : juillet 2009
N° d'impression : 122122
ISBN : 978-2-7499-1102-1
LAF 1238